Gramática do português contemporâneo

· EDIÇÃO DE BOLSO ·

Celso Cunha

Gramática do português contemporâneo

· 2ª EDIÇÃO DE BOLSO ·

Organização:

Cilene da Cunha Pereira

Texto atualizado com a nova ortografia, determinada pelo DECRETO Nº 6.583, DE 29 DE SETEMBRO DE 2008, que promulga o Acordo Ortográfico da Língua Portuguesa, com início de sua vigência em 1º de janeiro de 2009 e um período de transição até 31 de dezembro de 2012, durante o qual coexistirão a norma ortográfica atualmente em vigor e a nova norma estabelecida.

L&PM POCKET | Lexikon *obras de referência*

2ª edição

LEXIKON EDITORA DIGITAL LTDA.
Rua do Mercado, 11/17º andar – Centro – 20010-120
Rio de Janeiro – RJ – Brasil
Tel.: (21) 2526-6800 – Fax: (21) 2526-6824
www.lexikon.com.br

L&PM EDITORES
Rua Comendador Coruja 314, loja 9 – Floresta – 90220-180
Porto Alegre – RS – Brasil
Tel.: (51) 3225-5777 – Fax: (51) 3221-5380
Pedidos & Depto. comercial: vendas@lpm.com.br
Fale conosco: info@lpm.com.br
www.lpm.com.br

CIP-BRASIL. CATALOGAÇÃO-NA-FONTE
SINDICATO NACIONAL DOS EDITORES DE LIVROS, RJ

C977g Cunha, Celso, 1917-1989
Gramática do português contemporâneo : edição de bolso / Celso Cunha ; organização Cilene da Cunha Pereira. – Rio de Janeiro : Lexikon ; Porto Alegre, RS : L&PM, 2012.

ISBN 978-85-86368-52-3 (Lexikon)
ISBN 978-85-254-1855-5 (L&PM)

1. Língua portuguesa – Gramática. I. Pereira, Cilene da Cunha. II. Título.

CDD: 469.5
CDU: 811.134.3'36

NOTA PRÉVIA

Esta Gramática foi elaborada com o pensamento nos alunos dos ensinos fundamental e médio, nos professores quando da preparação de suas aulas e naqueles que desejam adquirir um maior domínio dos recursos do idioma.

A *Gramática do Português Contemporâneo*, versão de bolso, corresponde à necessidade que os editores Carlos Augusto Lacerda e Paulo Geiger sentiram de publicar uma gramática destinada ao público brasileiro em geral, uma vez que a *Nova Gramática do Português Contemporâneo* — por levar em conta as normas linguísticas vigentes no Brasil e em Portugal — acabou tornando-se um texto voltado mais para o público universitário.

Ao organizarmos esta Gramática, procuramos respeitar a visão linguística e o rigor científico do mestre Celso Cunha tão bem expostos nos *Manuais de Português*, publicados na década de 1960, na *Gramática da Língua Portuguesa*, editada na década de 1970, e na *Nova Gramática do Português Contemporâneo*, nos anos 1980.

Mantivemos o objetivo precípuo adotado por Celso Cunha de apresentar a descrição do português contemporâneo em sua forma-padrão, a língua como a têm utilizado os escritores brasileiros do Romantismo para cá. Houve a preocupação, no capítulo "Fonética e Fonologia", de descrever os fonemas do português do ponto de vista articulatório, conjugando conceitos e terminologias tradicionais com contribuições da fonética moderna. No estudo das classes de palavras, examinou-se a palavra em sua forma e função, de acordo com a morfossintaxe, além de valorizarem-se os meios expressivos, tornando esta Gramática também uma introdução à estilística do português contemporâneo. Termina a obra uma síntese da versificação portuguesa.

Trata-se, pois, de uma nova gramática em sintonia com as anteriores.

Para finalizar, queremos expressar nossos agradecimentos a todos os que contribuíram para o aperfeiçoamento desta obra, em particular, Miriam da Matta Machado, Joram Pinto de Lima, Paulo César Bessa Neves e Paulo Roberto Pereira.

Rio de Janeiro, setembro de 2007.

Cilene da Cunha Pereira

SUMÁRIO

1 FONÉTICA E FONOLOGIA

Os sons da fala

Os **sons** da fala resultam quase todos da ação de certos órgãos sobre a corrente de ar vinda dos pulmões.

Para a sua produção, três condições se fazem necessárias:

a) a corrente de ar;

b) um obstáculo encontrado por essa corrente de ar;

c) uma caixa de ressonância.

Estas condições são criadas pelos **órgãos da fala**, denominados, em seu conjunto, **aparelho fonador**.

O aparelho fonador

É constituído das seguintes partes:

a) os **pulmões**, os **brônquios** e a **traqueia** — órgãos respiratórios que fornecem a corrente de ar, matéria-prima da fonação;

b) a **laringe**, onde se localizam as **cordas vocais**, que produzem a energia sonora utilizada na fala;

c) as **cavidades supralaríngeas** (**faringe, boca, fossas nasais** e **lábios**), que funcionam como caixas de ressonância, sendo que as cavidades bucal e faríngea podem variar profundamente de forma e de volume, graças aos movimentos dos órgãos ativos, sobretudo da **língua**, que, de tão importante na fonação, se tornou sinônimo de "idioma".

Funcionamento do aparelho fonador

O ar expelido dos **pulmões**, por via dos **brônquios**, penetra na **traqueia** e chega à **laringe**, onde, ao atravessar a **glote**, costuma encontrar o primeiro obstáculo à sua passagem.

A **glote**, que fica na altura do chamado *pomo-de-adão* ou *gogó*, é a abertura entre duas pregas musculares das paredes superiores da **laringe**, conhecidas pelo nome de **cordas vocais**. O fluxo de ar pode encontrá-la fechada ou aberta, em virtude de estarem aproximados ou afastados os bordos das **cordas vocais**. No primeiro caso, o ar força a passagem através das **cordas vocais** retesadas, fazendo-as vibrar e produzir o som musical característico das articulações **sonoras**. No segundo caso, relaxadas as **cordas vocais**, o ar escapa sem vibrações laríngeas, produzindo as articulações denominadas **surdas**.

A distinção entre **sonora** e **surda** pode ser claramente percebida na pronúncia de duas consoantes que no mais se identificam. Assim:

/ b / [= sonoro] *b*ato   / p / [= surdo] *p*ato

Ao sair da **laringe**, a corrente expiratória entra na **cavidade faríngea**, que termina em uma encruzilhada, oferecendo duas vias de acesso ao exterior: o **canal bucal** e o **nasal**. Suspenso no entrecruzar desses dois canais fica o **véu palatino**, que termina na **úvula**. Estes, dotados de mobilidade, são capazes de obstruir ou não o ingresso do ar na **cavidade nasal** e, consequentemente, de determinar a natureza **oral** ou **nasal** de um som.

Quando levantado, o **véu palatino** cola-se à parede posterior da **faringe**, deixando livre apenas o **conduto bucal**. As articulações assim obtidas denominam-se **orais** (adjetivo derivado do latim *os*, *oris*, "a boca"). Quando abaixado, o **véu palatino** deixa ambas as passagens livres. A corrente expiratória então se divide, e uma parte dela escoa pelas **fossas nasais**, onde adquire a ressonância característica das articulações chamadas **nasais**. Compare-se, por exemplo, a pronúncia das vogais:

/ a / [= oral] m*a*to   / ã / [= nasal] m*an*to

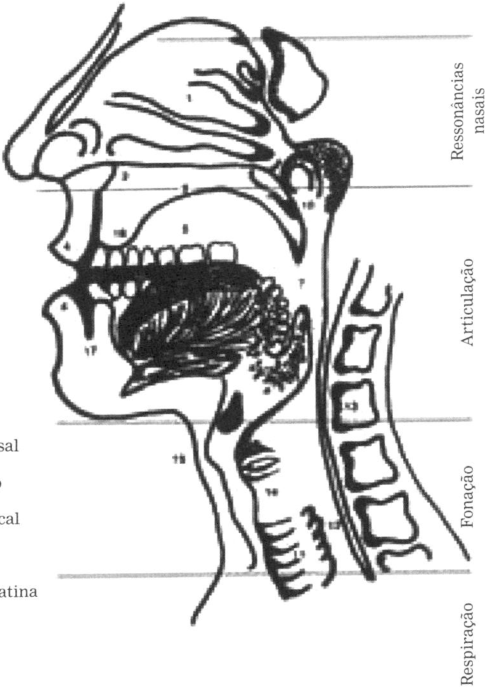

1. cavidade nasal
2. palato duro
3. véu palatino
4. lábios
5 cavidade bucal
6. língua
7. faringe
8. epiglote
9. abóbada palatina
10. rinofaringe
11. traqueia
12. esôfago
13. vértebras
14. laringe
15. pomo-de-adão
16. maxilar superior
17. maxilar inferior

Aparelho fonador (a laringe e as cavidades supralaríngeas)

É, porém, na **cavidade bucal** que se produzem os movimentos fonadores mais variados, graças, sobretudo, à grande mobilidade da **língua** e dos **lábios**.

Som e Fonema

Nem todos os sons que pronunciamos em português têm o mesmo valor no funcionamento da nossa língua.

Alguns servem para diferenciar vocábulos que no mais se identificam.

Por exemplo, em:

*e*rro /ê/	alm*o*ço /ô/	(substantivos)
*e*rro /é/	alm*o*ço /ó/	(verbos)

a diversidade de timbre da vogal é suficiente para estabelecer uma oposição entre substantivo e verbo.

Na série:

*c*ato	*p*ato	*t*ato	*ch*ato
*g*ato	*b*ato	*d*ato	*j*ato

temos oito vocábulos que se distinguem apenas pelo elemento consonântico inicial.

Todo som capaz de estabelecer uma distinção de significado entre dois vocábulos de uma língua é a realização física de um **fonema**.

São, pois, **fonemas**, as **vogais** e as **consoantes**, diferenciadores dos vocábulos antes mencionados.

Fonema e variante

Na produção da fala, o mesmo **fonema** costuma realizar-se com múltiplas variações que não impedem a identificação da palavra em que aparecem, podendo essas variações serem de natureza individual, social, regional ou contextual.

Aos vários sons que realizam um mesmo fonema dá-se o nome de **variantes fonológicas** ou **alofones**.

Ninguém ignora, por exemplo, que o /l/ final de sílaba é no Brasil muito instável. Num vocábulo como *animal* podemos ouvir a consoante em matizadas articulações que vão desde a característica maneira gaúcha até a forma identificada à semivogal [w], de vastas regiões do país, sem falarmos na sua frequente perda, em áreas do interior.

Por outro lado, se compararmos, por exemplo, os vocábulos

tia toa tua

sentimos que eles se diferenciam apenas pela vogal interna:

/*i*/ /*o*/ /*u*/

Se, no entanto, observarmos com atenção a pronúncia da consoante na forma *tia*, de um lado, e em *toa* e *tua*, de outro, percebemos que o /t/ da primeira é emitido, na pronúncia do Rio de Janeiro, como [tch], à semelhança do som inicial do vocábulo *tcheco*, por influência da vogal /i/.

Fonética e Fonologia

A disciplina que estuda minuciosamente os sons da fala em suas múltiplas realizações chama-se **fonética**, e a que estuda as funções dos sons numa língua denomina-se **fonologia**.

Transcrição fonética e fonológica

Para simbolizar na escrita a pronúncia real de um som, usa-se um alfabeto especial, o **alfabeto fonético**.

Os sinais fonéticos são colocados entre colchetes: [ ].

Por exemplo: ['saw] na pronúncia do Rio de Janeiro.

Os fonemas transcrevem-se entre barras oblíquas: / /.

Por exemplo: /'sal/.

Classificação dos Fonemas

Os fonemas classificam-se em **vogais** e **consoantes**.

Vogais e consoantes

1. Do ponto de vista articulatório, as **vogais** podem ser consideradas sons formados pela vibração das cordas vocais e modificados segundo a forma das cavidades supralaríngeas. Na produção das **vogais**, a corrente de ar passa livremente por essas cavidades. Ao contrário, na realização das

consoantes há sempre um obstáculo total ou parcial à passagem da corrente expiratória.

2. Quanto à função silábica — outro critério de distinção —, cabe salientar que, na nossa língua, o centro da sílaba só pode ser ocupado por **vogal**. As **consoantes** ficam às margens da sílaba: sempre aparecem junto a uma vogal.

Semivogais

São chamados **semivogais** /i/ e /u/ quando, juntos a uma vogal, formam uma sílaba. Foneticamente, estas vogais assilábicas se transcrevem [y] e [w].

Assim, em *riso* ['rizu] e *rio* ['riu] o /i/ é **vogal**, mas em *herói* [e'róy] e *vário* ['varyu] é **semivogal**. Também o /u/ é **vogal**, por exemplo, em *muro* ['muru] e *rua* ['rua], mas **semivogal** em *chapéu* [cha'péw] e *quatro* ['qwatru].

Classificação das Vogais

Segundo a classificação de base fundamentalmente articulatória, as vogais da língua portuguesa podem ser:

a) quanto à **zona de articulação**:
anteriores ou palatais
centrais
posteriores ou velares

b) quanto ao **grau de abertura**:
abertas
semiabertas
semifechadas
fechadas

c) quanto ao **papel das cavidades bucal** e **nasal**:
orais
nasais

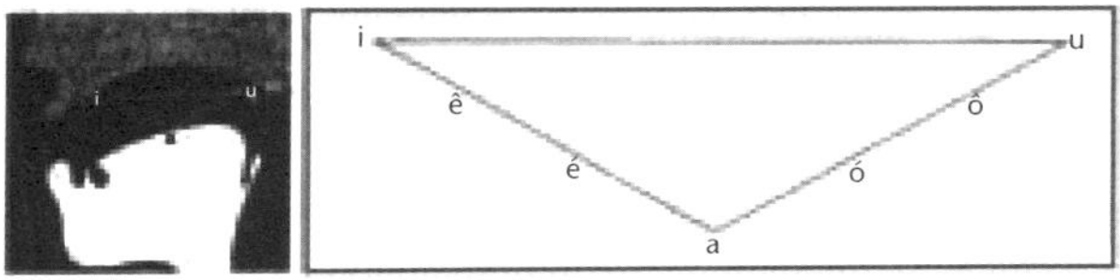

Zona de articulação

As **vogais** são os sons que se pronunciam com a via bucal livre. Não se deve concluir desta afirmação que seja indiferente para a distinção das **vogais** o movimento dos diversos órgãos articulatórios. Pelo contrário. Basta avançarmos a língua progressivamente em direção à parte anterior da cavidade bucal ou recuarmo-la em direção à parte posterior dessa cavidade, ou ainda mantê-la numa posição intermediária, para termos séries de vogais diferentes.

No primeiro caso, produzimos a série das vogais **anteriores** (ou **palatais**): /é/, /ê/, /i/, /ẽ/, /ĩ/.

No segundo caso, a das vogais **posteriores** (ou **velares**): /ó/, /ô/, /u/, /õ/, /ũ/.

E no terceiro, as vogais **centrais**: /a/, /ã/.

Grau de abertura

Do ponto de vista articulatório, o **grau de abertura** é dado pelo movimento de elevação gradual da língua na cavidade bucal, partindo da posição baixa, em direção ao palato duro ou em direção ao palato mole (véu palatino).

Esses movimentos da língua resultam nos diversos timbres vocálicos que dependem, essencialmente, das formas tomadas pelas cavidades faríngea e bucal, que funcionam como tubo de ressonância.

A maior largura do tubo de ressonância, provocada pela língua em posição baixa, produz as vogais chamadas **abertas**: /a/ e /ã/.

A pequena elevação da língua em direção ao palato (quer duro, quer mole) produz as vogais chamadas **semiabertas**: /é/, /ó/.

A elevação um pouco maior da língua em direção ao palato, duro ou mole, produz as vogais chamadas **semifechadas**: /ê/, /ô/, /ẽ/, /õ/.

A elevação máxima da língua, permitida para a realização de uma vogal, em direção ao palato, produz as vogais chamadas **fechadas**: /i/, /u/, /ĩ/, /ũ/.

Vogais orais e vogais nasais

Além das *sete* **vogais orais** que examinamos — emitidas todas com o véu palatino levantado contra a parede posterior da faringe: /a/, /é/, /ê/, /i/, /ó/, /ô/, /u/ —, possui a nossa língua *cinco* **vogais nasais**, em cuja articulação o véu palatino, abaixado, permite que uma parte da corrente expiratória ressoe na cavidade nasal:

/ã/ *Iẽ/* */ĩ/* */õ/* */ũ/*

Em português, as **vogais nasais** podem empregar-se com fins distintivos. Comparem-se estas palavras:

l*ã*	s*en*da	l*in*da	b*om*ba	m*un*do
l*á*	s*e*da	l*i*da	b*o*ba	m*u*do

Intensidade e acento

Em **sílaba tônica**, distinguimos as *sete vogais orais*, como atesta a sequência vocabular:

s*a*co	s*e*co	s*e*co	s*i*co	s*o*co	s*o*co	s*u*co
/a/	*/é/*	*/ê/*	*/i/*	*/ó/*	*/ô/*	*/u/*

Em **sílaba átona**, anula-se a distinção entre /é/ — /ê/, /ó/ — /ô/, do que resulta um sistema de *cinco vogais*, mais estável em sílaba **pretônica**.

l*a*var	p*e*sar	p*i*sar	c*o*rar	c*u*rar
/a/	*/ê/*	*/i/*	*/ô/*	*/u/*

Em sílaba **átona final**, o vocalismo tende a simplificar-se ainda mais pela identificação do timbre das vogais finais /e/ — /i/ e /o/ — /u/. As palavras *tarde* e *povo*, por exemplo, soam efetivamente /'tard*i*/ e /'pov*u*/.

Quadro de classificação das vogais

Levando em conta os três critérios de classificação das vogais adotados, poderíamos apresentar o seguinte quadro:

ZONA DE ARTICULAÇÃO		ANTERIORES		CENTRAIS		POSTERIORES	
PAPEL DAS CAVIDADES		ORAIS	NASAIS	ORAL	NASAL	ORAIS	NASAIS
GRAUS DE ABERTURA	FECHADAS	/i/	/ĩ/			/u/	/ũ/
	SEMIFECHADAS	/ê/	/ẽ/			/ô/	/õ/
	SEMIABERTAS	/é/				/ó/	
	ABERTAS			/a/	/ã/		

ENCONTROS VOCÁLICOS

Ditongos

O encontro de uma vogal + uma semivogal, ou de uma semivogal + uma vogal recebe o nome de **ditongo**.

Os **ditongos** podem ser:

a) **decrescentes** e **crescentes**;

b) **orais** e **nasais**.

DITONGOS DECRESCENTES E CRESCENTES

Quando a vogal vem em primeiro lugar, o **ditongo** se denomina **decrescente**. Assim:

pa*u* ca*i* de*u* vi*u*

Quando a semivogal antecede a vogal, o **ditongo** se diz **crescente**. Assim:

sér*ie* colég*io* ág*ua* freq*ue*nte

Em português apenas os **decrescentes** são **ditongos** estáveis. Na linguagem coloquial os **ditongos crescentes** só apresentam estabilidade quando a semivogal [w] vem precedida de /k/ (grafado *q*), ou de /g/:

q*ua*se	seq*ue*la	enxag*ua*r
ling*ue*ta	q*uo*ta	tranq*ui*lo

Ditongos orais e nasais

Como as vogais, os **ditongos** podem ser **orais** e **nasais**, segundo a natureza oral ou nasal dos seus elementos.

São os seguintes os **ditongos orais decrescentes**:

DITONGO	EXEMPLIFICAÇÃO	DITONGO	EXEMPLIFICAÇÃO
[*ay*]	p*ai*	[*iw*]	v*iu*
[*aw*]	m*au*	[*ôy*]	n*oi*te
[*êy*]	s*ei*	[*óy*]	her*ói*
[*éy*]	pap*éi*s	[*ôw*]	v*ou*
[*êw*]	s*eu*	[*uy*]	az*ui*s
[*éw*]	c*éu*		

Há os seguintes **ditongos nasais decrescentes**:

PRONÚNCIA	ESCRITA	EXEMPLIFICAÇÃO
[*ãy*]	ãe, ãi	m*ãe*, c*ãi*bra
[*ãw*]	ão, am	m*ão*, vej*am*
[*ẽy*]	em, en	v*em*, b*en*zinho
[*õy*]	õe	p*õe*, serm*õe*s
[*ũy*]	ui	m*ui*, m*ui*to

Observação:

Não se assinala na escrita a nasalidade do ditongo [ũy] como na palavra *muito*.

Tritongos

Denomina-se **tritongo** o encontro formado de semivogal + vogal + semivogal.

De acordo com a natureza (oral ou nasal) de sua vogal, os **tritongos** se classificam também em **orais** e **nasais**.

São **tritongos orais**:

TRITONGO	EXEMPLIFICAÇÃO	TRITONGO	EXEMPLIFICAÇÃO
[*way*]	Parag*uai*	[*wiw*]	delinq*uiu*
[*wêy*]	averig*uei*	[*wôw*]	enxag*uou*

São **tritongos nasais**:

PRONÚNCIA	ESCRITA	EXEMPLIFICAÇÃO
[*wãw*]	uão, uam	sag*uão*, enxág*uam*
[*wẽy*]	uem	míng*uem*, ág*uem*
[*wõy*]	uõe	sag*uões*

Hiatos

Dá-se o nome de **hiato** ao encontro de duas vogais que pertecem a sílabas diferentes.

Assim, comparando-se as palavras *pais* (plural de *pai*) e *país* (região), verifica-se:

a) na primeira, o encontro *ai* soa apenas numa sílaba: *pais*;

b) na segunda, o *a* pertence a uma sílaba e o *i* a outra: *pa-ís*.

Conclui-se, portanto, que em *pais* há **ditongo**; em *país*, **hiato**.

Observação:

Quando átonos finais, os encontros *-ia, -ie, -io, -oa, -ua, -ue* e *-uo* são normalmente **ditongos crescentes**: gló-r*ia*, cá-r*ie*, vá-r*io*, má-g*oa*, á-g*ua*, tê-n*ue*, ár-d*uo*. Podem, no entanto, ser emitidos com separação dos dois elementos, formando assim um **hiato**: gló-r*i*-*a*, cá-r*i*-*e*, vá-r*i*-*o*, etc. Ressalte-se, porém, que na escrita, em hipótese alguma, os elementos desses encontros vocálicos se separam no fim da linha, como salientamos no Capítulo 2.

Classificação das Consoantes

As consoantes da língua portuguesa, em número de *dezenove*, são tradicionalmente classificadas em função de quatro critérios de base essencialmente articulatória:

a) quanto ao **modo de articulação**:

- momentâneas — oclusivas
- contínuas
  - constritivas
  - laterais
  - vibrantes

b) quanto ao **ponto de articulação**:

- bilabiais
- labiodentais
- linguodentais
- alveolares
- palatais
- velares

c) quanto ao **papel das cordas vocais**:

- surdas
- sonoras

d) quanto ao **papel das cavidades bucal e nasal**:

- orais
- nasais

O modo de articulação

A articulação das consoantes não se faz, como a das vogais, com a passagem livre do ar através das cavidades supralaríngeas. Em sua realização, a corrente expiratória encontra sempre, em alguma parte do conduto vocal, ou um obstáculo total, que a interrompe momentaneamente, ou um obstáculo parcial, que a comprime. No primeiro caso, as consoantes se dizem momentâneas (**oclusivas**); no segundo, contínuas (**constritivas, laterais, vibrantes**).

1. **oclusivas**, caracterizadas pela interrupção momentânea da corrente de ar pelo contato dos órgãos articuladores.

/p/ (*p*ato) /t/ (*t*a*t*o) /k/ (*c*ato)
/b/ (*b*ato) /d/ (*d*a*t*o) /g/ (*g*ato)

2. **constritivas**, caracterizadas pela passagem do ar através de uma estreita fenda formada pelos órgãos articuladores, o que produz um ruído comparável ao de uma fricção:

/f/ (*f*aca) /s/ (*s*elo) /x/ (*ch*ato)
/v/ (*v*aca) /z/ (*z*elo) /j/ (*j*ato)

3. **laterais**, caracterizadas pela passagem da corrente expiratória pelos dois lados da cavidade bucal, em virtude do obstáculo formado no centro desta pelo encontro da língua com os alvéolos dos dentes ou com o palato:

/l/ (fi*l*a) /lh/ (fi*lh*a)

4. **vibrantes**, caracterizadas pelo movimento de batidas rápidas de um órgão elástico (o ápice da língua ou a úvula), que provoca uma ou várias brevíssimas interrupções da passagem da corrente expiratória:

No primeiro caso tem-se a vibrante simples e no segundo a vibrante múltipla.

/r/ (ca*r*o) /rr/ (ca*rr*o)

O ponto de articulação

O obstáculo (total ou parcial) necessário à articulação das consoantes pode produzir-se em diversos pontos das cavidades bucal e labial. Daí o conceito de **ponto de articulação**, segundo o qual as consoantes se classificam em:

1. **bilabiais**, formadas pelo contato dos lábios:

/p/ (*p*ato) /b/ (*b*ato) /m/ (*m*ato)

2. **labiodentais**, formadas pela constrição do ar entre o lábio inferior e os dentes incisivos superiores:

/f/ (*f*ala) /v/ (*v*ala)

3. **linguodentais**, formadas pelo contato da ponta da língua com a face interna dos dentes superiores:

/t/ (*t*a*t*o) /d/ (*d*ato) /n/ (*n*ato)

4. **alveolares**, formadas pela aproximação ou contato da língua com os alvéolos dos dentes incisivos superiores:

/s/ (*s*elo) /z/ (*z*elo) /l/ (ca*l*a) /r/ (ca*r*a)

5. **palatais**, formadas pela aproximação ou contato do dorso da língua com o palato duro:

/x/ (*ch*á) /j/ (*j*á) /lh/ (pi*lh*a) /nh/ (pi*nh*a)

6. **velares**, formadas pelo contato da parte posterior da língua com o palato mole (véu palatino):

/k/ (*c*alo) /g/ (*g*alo)

7. **uvular**, formada pelo contato da úvula com o dorso da língua:

/rr/ (*r*alo) (ca*rr*o)

O papel das cordas vocais

Enquanto as vogais são sempre sonoras, as consoantes podem ser ou não produzidas com vibração das **cordas vocais**.

São **surdas** (produzidas sem vibração das cordas vocais) as consoantes:

/p/ /t/ /k/ /f/ /s/ /x/

As demais são **sonoras** (produzidas com a vibração das cordas vocais):

/b/ /d/ /g/ /v/ /z/ /j/ /l/
/lh/ /r/ /rr/ /m/ /n/ /nh/

O papel das cavidades bucal e nasal

Como as vogais, as consoantes podem ser **orais** ou **nasais**. Por outras palavras: em sua emissão, a corrente expiratória pode passar apenas pela cavidade bucal, ou também ressoar na cavidade nasal, caso encontre abaixado o véu palatino.

São **nasais** as consoantes:

/m/ (a*m*o) /n/ (a*n*o) /nh/ (a*nh*o)

As outras são **orais**.

Quadro das consoantes

Resumindo, podemos dizer que o conjunto das consoantes da língua portuguesa é constituído por *dezenove* fonemas, cuja classificação se expõe esquematicamente no quadro a seguir.

	PAPEL DAS CAVIDADES BUCAL E NASAL	ORAIS							NASAIS
	MODO DE ARTICULAÇÃO	MOMENTÂNEA		CONTÍNUAS					
		OCLUSIVAS		CONSTRITIVAS		LATERAIS	VIBRANTES		
							SIMPLES	MÚLTIPLA	
	PAPEL DAS CORDAS VOCAIS	SURDAS	SONORAS	SURDAS	SONORAS	SONORAS	SONORA	SONORA	SONORAS
PONTO DE ARTICULAÇÃO	BILABIAIS	/p/	/b/						/m/
	LABIODENTAIS			/f/	/v/				
	LINGUODENTAIS	/t/	/d/						/n/
	ALVEOLARES			/s/	/z/	/l/	/r/		
	PALATAIS			/x/	/j/	/lh/			/nh/
	VELARES	/k/	/g/						
	UVULARES							/rr/	

Representação gráfica das consoantes

Há **consoantes** que têm uma só forma gráfica. É o caso das seguintes:

CONSOANTE	PRONÚNCIA	ESCRITA	EXEMPLIFICAÇÃO	
/*b*/	bê	b	*b*ota	ca*b*o
/*p*/	pê	p	*p*ovo	ca*p*a
/*d*/	dê	d	*d*ado	ca*d*a
/*t*/	tê	t	*t*eto	a*t*um
/*v*/	vê	v	*v*éu	fa*v*a
/*f*/	fê	f	*f*aca	mo*f*o
/*l*/	lê	l	*l*eme	ma*l*a
/*lh*/	lhê	lh	*lh*e	i*lh*a
/*m*/	mê	m	*m*edo	ca*m*a
/*n*/	nê	n	*n*ada	ca*n*a
/*nh*/	nhê	nh	*nh*ambu	u*nh*a
/*r*/	rê (simples)	r		ca*r*o

Outras, no entanto, podem ser grafadas de diferentes formas. Assim:

CONSOANTE	PRONÚNCIA	ESCRITA	EXEMPLIFICAÇÃO	
/*rr*/	rrê (múltiplo)	r	*r*osa	ten*r*a
		rr	e*rr*o	ca*rr*o
/*z*/	zê	z	*z*ero	va*z*io
		s	ca*s*a	trân*s*ito
		x	e*x*ato	e*x*ilar
/*s*/	sê	s	*s*aco	val*s*a
		ss	ma*ss*a	pê*ss*ego
		ç	ma*ç*o	cal*ç*a
		c	*c*ego	dan*c*ei
		sc	cre*sc*er	de*sc*ida
		sç	cre*sç*o	de*sç*a
		x	trou*x*e	sinta*x*e
		xc	e*xc*esso	e*xc*eção
/*j*/	jê	j	*j*eito	ha*j*a
		g	*g*esso	a*g*ir
/*x*/	xê	x	*x*adrez	li*x*o
		ch	*ch*uva	ro*ch*a

CONSOANTE	PRONÚNCIA	ESCRITA	EXEMPLIFICAÇÃO	
/*g*/	guê	g	*g*ado	a*g*udo
		gu	*gu*erra	á*gu*ia
/*k*/	quê	c	*c*obra	va*c*a
		qu	*qu*eda	a*qu*ilo

Além dos valores indicados (xê, sê e zê), a letra *x* pode representar a sequência de duas consoantes /ks/ em palavras como *táxi, axila, fixo* e outras.

Encontros Consonantais

Dá-se o nome de **encontro consonantal** ao agrupamento de consoantes num vocábulo. Entre os **encontros consonantais**, merecem realce, pela frequência com que se apresentam, aqueles inseparáveis cuja segunda consoante é /l/ ou /r/. Assim:

ENCONTRO CONSONANTAL	EXEMPLIFICAÇÃO		ENCONTRO CONSONANTAL	EXEMPLIFICAÇÃO	
bl	*bl*oco	a*bl*uir	*gl*	*gl*utão	a*gl*utinar
br	*br*anco	ru*br*o	*gr*	*gr*ande	re*gr*a
cl	*cl*aro	te*cl*a	*pl*	*pl*ano	tri*pl*o
cr	*cr*avo	A*cr*e	*pr*	*pr*ato	so*pr*o
dr	*dr*agão	vi*dr*o	*tl*	—	a*tl*as
fl	*fl*or	ru*fl*ar	*tr*	*tr*ibo	a*tr*ás
fr	*fr*ancês	re*fr*ão	*vr*	—	pala*vr*a

Encontros consonantais como *gn, mn, pn, ps, pt, tm* e outros não aparecem em muitos vocábulos:

gno-mo	*pn*eu-má-ti-co	*pt*i-a-li-na
*mn*e-mô-ni-co	*ps*i-co-lo-gi-a	*tm*e-se

Observação:

Na linguagem coloquial há uma tendência de desfazer estes encontros de difícil pronúncia pela intercalação da vogal *i* (ou *e*):

dí-*gui*-no *pe*-neu rí-*ti*-mo

Dígrafos

Não é demais recordar ainda uma vez que não se devem confundir **consoantes** e **vogais** com **letras**, que são sinais representativos daqueles sons.

Assim, nas palavras *carro, pêssego, chave, malho* e *canhoto* não há **encontro consonantal**, pois as *letras rr, ss, ch, lh* e *nh* representam uma só consoante.

Também não existe **encontro consonantal** em palavras como *campo* e *ponto*: nelas o *m* e o *n* são apenas sinais de nasalidade da vogal anterior, equivalentes a um til: *cã*-po, *põ*-to.

A esses grupos de letras que simbolizam apenas um som dá-se o nome de **dígrafos**.

Incluem-se ainda entre os **dígrafos** as combinações de letras:

a) gu e *qu* antes de *e* e *i*, quando representam os mesmos fonemas oclusivos que se escrevem, respectivamente, *g* e *c* antes de *a*, *o* e *u*: *gu*erra, se*gu*ir (comparar a: *g*alo, *g*ula); *qu*erer, *qu*ilo (comparar a: *c*alar, *c*obre, *c*ubro);

b) sc, *sç* e *xc* que, entre vogais, podem representar o mesmo fonema que se transcreve também por *c* ou *ç*: flore*sc*er (comparar a amanhe*c*er), de*sç*a (comparar a pare*ç*a), e*xc*eder (comparar a pre*c*eder).

SÍLABA

Quando pronunciamos lentamente uma palavra, sentimos que não o fazemos separando um som de outro, mas dividindo a palavra em pequenos grupos que serão tantos quantos forem as vogais silábicas. Assim, uma palavra como *alegrou* não será por nós emitida *a-l-e-g-r-o-u*, mas sim: *a-le-grou*.

A cada som ou grupo de sons pronunciados numa só expiração damos o nome de **sílaba**.

A **sílaba** pode ser formada:

a) por uma vogal, um ditongo ou um tritongo:

é eu uai!

b) por uma vogal, um ditongo ou um tritongo acompanhados de consoantes:

a-mar noi-te U-ru-guai

Sílabas abertas e sílabas fechadas

1. Chama-se **aberta** a sílaba que termina por uma vogal:

m*e*-n*i*-n*o*

2. Diz-se **fechada** a sílaba que termina por uma consoante:

có*s* ma*r* pa*z*

Classificação das palavras quanto ao número de sílabas

Quanto ao número de **sílabas**, classificam-se as palavras em:

a) **monossílabas**, quando constituídas de uma só sílaba:

a mão quais

b) **dissílabas**, quando constituídas de duas sílabas:

ru-a he-rói sa-guão

c) **trissílabas**, quando constituídas de três sílabas:

cri-an-ça por-tu-guês en-xa-guou

d) **polissílabas**, quando constituídas de mais de três sílabas:

es-tu-dan-te u-ni-ver-si-da-de em-pre-en-di-men-to

ACENTO TÔNICO

Acento consiste no maior grau de força, ou de intensidade, de uma das sílabas de determinada palavra. Assim:

dire*tor* a*lu*no mate*má*tica

A sílaba acentuada, ou seja, a que se distingue das outras pela maior intensidade do som, recebe o nome de **tônica**. As demais, isto é, as que não apresentam acentuação sensível, são denominadas **átonas**.

Classificação das palavras quanto ao acento tônico

1. Quanto ao acento, as palavras de mais de uma sílaba se classificam em:

a) **oxítonas**, quando o acento recai na última sílaba:

ca*fé* fu*nil* Nite*rói*

b) **paroxítonas**, quando o acento recai na penúltima sílaba:

ba*í*a es*co*la brasi*lei*ro

c) **proparoxítonas**, quando o acento recai na antepenúltima sílaba:

arit*mé*tica *lâ*mina *pú*blico

2. Os **monossílabos** podem ser **átonos** e **tônicos**.

Átonos são aqueles pronunciados tão fracamente, que, na frase, precisam apoiar-se na acentuação de um vocábulo vizinho, formando, por assim dizer, uma sílaba deste. Por exemplo:

Diga-*me* / *o* preço / *do* livro.

São **monossílabos átonos**:

a) os artigos definidos *(o, a, os, as)* e os indefinidos *(um, uns)*;

b) os pronomes pessoais oblíquos *me, te, se, o, a, lhe, nos, vos, os, as, lhes*; e suas combinações: *mo, to, lho,* etc.;

c) o pronome relativo *que*;

d) as preposições *a, com, de, em, por, sem, sob*;

e) as combinações de preposição e artigo: *à, ao, da, do, na, no, num,* etc.;

f) as conjunções *e, mas, nem, ou, que, se*;

g) as formas de tratamento *dom (D. Pedro), frei (Frei José), são (São Pedro),* etc.

Tônicos são aqueles emitidos fortemente. Por terem acento próprio, não necessitam apoiar-se noutro vocábulo. Exemplos: *cá, flor, mau, mão, mês, mim, pôr, vou,* etc.

Valor distintivo do acento tônico

Pela variabilidade de sua posição, o acento tônico pode ter em português valor distintivo, fonológico.

Comparando, por exemplo, os vocábulos:

*sá*bia / sa*bi*a / sabi*á*

percebemos que o acento tônico é suficiente para estabelecer uma oposição, uma distinção significativa.

Acentuação viciosa

1. Atente-se na exata pronúncia das seguintes palavras, para evitar uma **silabada**, denominação que se dá ao erro de prosódia:

a) são **oxítonas**:

aloés	mister	novel	refém	sutil
Gibraltar	Nobel	recém	ruim	ureter

b) são **paroxítonas**:

alanos	efebo	inaudito	pletora
avaro	erudito	maquinaria	policromo
avito	estalido	matula	pudico
aziago	êxul	misantropo	quiromancia
barbaria	filantropo	mercancia	refrega
batavo	gólfão	nenúfar	rubrica
cartomancia	grácil	Normandia	Salonica
ciclope	gratuito (úi)	onagro	táctil
decano	hosana	opimo	têxtil
diatribe	Hungria	pegada	Tibulo
edito (lei)	ibero	periferia	tulipa

c) são **proparoxítonas**:

ádvena	areópago	égide	Niágara
aeródromo	aríete	etíope	númida
aerólito	arquétipo	êxodo	ômega
ágape	autóctone	fac-símile	páramo
álacre	azáfama	fagócito	Pégaso
álcali	azêmola	farândula	périplo
alcíone	bátega	férula	plêiade
alcoólatra	bávaro	gárrulo	prístino
âmago	bígamo	héjira	prófugo
amálgama	bímano	hipódromo	protótipo
anátema	bólido (e)	idólatra	quadrúmano
andrógino	brâmane	ímprobo	revérbero
anêmona	cáfila	ínclito	sátrapa

anódino	cânhamo	ínterim	Tâmisa
antífona	cérbero	invólucro	trânsfuga
antífrase	cotilédone	leucócito	végeto
antílope	édito (ordem judicial)	lêvedo	zéfiro
antístrofe		Lúcifer	zênite

Prefiram-se ainda as pronúncias:

barbárie	boêmia	estratégia	sinonímia

2. Para alguns vocábulos há, mesmo na língua culta, oscilação de pronúncia. É o caso de:

anidrido ou anídrido	projetil ou projétil
hieroglifo ou hieróglifo	reptil ou réptil
Oceania ou Oceânia	soror ou sóror
ortoepia ou ortoépia	zangão ou zângão

Acento principal e acento secundário

Normalmente os vocábulos de pequeno corpo só possuem uma sílaba acentuada em que se apoiam as demais, átonas. Os vocábulos longos, principalmente os derivados, costumam, no entanto, apresentar, além da sílaba tônica fundamental, uma ou mais subtônicas.

Dizemos, por exemplo, que as palavras *decididamente* e *inacreditavelmente* são **paroxítonas**, porque sentimos que em ambas o acento básico recai na penúltima sílaba (*men*). Mas percebemos também que, nas duas palavras, as sílabas restantes não são igualmente átonas. Em *decididamente*, a sílaba *-di-*, mais fraca do que a sílaba *-men-*, é sem dúvida mais forte do que as outras. Em *inacreditavelmente*, as sílabas *-cre-* e *-ta-*, embora mais débeis que a sílaba *-men-*, são sensivelmente mais fortes do que as demais. Daí considerarmos **principal** o acento que recai sobre a sílaba *-men-* (nos dois exemplos) e **secundários** os que incidem sobre a sílaba

-di- (em *decididamente*) ou sobre as sílabas *-cre-* e *-ta-* (em *inacreditavelmente*).

Ênclise e próclise

Denomina-se **ênclise** a situação de uma palavra que depende do acento tônico da palavra anterior, com a qual forma, assim, um todo fonético. **Próclise** é a situação contrária: a vinculação de uma palavra átona à palavra seguinte, a cujo acento tônico se subordina. São **proclíticos**, por exemplo, os *artigos*, as *preposições* e as *conjunções monossilábicas*. São geralmente **enclíticos** os *pronomes pessoais átonos*.

2 ORTOGRAFIA

LETRA E ALFABETO

1. Para reproduzirmos na escrita as palavras de nossa língua, empregamos certo número de sinais gráficos chamados **letras**.

O conjunto ordenado das letras de que nos servimos para transcrever os sons da linguagem falada denomina-se **alfabeto**.

---

2. O **alfabeto** da língua portuguesa consta das seguintes letras:

a b c d e f g h i j k l m n o p q r s t u v w x y z

Observação:

O novo Acordo Ortográfico incorpora ao alfabeto usado na língua portuguesa *K, W, Y,* passando-o de 23 para 26 letras.

As letras *k, w* e *y* hoje só se empregam em dois casos:

a) na transcrição de nomes próprios estrangeiros e de seus derivados portugueses:

Franklin	Wagner	Byron
frankliniano	wagneriano	byroniano

b) nas abreviaturas e nos símbolos de uso internacional:

K. (= potássio)	kg (= quilograma)	km (= quilômetro)
W. (= oeste)	w (= watt)	wh (= watt hora)
Y. (= ítrio)	Yb. (= itérbio)	yd (= jarda)

Observação:

O *h* não corresponde a nenhum som. Usa-se apenas:

a) no início de certas palavras:

haver hoje homem

b) no fim de algumas interjeições:

ah! oh! uh!

c) no interior de palavras compostas, em que o segundo elemento, iniciado por *h*, se une ao primeiro por meio de hífen:

anti-higiênico pré-histórico super-homem

d) nos dígrafos *ch, lh* e *nh*:

chave talho banho

NOTAÇÕES LÉXICAS

Além das letras do alfabeto, servimo-nos, na língua escrita, de certo número de sinais auxiliares, destinados a indicar a pronúncia exata da palavra. Estes sinais acessórios da escrita, chamados **notações léxicas**, são os seguintes:

O acento

O **acento** pode ser **agudo** (´), **grave** (`) e **circunflexo** (^).

1. O **acento agudo** é empregado para assinalar:

a) as vogais tônicas fechadas *i* e *u*:

a*í*	horr*í*vel	f*í*sico
ba*ú*	aç*ú*car	l*ú*gubre

b) as vogais tônicas abertas e semiabertas *a*, *e* e *o*:

h*á*	am*á*vel	p*á*lido
p*é*	tiv*é*sseis	ex*é*rcito
p*ó*	her*ó*i	in*ó*spito

2. O **acento grave** é empregado para indicar a crase da preposição *a* com a forma feminina do artigo *a(s)* e com os pronomes demonstrativos *a(s), aquele(s), aquela(s), aquilo:*

à	*à*quele(s)	*à*quilo
*à*s	*à*quela(s)	

3. O **acento circunflexo** é empregado para indicar as vogais tônicas semifechadas *e* e *o*, e a vogal tônica *a* seguida de consoante nasal:

m*ê*s	d*ê*	tr*ê*mulo
av*ô*	p*ô*s	abd*ô*men
c*â*mara	c*â*nhamo	hisp*â*nico

O til

O **til** (~) emprega-se sobre o *a* e o *o* para indicar a nasalidade dessas vogais:

maç*ã*	m*ã*e	p*ã*o
caix*õ*es	p*õ*e	serm*õ*es

O trema

O **trema** (¨) foi abolido no novo Acordo Ortográfico, e só se mantém em palavras de outras línguas, como o alemão:

Günter	*über*	*stürmer*

O apóstrofo

O **apóstrofo** (') serve para assinalar a supressão de um fonema — geralmente a de uma vogal — no verso, em certas pronúncias populares ou em palavras compostas ligadas pela preposição *de*:

c'roa	'tá bem!	pau-d'arco

A cedilha

A **cedilha** (¸) coloca-se debaixo do c, antes de *a*, *o* e *u*, para representar a fricativa alveolar surda /s/.

caçar	maciço	açúcar

O hífen

O **hífen** (-) usa-se:

a) para ligar os elementos de palavras compostas ou derivadas por prefixação:

couve-flor pão-de-ló pré-fabricado

b) para unir pronomes átonos a verbos:

ofereceram-me encontrei-o levá-la-ei

c) para, no fim da linha, separar uma palavra em duas partes:

estudan-/te estu-/dante es-/tudante

Emprego do Hífen nos Compostos

O emprego do **hífen** é simples convenção. Estabeleceu-se que "só se ligam por **hífen** os elementos das palavras compostas em que se mantém a noção da composição, isto é, os elementos das palavras compostas que mantêm a sua independência fonética, conservando cada um a sua própria acentuação, porém formando o conjunto perfeita unidade de sentido".

Dentro desse princípio, deve-se empregar o **hífen**:

1º) nos compostos, cujos elementos, reduzidos ou não, perderam a sua significação própria: *água-marinha, arco-íris, pé-de-meia* (= pecúlio), *bel-prazer, és-sueste*;

Observação:

Pelo novo Acordo Ortográfico, escreve-se paraquedas e não pára-quedas.

2º) nos compostos com o primeiro elemento de forma adjetiva, reduzida ou não: *anglo-brasileiro, greco-romano, histórico-geográfico, ínfero-anterior, latino-americano, dólico-louro, lusitano-castelhano, luso-brasileiro, euro-africano*;

3º) nos compostos com os radicais (ou pseudoprefixos) *auto-, neo-, proto-, pseudo-* e *semi-*, quando o elemento seguinte começa por *h*: *neo-humanismo, proto-histórico, pseudo-herói, semi-homem*;

Observação:

O novo Acordo Ortográfico eliminou o hífen quando o elemento seguinte começa por vogal (*autoanálise*), r (com duplicação do r: *semirreta*) ou s (com duplicação do *s*: *neossindicalismo*).

4º) nos compostos com o radical *pan-*, quando o elemento seguinte começa por *h*: *pan-helênico*;

Observação:

Pelo novo Acordo Ortográfico, *circum-* e *pan-* mantêm o hífen quando o 2° elemento começa com vogal, *h*, *m* ou *n*: *pan-americano*; *circum-navegação*.

5º) nos compostos com *bem*, quando o elemento seguinte tem vida autônoma, ou quando a pronúncia o requer: *bem-ditoso, bem-aventurança*; nos compostos com *mal*, quando o segundo elemento começa com vogal ou *h*: *mal-educado, mal-habituado* (mas *malsucedido*).

6º) nos compostos com *sem, além, aquém* e *recém*: *sem-cerimônia, além-mar, aquém-fronteiras, recém-casado.*

Advirta-se, por fim, que as abreviaturas e os derivados desses compostos conservam o **hífen**: *ten.-cel.* (= tenente-coronel), *bem-te-vizinho, sem-cerimonioso.*

Emprego do Hífen na Prefixação

O prefixo geralmente se escreve aglutinado ao radical. Há casos, porém, em que a ligação dos dois elementos se deve fazer por hífen. Assim, nos vocábulos formados pelos prefixos:

a) contra-, extra-, infra-, intra-, supra- e *ultra-*, quando seguidos de radical iniciado por *h* (*intra-hepático, infra-humano*) ou com a mesma vogal (*a*) na qual termina o prefixo (*contra-almirante*).

Observação

O novo Acordo Ortográfico modificou a regra anterior, e eliminou o hífen quando o segundo elemento começa com outra vogal (ultraelegante), r (com duplicação do r: extrarregimental) ou s (com duplicação do s: suprassumo).

b) ante-, anti-, arqui- e *sobre-*, quando seguidos de radical principiado por *h*, ou com mesma vogal com que termina o prefixo: (*ante-histórico, arqui-inimigo,* mas *antiaéreo)*;

c) super- e inter- quando seguidos de radical começado por *h* ou *r*: *super-homem, super-revista, inter-helênico, inter-resistente*;

d) ab-, ad-, ob-, sob- e *sub-*, quando seguidos de radical iniciado por *r*: *ab-rogar, ad-rogação, ob-reptício, sob-roda, sub-reino*;

e) sota-, soto-, vice- (ou *vizo-*) e *ex-* (este último com o sentido de cessamento ou estado anterior): *sota-piloto, soto-ministro, vice-reitor, vizo-rei, ex-diretor*;

f) pós-, pré- e *pró-*, quando têm significado e acento próprios; ao contrário das formas homógrafas inacentuadas, que se aglutinam com o radical seguinte: *pós-diluviano*, mas *pospor*; *pré-escolar*, mas *preestabelecer*; *pró-britânico*, mas *procônsul;*

g) pelo novo Acordo Ortográfico, usa-se hífen sempre que o prefixo ou elemento anteposto termina na mesma vogal com que começa o segundo elemento: *supra-auricular, ante-existente, anti-imperialista, neo-ortodoxo.*

Partição das palavras no fim da linha (translineação)

Quando não há espaço no fim da linha para escrevermos uma palavra inteira, podemos dividi-la em duas partes. Esta separação, que se indica por meio de um **hífen**, obedece às regras de silabação. Inseparáveis são os elementos de cada sílaba.

Convém, portanto, serem respeitadas as seguintes normas:

1ª) Não se separam as letras com que representamos:

a) os ditongos e os tritongos, bem como os grupos *ia, ie, io, oa, ua, ue* e *uo*, que, quando átonos finais, soam normalmente numa sílaba (**ditongo crescente**), mas podem ser pronunciados em duas (**hiato**):

au-ro-ra	Pa-ra-guai	má-goa
mui-to	gló-ria	ré-gua
par-tiu	cá-rie	tê-nue
a-guen-tar	Má-rio	con-tí-guo

b) os encontros consonantais que iniciam sílaba, os encontros consonantais seguidos de *l* ou *r* e os dígrafos *ch, lh* e *nh*:

pneu-má-ti-co	a-bro-lhos	ra-char
psi-có-lo-go	es-cla-re-cer	fi-lho
mne-mô-ni-co	re-gre-dir	ma-nhã

2ª) Separam-se as letras com que representamos:

a) as vogais de hiatos:

co-or-de-nar	fi-el	ra-i-nha
ca-í-eis	mi-ú-do	sa-ú-de

b) as consoantes seguidas que pertencem a sílabas diferentes:

ab-di-car	bis-ne-to	sub-ju-gar
abs-tra-ir	oc-ci-pi-tal	subs-cre-ver

3ª) Separam-se também as letras dos dígrafos *rr, ss, sc, sç* e *xc*:

ter-ra	des-cer	cres-ça
pro-fes-sor	abs-ces-so	ex-ce-ção

Observações:

1ª) Quando a palavra já se escreve com **hífen** — quer por ser composta ou derivada, quer por ser uma forma verbal seguida de pronome átono —, e coincidir o fim da linha com o lugar onde está o **hífen**, pode-se repeti-lo, por clareza, no início da linha seguinte. Assim:

couve-flor = couve-/-flor   pré-vestibular = pré-/-vestibular

unamo-nos = unamo-/-nos

2ª) Embora o sistema ortográfico vigente o permita, não se deve escrever no princípio ou no fim da linha apenas uma vogal. Evite-se, por conseguinte, a partição de vocábulos como *água, aí, aqui, baú, rua*, etc.

Ditongos

Vimos que, normalmente, se representam por *i* e *u* as semivogais dos ditongos orais. Observe-se, porém, que:

a) a 1ª, 2ª e 3ª pessoa do singular do presente do subjuntivo, bem como a 3ª pessoa do singular do imperativo dos verbos terminados em *-oar* escrevem-se com *-oe*, e não *-oi*:

abençoe amaldiçoes perdoe

b) as mesmas pessoas dos verbos terminados em *-uar* escrevem-se com *-ue*, e não *-ui*:

cultue habitues preceitue

Regras de Acentuação

A acentuação gráfica obedece às seguintes regras:

Proparoxítonos

Todos os vocábulos proparoxítonos devem ser acentuados graficamente.

Recebem o acento agudo os que têm na antepenúltima sílaba as vogais *a* aberta, *e* ou *o* semiabertas, *i* ou *u* fechadas; e levam acento circunflexo aqueles em que figuram na sílaba tônica as vogais *a, e, o* semifechadas: *árabe, exército, gótico, límpido, louvaríamos, público, úmbrico*; *devêssemos, fôlego, lâmina, lâmpada, lêmures, pêndula, quilômetro, recôndito, cânhamo*, etc.

Observação:

Incluem-se neste preceito os vocábulos terminados em encontros vocálicos que costumam ser pronunciados como ditongos crescentes: *área, espontâneo, ignorância, imundície, lírio, mágoa, régua, tênue, vácuo*, etc.

Paroxítonos

Recebem o acento agudo ou circunflexo, de acordo com o timbre aberto ou fechado da vogal, os vocábulos paroxítonos terminados em:

a) i, is, us, um, uns: beribéri, júri, lápis, miosótis, íris, tênis, bônus, álbum, álbuns, etc.

Observação:

Não se acentuam os prefixos paroxítonos terminados em *-i*: *semi-histórico.*

b) l, n, r, x, ps: afável, êxul, alúmen, cânon, hífen, aljôfar, âmbar, éter, córtex, fênix, bíceps, fórceps, etc.

Observação:

Não se acentuam graficamente os prefixos paroxítonos terminados em *r*: *inter-helênico, super-homem*, etc.

c) ditongo oral *ei, eis: ágeis, escrevêsseis, faríeis, férteis, fósseis, fôsseis, imóveis, jérsei, jóquei, pênseis, quisésseis, tínheis, túneis*, etc.

d) ã(s), ão(s): órfã, acórdão, bênção, etc.

Oxítonos

a) Assinalam-se com o acento agudo os vocábulos oxítonos que terminam em *a* aberto, *e* e *o* semiabertos e com o acento circunflexo os que acabam em *e* e *o* semifechados, seguidos, ou não, de *s*: *cajá, jacaré, avó, paletós, dendê, avô, supôs*, etc.

Observação:

Nesta regra se incluem as formas verbais oxítonas terminadas em *a, e, o*, seguidas dos pronomes *lo(s), la(s)*; *dá-lo, contá-la, fá-lo-á, fê-los, movê-las-ia, pô-los, qué-los, sabê-los-emos, trá-lo-ás.*

b) marca-se com acento agudo o *e* da terminação *em* ou *ens* das palavras oxítonas: *alguém, armazém, convém, convéns, detém-lo, mantém-na, parabéns, retém-no, também*, etc.

Observações:

1ª) Não se acentuam graficamente os vocábulos paroxítonos finalizados por *em, ens*: *imagem, jovens*, etc.

2ª) A terceira pessoa do plural do presente do indicativo dos verbos *ter, vir* e seus derivados recebe acento circunflexo no *e* da sílaba tônica: (eles) contêm, (elas) convêm, (eles) têm, (elas) entretêm, eles vêm, etc.

3ª) A nova Reforma Ortográfica aboliu o acento circunflexo das flexões verbais *creem, deem, leem, veem* e nos derivados desses verbos, como *descreem, desdeem, releem, reveem*, etc.

Monossílabos

Acentuam-se os monossílabos tônicos terminados em *a(s), e(s), o(s)*: *pá, pás, pé, pés, pó, sós.*

Outros casos

a) Põe-se acento agudo no *i* e no *u* tônicos que formam hiato com a vogal anterior: *aí, balaústre, cafeína, caís, contraí-la, distribuí-lo, egoísta, faísca, heroína, juízo, país, peúga, saía, saúde, timboúva, viúvo*, etc.

b) O novo Acordo Ortográfico aboliu nesses casos o acento de *i* e de *u* quando na sílaba tônica de palavras paroxítonas e antecedidos de ditongo: *boiuna, baiuca, cauira.*

Observações:

1ª) Não se coloca o acento agudo no *i* e no *u* que formam hiato, quando seguidos de *l, m, n, r* ou *z* e, ainda, *nh*: *adail, contribuinte, demiurgo, juiz, paul, retribuirdes, ruim, tainha, ventoinha*, etc.

2ª) Também não se assinala com acento agudo a base dos ditongos tônicos *iu* e *ui* quando precedidos de vogal: *atraiu, contribuiu, pauis*, etc.

c) O novo Acordo Ortográfico aboliu o acento no *u* tônico (nas formas rizotônicas de verbos) precedido de *g* ou *q* e seguido de *e* ou *i*: *argui, arguis, averigue, averigues, oblique, obliques,* etc.

d) Pelo novo Acordo Ortográfico *éi* e *ói* perdem o acento quando formam sílaba tônica de palavras paroxítonas: *ideia, joia, assembleias, heroico.*

e) Pelo novo Acordo Ortográfico, perde o acento circunflexo o penúltimo *o* semifechado do hiato *oo*, seguido, ou não, de *s*, nas palavras paroxítonas: *abençoo, enjoos, perdoo, voos*, etc.

f) O novo Acordo Ortográfico mantém acento agudo e circunflexo nos seguintes casos: *ás* (s.m.), cf. *as* (artigo definido feminino plural); *pôr* (v.) e *por* (prep.); *porquê* (quando é substantivo ou quando vem no fim da frase) e *porque* (conj.); *quê* (s.m., interjeição, ou pronome no fim da frase) e *que* (adv., conj., pron. ou pal. expletiva).

g) Pelo novo Acordo Ortográfico, perdem o acento *pára* (v.), cf. *para* (prep.); *péla, pélas* (s.f. e v.), cf. *pela, pelas* (agl. da prep. *per* com o art. ou pron. *la, las*); *pélo* (v.), cf. *pelo* (agl. da prep. *per* com o art. ou pron. *lo*); *péra* (el. do s.f. comp. *péra-fita*), *pêra* (s.f.), cf. *pera* (prep. ant.); *pólo, pólos, pôlo, pôlos* (s.m.), cf. *polo, polos* (agl. da prep. *por* com o art. ou pron. *lo, los*); *pêlo* (s.m.) e *pelo* (*per* e *lo*).

h) O acento grave assinala as contrações da preposição *a* com o artigo *a* e com os pronomes demonstrativos *a, aquele, aqueloutro, aquilo*, as quais se escreverão assim: *à, às, àquele, àquela, àqueloutro, àquilo.*

3 CLASSE, ESTRUTURA, FORMAÇÃO E SIGNIFICAÇÃO DAS PALAVRAS

PALAVRA E VOCÁBULO

Uma **palavra** é constituída de elementos materiais (vogais, consoantes, semivogais, sílabas, acento tônico) a que se dá um sentido e que se presta a uma classificação.

Diremos, por exemplo, que a **palavra** *boi*, designativa de "um quadrúpede ruminante que serve para os trabalhos de carga e para a alimentação", é um substantivo comum, concreto, primitivo, simples, masculino, singular, monossílabo, tônico, formado da consoante /b/ seguida do ditongo decrescente [oy].

Vocábulo é, a rigor, a palavra considerada somente em relação aos elementos materiais que a constituem. Diremos, pois, que o **vocábulo** *boi* é um monossílabo, tônico, formado da consoante /b/, seguida do ditongo decrescente [oy].

Na linguagem corrente, porém, os dois termos **palavra** e **vocábulo** se equivalem, e todos empregamos um pelo outro, como fazemos nós mesmos neste livro.

CLASSES DE PALAVRAS

As palavras de nossa língua distribuem-se nas seguintes classes: **substantivo, adjetivo, artigo, numeral, pronome, verbo, advérbio, preposição e conjunção**. A interjeição, vocábulo-frase, fica excluída de qualquer das classificações.

Palavras variáveis e invariáveis

As classes de palavras podem ser agrupadas em **variáveis** e **invariáveis**, de acordo com a possibilidade ou impossibilidade de se combinarem com as desinências flexionais.

Os **substantivos**, os **adjetivos**, os **artigos**, os **numerais**, os **pronomes** e os **verbos** flexionam-se, isto é, podem apresentar modificações na forma para exprimir as noções gramaticais de gênero, de número, de pessoa, de tempo e de modo. São, portanto, palavras **variáveis** ou **flexivas**.

Os **advérbios**, as **preposições**, as **conjunções** e alguns **pronomes** têm uma só forma, rígida, imutável. São, por conseguinte, palavras **invariáveis** ou **inflexivas**.

ESTRUTURA DAS PALAVRAS

Examinemos estas duas séries de palavras:

terra	terras	terroso	terreiro	desterrar
novo	nova	novinho	novamente	renovamos

Notamos que, em cada uma delas, as palavras apresentam:

a) uma parte constante em cada série: *terr-* (na primeira) e *nov-* (na segunda);

b) uma parte que varia de palavra para palavra: *-s, -oso, -eiro, des-* (na primeira); *-a, -inho, -mente, re-* e *-mos* (na segunda).

Radical

As partes invariáveis *terr-* e *nov-* constituem o **radical** de cada uma das séries enumeradas. É o **radical** que irmana as palavras da mesma família e lhes dá uma base comum de significação.

As outras formas resultam da ligação ao radical de certos elementos, que, como veremos, podem ser uma **desinência**, um **afixo** (**sufixo** ou **prefixo**) ou uma **vogal temática**.

Desinência

As **desinências** têm simplesmente valor gramatical. Servem para indicar:

a) nos nomes (substantivos e adjetivos) e em certos pronomes, o gênero (masculino ou feminino) e o número (singular ou plural);

b) nos verbos, o número (singular ou plural) e a pessoa (1ª, 2ª ou 3ª).

Assim, em *terras*, *nova* e numa forma verbal como *renovamos* aparecem as seguintes **desinências**:

-*s*, para denotar o plural (em *terras*);

-*a*, para caracterizar o feminino (em *nova*);

-*mos* para expressar a 1ª pessoa do plural (em *renovamos*).

Convém, pois, distinguir as **desinências nominais** das **verbais**.

Desinências nominais. São as seguintes:

GÊNERO		NÚMERO	
MASCULINO	FEMININO	SINGULAR	PLURAL
-o	-a	—	-s

O **singular** caracteriza-se pela falta de desinência, ou melhor, pela **desinência zero**, pois a falta, no caso, é um sinal particularizante.

Desinências verbais. As flexões de pessoa e número são expressas nos verbos por desinências especiais, que podemos distribuir por três grupos: desinências do presente do indicativo, do pretérito perfeito do indicativo e do infinitivo pessoal (= futuro do subjuntivo):

	PRESENTE		PRETÉRITO PERFEITO		INFINITIVO PESSOAL FUT. DO SUBJUNTIVO	
PESSOA	SINGULAR	PLURAL	SINGULAR	PLURAL	SINGULAR	PLURAL
1ª	-o	-mos	-i	-mos	—	-mos
2ª	-s	-is (-des)	-ste	-stes	-es	-des
3ª	—	-m	-u	-ram	—	-em

Nas outras formas finitas, as desinências são as mesmas do presente do indicativo, salvo na primeira pessoa do singular, que, como a terceira, se caracteriza pela falta de qualquer desinência (desinência zero).

Observação:

Para facilitar a aprendizagem, dissemos que a **desinência** da 3ª pessoa do plural é *-m* (ou *-ram, -em*). Mas, em verdade, o *-m* que aí aparece é um mero símbolo gráfico: as terminações *-am* e *-em* são apenas modos de representar, na escrita, os ditongos nasais átonos *-ãu* e *-ẽi.*

Afixo (prefixo e sufixo)

Os **afixos** são elementos que se agregam ao radical para modificar-lhe o significado. Os **afixos** que se antepõem ao radical chamam-se **prefixos**; os que a ele se pospõem, **sufixos**.

Os **prefixos** modificam geralmente de maneira precisa o sentido do radical. Assim, em *desterrar* e *renovamos* aparecem os **prefixos**:

des-, que acresce ao primeiro verbo a ideia de separação;

re-, que ao segundo acrescenta o sentido de repetição de um fato.

Os **sufixos**, como as desinências, se unem à parte final do radical. Mas, enquanto estas caracterizam apenas o gênero, o número ou a pessoa da palavra, sem alterar-lhe o sentido ou a classe, os **sufixos** transformam substancialmente o radical a que se juntam. Assim, em *terroso, terreiro, novinho* e *novamente*, há os **sufixos**:

-oso, que do substantivo *terra* forma o adjetivo (*terroso*);

-eiro, que do substantivo *terra* forma outro substantivo (*terreiro*);

-inho, que do adjetivo *novo* forma o diminutivo (*novinho*);

-mente, que do feminino do adjetivo *novo* forma o advérbio (*novamente*).

Vogal temática e tema

Na análise da forma verbal *renovamos*, distinguimos três elementos formativos:

a) o **radical**: *nov-*

b) a **desinência número-pessoal**: *-mos*

c) o **prefixo**: *re-*

Falta identificarmos apenas a vogal *a*, que aparece entre o radical *nov-* e a desinência *-mos*, vogal que encontramos também na forma de infinitivo *fumar*, entre o radical *fum-* e a desinência *-r*.

Nos dois casos, ela está indicando que os verbos em causa pertencem à 1ª conjugação. A essas vogais que caracterizam a conjugação dos verbos dá-se o nome de **vogais temáticas**. São elas:

-a-, para os verbos da 1ª conjugação (*fum-a-r, renov-a-mos*);

-e-, para os da 2ª (*dev-e-r, faz-e-mos*);

-i-, para os da 3ª (*part-i-r, constru-í-mos*).

O **radical** acrescido de uma **vogal temática**, isto é, pronto para receber uma desinência (ou um sufixo), denomina-se **tema**.

Vogal e consoante de ligação

Os elementos mórficos até aqui estudados entram sempre na estrutura do vocábulo com determinado valor significativo externo ou gramatical. Há, porém, outros que são insignificativos, e servem apenas para evitar dissonâncias (hiatos, encontros consonantais) na juntura daqueles elementos.

Se examinarmos, por exemplo, os vocábulos *gasômetro* e *cafeteira*, verificamos que:

a) o primeiro é formado de dois radicais — *gás-* + *-metro* —, ligados pela vogal *-o-*, sem valor significativo;

b) o segundo é constituído do radical *café-* + o sufixo *-eira*, entre os quais aparece a consoante insignificativa *-t-* para evitar o desagradável hiato *-éê-*.

A esses sons, empregados para tornar a pronúncia das palavras mais fácil ou eufônica, denominam-se **vogais** ou **consoantes de ligação**.

FORMAÇÃO DE PALAVRAS

Palavras primitivas e derivadas

Chamam-se **primitivas** as palavras que não se formam de nenhuma outra e que, pelo contrário, permitem que delas se originem novas palavras no idioma. Assim:

fama mar novo pedra

Denominam-se **derivadas** as que se formam de outras palavras da língua, mediante o acréscimo ao seu radical de um prefixo ou um sufixo. Assim:

famoso marinha renovar empedrar

Palavras simples e compostas

As palavras que possuem apenas um radical, sejam primitivas, sejam derivadas, se denominam **simples**. Assim:

mar marinha pedra pedreiro

São **compostas** as que contêm mais de um radical:

quebra-mar guarda-marinha pedra-sabão pedreiro-livre

Famílias de palavras

Denomina-se **família de palavras** o conjunto de todas as palavras que se agrupam em torno de um radical comum, do qual se formaram pelos processos de derivação ou de composição.

Às vezes o radical se conserva intacto em toda a família. Com frequência, porém, o radical das palavras de uma mesma família se apresenta sob várias formas em virtude de alterações sofridas através dos tempos. Assim, a palavra portuguesa *povo* provém do latim *populus, -i*, substantivo a que correspondia o adjetivo *publicus, -a, -um*.

Da forma portuguesa *pov-* possuímos numerosos derivados, como:

povoar povoamento despovoar repovoamento

O radical originário *popul-* conserva-se em certo número de palavras, algumas já existentes em latim, outras formadas em nosso idioma. Assim:

popular popularidade popularizar superpopulação

Finalmente, a forma *public-* aparece em derivados e compostos como os seguintes:

público pública-forma publicidade república

Significação das Palavras

Quanto à **significação**, as palavras podem ser:

a) **sinônimas**, quando apresentam uma semelhança geral de sentido, como: *feliz* e *ditoso*, *achar* e *encontrar*, *perto* e *próximo*;

b) **antônimas**, quando têm significação contrária, como: *feliz* e *infeliz*, *bonito* e *feio*, *amor* e *ódio*;

c) **homônimas**, quando se escrevem ou se pronunciam de modo idêntico, mas diferem pelo sentido, como: *são (= verbo), são (= sadio), são (= santo); vês (= verbo), vez (= substantivo).*

Entre os **homônimos** distinguem-se os **homógrafos** dos **homófonos.**

Homógrafos são os que têm a mesma grafia: *são* (=verbo), *são* (=sadio), *são* (=santo), embora possam distinguir-se pelo timbre da vogal tônica: gelo (subst.) e gelo (verbo), almoço (subst.) e almoço (verbo).

Homófonos são os que têm a mesma pronúncia, mas grafia diferente: *vês* (=verbo), *vez* (=substantivo).

d) **parônimas**, quando se assemelham na forma, sem que tenham qualquer parentesco significativo, como: *descrição* e *discrição, infligir* e *infringir, intimorato* e *intemerato*, etc.

Observação:

Sentido figurado. É o sentido em que se toma uma palavra quando apresenta ideia diversa da que normalmente exprime. Está em sentido figurado, por exemplo, o verbo *morrer* neste passo de Casimiro de Abreu:

"A glória e o nome português *morreram*!"

Famílias Ideológicas

Vimos que as palavras podem irmanar-se por um radical comum. Neste caso, o parentesco se funda essencialmente numa comunidade de origem. Mas podem agrupar-se também, independentemente de sua formação, pela comunidade de sentido. Temos, então, séries sinonímicas, **famílias ideológicas**, cujos componentes se relacionam por uma noção comum fundamental. Por exemplo:

a) casa, domicílio, habitação, lar, mansão, morada, residência, teto, vivenda;

b) mar, oceano, pego, pélago, ponto.

O estudo sistemático da significação das palavras, bem como o das famílias ideológicas, é de importância capital para a aquisição e o domínio do vocabulário da língua.

4 DERIVAÇÃO E COMPOSIÇÃO

Derivação Prefixal

Os prefixos que aparecem nas palavras portuguesas são de origem latina ou grega, embora normalmente não sejam sentidos como tais.

Alguns sofrem apreciáveis alterações em contato com a vogal e, principalmente, com a consoante inicial da palavra derivante. Assim, o prefixo grego *an-*, que indica "privação" (*an-ônimo*), assume a forma *a-* antes de consoante: *a-patia*; *in-*, o seu correspondente latino, toma a forma *i-* antes de *l* e *m*: *in-feliz, in-ativo*; mas *i-legal, i-moral.*

Não se devem confundir tais alterações com as formas vernáculas, oriundas de evolução normal de certos prefixos latinos. Assim: *a-*, de *ad-* (*a-doçar*); *em-* ou *en-*, de *in-* (*em-barcar, en-terrar*).

Na lista a seguir, colocaremos em chave as formas que pode assumir o mesmo prefixo: em primeiro lugar, daremos a forma originária; em último, a vernácula, quando houver.

Prefixos de origem latina

PREFIXO	SENTIDO	EXEMPLIFICAÇÃO
ab- *abs-* *a-*	afastamento, separação	abdicar, abjurar abster, abstrair amovível, aversão
ad- *a- (ar-, as-)*	aproximação, direção	adjunto, adventício abeirar, arribar, assentir
ante-	anterioridade	antebraço, antepor

PREFIXO	SENTIDO	EXEMPLIFICAÇÃO
circum- (*circun-*)	movimento em torno	circum-adjacente, circunvagar
cis-	posição aquém	cisalpino, cisplatino
com- (*con-*) *co-* (*cor-*)	contiguidade, companhia	compor, conter cooperar, corroborar
contra-	oposição, ação conjunta	contradizer, contrasselar
de-	movimento de cima para baixo	decair, decrescer
des-	separação, ação contrária	desviar, desfazer
dis- *di-* (*dir-*)	separação, movimento para diversos lados, negação	dissidente, distender dilacerar, dirimir
ex- *es-* *e-*	movimento para fora, estado anterior	exportar, extrair escorrer, estender emigrar, evadir
extra-	posição exterior (fora de)	extraoficial, extraviar
in-[1] (*im-*) *i-* (*ir-*) *em-* (*en-*)	movimento para dentro	ingerir, impedir imigrar, irromper embarcar, enterrar
in-[2] (*im-*) *i-* (*ir-*)	negação, privação	inativo, impermeável ilegal, irrestrito
inter- *entre-*	posição intermediária	internacional, entreabrir, entrelinha
intra-	posição interior	intradorso; intravenoso
intro-	movimento para dentro	introduzir, intrometer
justa-	posição ao lado	justapor, justalinear

PREFIXO	SENTIDO	EXEMPLIFICAÇÃO
ob- *o-*	posição em frente, oposição	objeto, obstáculo ocorrer, opor
per-	movimento através	percorrer, perfurar
pos-	posterioridade	pospor, postônico
pre-	anterioridade	prefácio, pretônico
pro-	movimento para a frente	progresso, prosseguir
re-	movimento para trás, repetição	refluir, refazer
retro-	movimento mais para trás	retroceder, retrospectivo
soto- *sota-*	posição inferior	soto-mestre, sotopor sotavento, sota-voga
sub- *sus-* *su-* *sob-* *so-*	movimento de baixo para cima, inferioridade	subir, subalterno suspender, suster suceder, supor sobestar, sobpor soerguer, soterrar
super- *sobre-*	posição em cima, excesso	superpor, superpovoado sobrepor, sobrecarga
supra-	posição acima, excesso	supradito, suprassumo
trans- *tras-* *tra-* *tres-*	movimento para além de, posição além de	transpor, transalpino trasladar, traspassar tradição, traduzir tresloucado, tresnoitado
ultra-	posição além do limite	ultrapassar, ultrassom
vice- *vis- (vizo-)*	substituição, em lugar de	vice-reitor, vice-cônsul visconde, vizo-rei

Prefixos de origem grega

Eis os principais prefixos de origem grega com as formas que assumem em português.

PREFIXO	SENTIDO	EXEMPLIFICAÇÃO
an- (a-)	privação, negação	anarquia, ateu
aná-	ação ou movimento inverso, repetição	anagrama, anáfora
anfi-	de um e outro lado, em torno	anfíbio, anfiteatro
anti-	oposição, ação contrária	antiaéreo, antípoda
apó-	afastamento, separação	apogeu, apóstata
árqui- (arc-, arque-, arce-)	superioridade	arquiduque, arcanjo arquétipo, arcebispo
catá-	movimento de cima para baixo, oposição	catadupa, catacrese
diá- (di-)	movimento através de, afastamento	diagnóstico, diocese
dis-	dificuldade, mau estado	dispneia, disenteria
ec- (ex-)	movimento para fora	eclipse, êxodo
en- (em-, e-)	posição interior	encéfalo, emplastro, elipse
endo- (end-)	posição interior, movimento para dentro	endotérmico, endosmose
epi-	posição superior, movimento para, posterioridade	epiderme, epílogo
eu- (ev-)	bem, bom	eufonia, evangelho

PREFIXO	SENTIDO	EXEMPLIFICAÇÃO
hiper-	posição superior, excesso	hipérbole, hipertensão
hipó-	posição inferior, escassez	hipodérmico, hipotensão
metá- (met-)	posterioridade, mudança	metacarpo, metamorfose
pará- (par-)	proximidade, ao lado de	paradigma, parasita
peri-	posição ou movimento em torno	perímetro, perífrase
pró-	posição em frente, anterior	prólogo, prognóstico
sin- (sim-, si-)	simultaneidade, companhia	sinfonia, simpatia, sílaba

Correspondência entre os prefixos latinos e gregos

PREFIXOS LATINOS	EXEMPLIFICAÇÃO	PREFIXOS GREGOS	EXEMPLIFICAÇÃO
ab-, abs-, a-	abdicar, abster, aversão	*apó-*	apogeu
ad-, a-	adjunto, aposto	*pará-*	paradigma
circum-	circunvagar	*peri-*	perímetro
contra-	contradizer	*anti-*	antiaéreo
com-, co-	compor, cooperar	*sin-*	sinfonia
ex-, es-, e-	exportar, escorrer, emigrar	*ec-, ex-*	eclipse, êxodo
in-, i-, des-	inativo, ilegal desfazer	*an-, a-*	anarquia, ateu

PREFIXOS LATINOS	EXEMPLIFICAÇÃO	PREFIXOS GREGOS	EXEMPLIFICAÇÃO
in-, i-, em-	ingerir, imigrar, embarcar	*en-*	encéfalo
intra-	intravenoso	*endo-*	endotérmico
sub-	subalterno	*hipo-*	hipotensão
super-	superpovoado	*epi-, hiper-*	epiderme, hipertensão
trans-	transpor	*diá-*	diagnóstico

Derivação Sufixal

Pela **derivação sufixal** se formaram, e ainda se formam, novos substantivos, adjetivos, verbos e, até, advérbios (os advérbios em *-mente*). Daí classificar-se o sufixo em **nominal, verbal** e **adverbial.**

a) **nominal**, quando se aglutina a um radical para dar origem a um substantivo ou a um adjetivo: pont-*eiro*, pont-*inha*, pont-*udo*;

b) **verbal**, quando, ligado a um radical, dá origem a um verbo: bord-*ejar*, suav-*izar*, amanh-*ecer*;

c) **adverbial**, que é o sufixo *-mente* acrescentado à forma feminina de um adjetivo: bondosa-*mente*, fraca-*mente*, perigosa-*mente*.

Sufixos nominais

Entre os **sufixos nominais**, mencionaremos em primeiro lugar os **sufixos aumentativos** e **diminutivos**, cujo valor, muitas vezes, é mais afetivo do que lógico.

Sufixos aumentativos

Eis os principais, usados em português:

SUFIXO	EXEMPLIFICAÇÃO	SUFIXO	EXEMPLIFICAÇÃO
-ão	caldeirão, paredão	*-anzil*	corpanzil
-alhão	grandalhão, vagalhão	*-aréu*	fogaréu, povaréu
-(z)arrão	gatarrão, homenzarrão	*-arra*	bocarra, naviarra
-eirão	asneirão, toleirão	*-orra*	beiçorra, cabeçorra
-aça	barbaça, barcaça	*-astro*	medicastro, poetastro
-aço	animalaço, ricaço	*-az*	lobaz, roaz
-ázio	copázio, gatázio	*-alhaz*	facalhaz
-uça	dentuça, carduça	*-arraz*	pratarraz

Observações:

1ª) Nem sempre o sufixo aumentativo se junta ao radical de um substantivo. Há derivações feitas sobre adjetivos (*ricaço*, de *rico*, *sabichão*, de *sábio*) e também sobre radicais verbais (*chorão*, de *chorar*, *mandão*, de *mandar*).

2ª) Nos aumentativos em *-ão*, o gênero normal é o masculino, mesmo quando a palavra derivante é feminina. Assim: *uma mulher — um mulherão*; *a casa — o casarão*. Só os adjetivos fazem diferença entre o masculino e o feminino, diferença que conservam quando substantivados: *solteirão — solteirona*.

Sufixos diminutivos

São esses os principais **sufixos diminutivos** empregados em português:

SUFIXO	EXEMPLIFICAÇÃO	SUFIXO	EXEMPLIFICAÇÃO
-inho, -a	toquinho, vozinha	*-elho, -a*	folhelho, rapazelho
-zinho, -a	cãozinho, ruazinha	*-ejo*	animalejo, lugarejo
-ino, -a	pequenino, cravina	*-ilho, -a*	pecadilho, tropilha
-im	espadim, fortim		

SUFIXO	EXEMPLIFICAÇÃO	SUFIXO	EXEMPLIFICAÇÃO
		-ete	artiguete, lembrete
-acho, -a	fogacho, riacho	*-eto, -a*	esboceto, saleta
-icho, -a	governicho, barbicha	*-ito, -a*	rapazito, casita
-ucho, -a	papelucho, casucha	*-zito, -a*	jardinzito, florzita
		-ote, -a	velhote, velhota
-ebre	casebre		
-eco, -a	livreco, soneca	*-isco, -a*	chuvisco, talisca
-ico, -a	burrico, marica(s)	*-usco, -a*	chamusco, velhusca
-ela	ruela, viela	*-ola*	fazendola, rapazola

Observações:

1ª) O sufixo *-inho (-zinho)* é de enorme vitalidade na língua. Junta-se não só a substantivos e adjetivos, mas também a advérbios e outras palavras invariáveis: *cedinho, adeusinho, devagarinho (devagarzinho), devagarzinho, sozinho.*

Estava solto desde *cedinho* (P. NAVA)

A junta de bois mansos passou *devagarinho* (R. DE QUEIRÓS)

2ª) Ao contrário dos aumentativos em *-ão*, os diminutivos em *-inho* e *-ito* não sofrem mudança de gênero. O diminutivo conserva o gênero da palavra derivante: *casa — casinha, casita*; *cão — cãozinho, cãozito*. Em formações com outros sufixos, não é, porém, estranha tal mudança: ilha — ilhote, ilhéu; chuva — chuvisco; corda — cordel; corneta — cornetim.

Diminutivos eruditos

Na língua literária e culta, especialmente na terminologia científica, aparecem formações modeladas no latim em que entram os sufixos *-ulo (-ula)* e *culo (-cula)*, com as variantes *-áculo (-ácula), -ículo (-ícula), -úsculo (-úscula),* e *únculo (-úncula).* O sufixo *-culo (-a)* e a sua variante *-únculo (-a)* podem juntar-se ao radical diretamente (*mús-culo, hom-únculo*, ou por intermédio da vogal de ligação *-i- (vers-í-culo, quest-i-úncula)*

corpo	corpúsculo	monte	montículo
febre	febrícula	nó	nódulo
globo	glóbulo	nota	nótula
gota	gotícula	parte	partícula
grão	grânulo	pele	película
homem	homúnculo	questão	questiúncula
modo	módulo	verso	versículo

Outros sufixos nominais

1. Formam substantivos de outros substantivos:

SUFIXO	SENTIDO	EXEMPLIFICAÇÃO
-ada	*a)* multidão, coleção	boiada, papelada
	b) porção contida num objeto	bocada, colherada
	c) marca feita com um instrumento	penada, pincelada
	d) ferimento ou golpe	dentada, facada
	e) produto alimentar, bebida	bananada, laranjada
	f) duração prolongada	invernada, temporada
	g) ato ou movimento enérgico	cartada, saraivada
-ado	*a)* território subordinado a titular	bispado, condado
	b) instituição, titulatura	almirantado, doutorado
-ato	*a)* instituição, titulatura	baronato, cardinalato
	b) na nomenclatura química = sal	carbonato, sulfato
-agem	*a)* noção coletiva	folhagem, plumagem
	b) ato ou estado	aprendizagem, ladroagem
-al	*a)* ideia de relação, pertinência	dedal, portal
	b) cultura de vegetais	arrozal, cafezal
	c) noção coletiva ou de quantidade	areal, pombal
-alha	coletivo-pejorativo	canalha, gentalha
-ama	noção coletiva e de quantidade	dinheirama, mourama
-ame	noção coletiva e de quantidade	vasilhame, velame

-aria	*a)* atividade, ramo de negócio	carpintaria, livraria
	b) noção coletiva	gritaria, pedraria
	c) ação de certos indivíduos	patifaria, pirataria
-ário	*a)* ocupação, ofício, profissão	operário, secretário
	b) lugar onde se guarda algo	herbário, vestiário
-edo	*a)* lugar onde crescem vegetais	olivedo, vinhedo
	b) noção coletiva	lajedo, passaredo
-eiro (-a)	*a)* ocupação, ofício, profissão	barbeiro, copeira
	b) lugar onde se guarda algo	galinheiro, tinteiro
	c) árvore e arbusto	laranjeira, craveiro
	d) ideia de intensidade, aumento	nevoeiro, poeira
	e) objeto de uso	perneira, pulseira
	f) noção coletiva	berreiro, formigueiro
-ia	*a)* profissão, titulatura	advocacia, baronia
	b) lugar onde se exerce uma atividade	delegacia, reitoria
	c) noção coletiva	cavalaria, clerezia
-io	noção coletiva, de reunião	gentio, mulherio
-ite	inflamação	bronquite, gastrite
-ugem	semelhança (pejorativo)	ferrugem, penugem
-ume	noção coletiva e de quantidade	cardume, negrume

2. Formam substantivos de adjetivos:

Os substantivos derivados, geralmente nomes abstratos, indicam qualidade, propriedade, estado ou modo de ser:

SUFIXO	EXEMPLIFICAÇÃO	SUFIXO	EXEMPLIFICAÇÃO
-dade	crueldade, dignidade	*-ice*	tolice, velhice
-(i)dão	gratidão, mansidão	*-ície*	calvície, imundície
-ez	altivez, honradez	*-or*	alvor, amargor
-eza	beleza, riqueza	*-(i)tude*	altitude, magnitude
-ia	alegria, valentia	*-ura*	alvura, doçura

Observação:

Antes de receberem o sufixo *-dade*, os adjetivos terminados em *-az, -iz, -oz* e *-vel* retomam a forma latina em *-ac(i), -ic(i), -oc(i)* e *bil(i):*

sagaz > sagacidade feroz > ferocidade

feliz > felicidade amável > amabilidade

3. Formam substantivos de substantivos e de adjetivos:

SUFIXO	SENTIDO		EXEMPLIFICAÇÃO
-ismo	*a)* doutrinas ou sistemas	artísticos	realismo, simbolismo
		filosóficos	kantismo, positivismo
		políticos	federalismo, fascismo
		religiosos	budismo, calvinismo
	b) modo de proceder ou pensar		heroísmo, servilismo
	c) forma peculiar da língua		galicismo, neologismo
	d) na terminologia científica		daltonismo, reumatismo

4. Formam substantivos e adjetivos de outros substantivos e adjetivos:

SUFIXO	SENTIDO		EXEMPLIFICAÇÃO
-ista	*a)* partidários ou sectários de doutrinas ou sistemas (em *-ismo)*	artísticos	realista, simbolista
		filosóficos	kantista, positivista
		políticos	federalista, fascista
		religiosos	budista, calvinista
	b) ocupação, ofício		dentista, pianista
	c) nomes pátrios e gentílicos		nortista, paulista

Observação:

Nem todos os designativos de sectários ou partidários de doutrinas ou sistemas em *-ismo* se formam com o sufixo *-ista*. Por exemplo: a *protestantismo* corresponde *protestante*; a *maometismo, maometano*; a *islamismo, islamita.*

5. Formam substantivos de verbos:

SUFIXO	SENTIDO	EXEMPLIFICAÇÃO
-ança	ação ou o resultado dela, estado	lembrança, vingança
-ância		observância, tolerância
-ença		descrença, diferença
-ência		anuência, concorrência
-ante	agente	estudante, navegante
-ente		afluente, combatente
-inte		ouvinte, pedinte
-(d)or	agente, instrumento da ação	jogador, regador
-(t)or		inspetor, interruptor
-(s)or		agressor, ascensor
-ção	ação ou o resultado dela	nomeação, traição
-são		agressão, extensão
-douro	lugar ou instrumento da ação	bebedouro, suadouro
-tório		lavatório, vomitório
-(d)ura	resultado ou instrumento da ação, noção coletiva	pintura, atadura
-(t)ura		formatura, magistratura
-(s)ura		clausura, tonsura
-mento	*a)* ação ou resultado dela	acolhimento, ferimento
	b) instrumento da ação	ornamento, instrumento
	c) noção coletiva	armamento, fardamento

6. Formam adjetivos de substantivos:

SUFIXO	SENTIDO	EXEMPLIFICAÇÃO
-aco	estado íntimo, pertinência, origem	maníaco, austríaco
-ado	*a)* provido ou cheio de	barbado, denteado
	b) que tem o caráter de	adamado, amarelado
-aico	referência, pertinência	judaico, prosaico
-al	relação, pertinência	campal, conjugal
-ar		escolar, familiar

SUFIXO	SENTIDO	EXEMPLIFICAÇÃO
-ano	*a)* proveniência, origem, pertença	romano, serrano
	b) sectário ou partidário de	luterano, parnasiano
	c) semelhante ou comparável a	bilaquiano, machadiano
-ão	proveniência, origem	alemão, beirão
-ário	relação, posse, origem	diário, fracionário
-eiro		caseiro, mineiro
-engo	relação, pertinência, posse	mulherengo, solarengo
-enho	semelhança, procedência, origem	ferrenho, estremenho
-eno	referência, origem	terreno, chileno
-ense	relação, procedência, origem	forense, parisiense
-ês		cortês, norueguês
-(l)ento	*a)* provido ou cheio de	ciumento, corpulento
	b) que tem o caráter de	rabugento, morrinhento
-eo	relação, semelhança, matéria	róseo, férreo
-esco	referência, semelhança	burlesco, dantesco
-isco		levantisco, mourisco
-este	relação	agreste, celeste
-estre	relação	campestre, terrestre
-eu	relação, procedência, origem	europeu, hebreu
-ício	referência	alimentício, natalício
-ico	participação, referência	geométrico, melancólico
-il	referência, semelhança	febril, senhoril
-ino	relação, origem, natureza	londrino, cristalino

SUFIXO	SENTIDO	EXEMPLIFICAÇÃO
-ita	pertinência, origem	ismaelita, israelita
-onho	propriedade, hábito constante	enfadonho, risonho
-oso	provido ou cheio de	brioso, venenoso
-tico	relação	aromático, rústico
-udo	provido ou cheio de	pontudo, barbudo

Observação:

Alguns desses sufixos servem também para formar adjetivos de outros adjetivos. Por exemplo: *-al*, junta-se a *angélico*, formando *angelical*; *-onho*, acrescenta-se a *triste*, produzindo *tristonho*.

7. Formam adjetivos de verbos:

SUFIXO	SENTIDO	EXEMPLIFICAÇÃO
-ante *-ente* *-inte*	ação, qualidade, estado	semelhante, tolerante doente, resistente constituinte, seguinte
-(á)vel *-(í)vel*	possibilidade de praticar ou sofrer uma ação	durável, louvável perecível, punível
-io *-(t)ivo*	ação, referência, modo de ser	fugidio, tardio afirmativo, pensativo
-(d)iço *-(t)ício*	possibilidade de praticar ou sofrer uma ação, referência	movediço, quebradiço acomodatício, factício
-(d)ouro *-(t)ório*	ação, pertinência	duradouro, vindouro preparatório, satisfatório

Sufixos verbais

Os verbos novos da língua formam-se, em geral, pelo acréscimo da terminação *-ar* a substantivos e adjetivos. Assim:

telefon-*ar* radiograf-*ar* (a)doç-*ar* (a)portugues-*ar*

Por vezes, a vogal temática *-a-* liga-se não ao radical propriamente dito, mas a uma forma dele derivada, ou, melhor dizendo, ao radical com a adição de um sufixo. É o caso, por exemplo, dos verbos:

afug-ent-*ar* escrev-inh-*ar* ded-ilh-*ar* salt-it-*tar*

São tais sufixos que transmitem a esses verbos matizes significativos especiais: **frequentativo** (ação repetida), **factitivo** (atribuição de uma qualidade ou modo de ser), **diminutivo** e **pejorativo**.

Eis os principais **sufixos verbais**, com a indicação dos matizes significativos que denotam:

SUFIXO	SENTIDO	EXEMPLIFICAÇÃO
-ear	frequentativo, durativo	cabecear, folhear
-ejar	factitivo, durativo	gotejar, velejar
-entar	factitivo	aformosentar, amolentar
-(i)ficar	factitivo	clarificar, dignificar
-icar	frequentativo-diminutivo	bebericar, depenicar
-ilhar	frequentativo-diminutivo	dedilhar, fervilhar
-inhar	frequentativo-diminutivo-pejorativo	escrevinhar, cuspinhar
-iscar	frequentativo-diminutivo	chuviscar, lambiscar
-itar	frequentativo-diminutivo	dormitar, saltitar
-izar	factitivo	civilizar, utilizar

Das outras conjugações, apenas a 2ª possui um sufixo capaz de formar verbos novos em português. É o sufixo *-ecer* (ou *-escer*), característico dos verbos chamados **incoativos**, ou seja, dos verbos que indicam o começo de um estado e, às vezes, o seu desenvolvimento:

alvor-*ecer* amadur-*ecer* envelh-*ecer* flor-*escer*

Em verdade, *-ecer* (ou *-escer*) não é sufixo. Decompõe-se esta terminação em **sufixo** *(-e [s] c-)* + **vogal temática** *(-e-)* + **sufixo** *(-r)*.

Sufixo adverbial

O único sufixo adverbial que existe em português é *-mente*, oriundo do substantivo latino *mens, mentis* "a mente, o espírito, o intento". Com o sentido de "intenção" e, depois, com o de "maneira", passou a aglutinar-se a adjetivos para indicar circunstâncias, especialmente a de modo. Assim: *boamente* = com boa intenção, de maneira boa.

Como o substantivo latino *mens* era feminino (compare-se o português *a mente*), junta-se o sufixo à forma feminina do adjetivo: bondosa-*mente*, fraca-*mente*, etc.

Desta norma excetuam-se os advérbios que se derivam de adjetivos terminados em *-ês: burguês-mente, português-mente*, etc. Mas o fato tem explicação histórica: tais adjetivos eram outrora uniformes, uniformidade que alguns deles, como *pedrês* e *montês*, ainda hoje conservam. Assim: *um galo pedrês, uma galinha pedrês, um cabrito montês, uma cabra montês*. A formação adverbial continua a seguir o antigo modelo.

Derivação Parassintética

Numa análise morfológica do adjetivo *desalmado* e do verbo *repatriar*, verificamos imediatamente que:

a) o primeiro é constituído do **prefixo** *des-* + o **radical** *alm(a)* + o **sufixo** *-ado*;

b) o segundo é formado do **prefixo** *re-* + o **radical** *pátri(a)* + o **sufixo** *-ar*.

Um exame mais cuidadoso nos mostra, porém, que, nos dois casos, o prefixo e o sufixo se aglutinaram a um só tempo aos radicais *alm*(a) e *pátri*(a), pois que não existem — e não existiram nunca — os substantivos *desalma* e *repátria*, nem tampouco o adjetivo *almado* e o verbo *patriar*.

Os vocábulos formados pela agregação simultânea de prefixo e sufixo a determinado radical chamam-se **parassintéticos**, palavra derivada do grego *pára* (= justaposição, posição ao lado de) e *synthetikós* (= que compõe, que junta, que combina).

A **parassíntese** é particularmente produtiva nos verbos, e a principal função dos prefixos vernáculos *a-* e *em-* *(en-)* é a de participar desse tipo especial de derivação:

*a*botoar — *a*manhecer
*em*bainhar — *en*surdecer

Derivação Regressiva

Nos tipos de derivação até aqui estudados, a palavra nova resulta sempre do acréscimo de **afixos** (**prefixos** e **sufixos**) a determinado **radical**. Neles há, pois, uma constante: a palavra derivada amplia a primitiva.

Existe, porém, um processo de criação vocabular exatamente contrário. É a chamada **derivação regressiva**, que consiste na redução da palavra derivante por uma falsa análise da sua estrutura.

A **derivação regressiva** tem importância maior na criação dos **substantivos deverbais** ou **pós-verbais**, formados pela junção de uma das vogais *-o*, *-a* ou *-e* ao radical do verbo. Exemplos:

VERBO	DEVERBAL	VERBO	DEVERBAL	VERBO	DEVERBAL
abalar	abalo	amostrar	amostra	alcançar	alcance
amparar	amparo	caçar	caça	atacar	ataque
sustentar	sustento	vender	venda	sacar	saque

Observação:

Nem sempre é fácil saber se o substantivo se deriva do verbo ou se este se origina do substantivo. Há um critério prático para a distinção, sugerido pelo filólogo Mário Barreto: "se o substantivo denota ação, será palavra derivada, e o verbo palavra primitiva; mas se o nome denota algum objeto ou substância, se verificará o contrário." Assim: *dança, ataque* e *amparo*, denotadores, respectivamente, das ações de *dançar, atacar* e *amparar* — são formas derivadas; *âncora, azeite* e *escudo*, ao contrário, são as formas primitivas, que dão origem aos verbos *ancorar, azeitar* e *escudar*.

Derivação Imprópria

As palavras podem mudar de classe gramatical sem sofrer modificação na forma. Basta, por exemplo, antepor-se o artigo a qualquer vocábulo da língua para que ele se torne um substantivo.

A este processo de enriquecimento vocabular pela mudança de classe das palavras dá-se o nome de **derivação imprópria**, e por ele se explica a passagem:

a) de substantivos próprios a comuns: *damasco, quixote*;

b) de substantivos comuns a próprios: *Coelho, Leão, Pereira*;

c) de adjetivos a substantivos: *capital, circular, veneziana*;

d) de substantivos a adjetivos: *burro*, colégio-*modelo*, café-*concerto*;

e) de substantivos, adjetivos e verbos a interjeições: *silêncio!, bravo!, viva!*;

f) de verbos a substantivos: *afazer, jantar, prazer*;

g) de verbos e advérbios a conjunções: *quer...quer, já... já*;

h) de particípios presentes e passados a preposições: *mediante, salvo*;

i) de particípios passados a substantivos e adjetivos: *conteúdo, absoluto, resoluto*.

COMPOSIÇÃO

A **composição** consiste em formar uma nova palavra pela união de dois ou mais radicais. A palavra composta representa sempre uma ideia única e autônoma, muitas vezes dissociada das noções expressas pelos seus componentes. Assim, *pé-de-galinha* é o nome de uma ruga no canto externo dos olhos; *mil-folhas*, o de um doce; *vitória-régia*, o de uma planta.

Tipos de composição

1. Quanto à **forma**, os elementos de uma palavra composta podem estar:

a) simplesmente justapostos, conservando cada qual a sua integridade:

segunda-feira chapéu-de-sol passatempo

b) intimamente unidos, por se ter perdido a ideia da composição, caso em que se subordinam a um único acento tônico e sofrem perda de sua integridade silábica:

aguardente (água + ardente) embora (em + boa + hora)

Daí distinguir-se a **composição por justaposição** da **composição por aglutinação**, diferença que a escrita procura refletir, pois que na **justaposição** os elementos componentes vêm, em geral, ligados por hífen, ao passo que na **aglutinação** eles se juntam num só vocábulo gráfico.

Observação:

Reitere-se que o emprego do hífen é uma simples convenção ortográfica. Nem sempre os elementos justapostos vêm ligados por ele. Há os que se escrevem unidos: *passatempo, varapau*, etc.; como há outros que conservam a sua autonomia gráfica: *pai de família, Idade Média*, etc.

2. Quanto ao **sentido**, distingue-se numa palavra composta o elemento **determinado**, que contém a ideia geral, do **determinante**, que encerra a noção particular. Assim, em *escola-modelo*, o termo *escola* é o **determinado**, e *modelo* o **determinante**. Em *mãe-pátria*, ao inverso, *mãe* é o **determinante**, e *pátria* o **determinado**.

Nos compostos tipicamente portugueses, o **determinado**, de regra, precede o **determinante**, mas naqueles que entraram por via erudita, ou se formaram pelo modelo da composição latina, observa-se exatamente o contrário — o primeiro elemento é o que exprime a noção específica, e o segundo a geral. Assim: *agricultura* (= cultivo do campo), *suaviloquência* (= linguagem suave), etc.

3. Quanto à **classe gramatical** dos seus elementos, uma palavra composta pode ser constituída de:

1º) **substantivo + substantivo:**

manga-rosa porco-espinho tamanduá-bandeira

2º) **substantivo + preposição + substantivo:**

chapéu-de-sol mãe-d'água pai de família

3º) **substantivo + adjetivo:**

a) com o adjetivo posposto ao substantivo:

aguardente amor-perfeito sangue-frio

b) com o adjetivo anteposto ao substantivo:

alto-forno belas-artes livre-câmbio

4º) **adjetivo + adjetivo:**

azul-marinho luso-brasileiro tragicômico

5º) **numeral + substantivo:**

mil-folhas segunda-feira trigêmeo

6º) **pronome + substantivo:**

meu-bem nossa-amizade Nosso-Senhor

7º) **verbo + substantivo:**

beija-flor guarda-roupa passatempo

8º) **verbo + verbo:**

corre-corre perde-ganha vaivém

9º) **advérbio + adjetivo:**

bem-bom não-erudito sempre-viva

10º) **advérbio** (ou **adjetivo** em função **adverbial**) + **verbo:**

bem-aventurar   maldizer   vangloriar-se

Observações:

1ª) No último grupo poderíamos incluir os numerosos compostos de *bem* e *mal* + substantivo ou adjetivo, porque, neles, tanto o substantivo como o adjetivo são quase sempre derivados de verbos, cuja significação ainda conservam. Assim: *bem-aventurança, bem-vindo, mal-encarado, malfeitor*, etc.

2ª) Nem todos os compostos da língua se distribuem pelos tipos que enumeramos. Há, ainda, uma infinidade de combinações, por vezes curiosas, como as seguintes: *bem-te-vi, bem-te-vi-do-bico-chato, disse-que-disse, louva-a-deus, malmequer, não-me-deixes, não-te-esqueças-de-mim* (miosótis), etc.

COMPOSTOS ERUDITOS

A nomenclatura científica, técnica e literária é fundamentalmente constituída de palavras formadas pelo modelo da composição greco-latina, que consistia em associar dois termos, o primeiro dos quais servia de determinante do segundo.

Radicais latinos

1. Entre outros, funcionam como primeiro elemento da composição os seguintes radicais latinos, em geral terminados em *-i*:

FORMA	ORIGEM LATINA	SENTIDO	EXEMPLIFICAÇÃO
agri-	ager, agri	campo	agricultura
ambi-	ambo	ambos	ambidestro
bis- / *bi-*	bis	duas vezes	bisavô / bípede
cruci-	crux, -ucis	cruz	crucifixo
equi-	aequus, -a, -um	igual	equilátero

FORMA	ORIGEM LATINA	SENTIDO	EXEMPLIFICAÇÃO
igni-	ignis, -is	fogo	ignívomo
morti-	mors, mortis	morte	mortífero
multi-	multus, -a, -um	muito	multiforme
oni-	omnis, -e	todo	onipotente
pisci-	piscis, -is	peixe	piscicultor
pluri-	plus, pluris	muitos, vários	pluriforme
quadri- *quadru-*	quattuor	quatro	quadrimotor quadrúpede
reti-	rectus, -a, -um	reto	retilíneo
semi-	semi-	metade	semicírculo
sesqui-	sesqui-	um e meio	sesquicentenário
tri-	tres, tria	três	tricolor
uni-	unus, -a, -um	um	uníssono

2. Como segundo elemento da composição, empregam-se:

FORMA	SENTIDO	EXEMPLIFICAÇÃO
-cida	que mata	regicida, suicida
-cola	que cultiva, ou habita	vitícola, arborícola
-fero	que contém, ou produz	aurífero, flamífero
-fico	que faz, ou produz	benéfico, frigorífico
-forme	que tem forma de	cuneiforme, uniforme
-fugo	que foge, ou faz fugir	centrífugo, febrífugo
-gero	que contém, ou produz	armígero, belígero
-paro	que produz	multíparo, ovíparo
-sono	que soa	horríssono, uníssono
-vomo	que expele	fumívomo, ignívomo
-voro	que come	carnívoro, herbívoro

Radicais gregos

1. Mais numerosos são os compostos eruditos formados de elementos gregos, fonte de quase todos os neologismos filosóficos, literários, técnicos e científicos. Indiquem-se os seguintes, que servem geralmente de primeiro elemento da composição:

FORMA	SENTIDO	EXEMPLIFICAÇÃO
aero-	ar	aerofagia, aeronave
antropo-	homem	antropófago, antropologia
arqueo-	antigo	arqueografia, arqueologia
auto-	de si mesmo	autobiografia, autógrafo
biblio-	livro	bibliografia, biblioteca
bio-	vida	biografia, biologia
caco-	mau	cacofonia, cacografia
cali-	belo	califasia, caligrafia
cosmo-	mundo	cosmógrafo, cosmologia
crono-	tempo	cronologia, cronômetro
dáctilo-	dedo	datilografia, datiloscopia
deca-	dez	decaedro, decalitro
demo-	povo	democracia, demagogo
di-	dois	dipétalo, dissílabo
enea-	nove	eneágono, eneassílabo
filo-	amigo	filologia, filosofia
fono-	voz, som	fonógrafo, fonologia
geo-	terra	geografia, geologia
hemo- / *hemato-*	sangue	hemoglobina, hemorragia / hematócrito
hepta-	sete	heptágono, heptassílabo
hexa-	seis	hexágono, hexâmetro
hidro-	água	hidrogênio, hidrografia
hipo-	cavalo	hipódromo, hipopótamo
macro-	grande, longo	macróbio, macrodáctilo
melo-	canto	melodia, melopeia
meso-	meio	mesóclise, Mesopotâmia
micro-	pequeno	micróbio, microscópio
mito-	fábula	mitologia, mitômano
mono-	um só	monarca, monótono
necro-	morto	necrópole, necrotério
neo-	novo	neolatino, neologismo
octo-	oito	octossílabo, octaedro
orto-	reto, justo	ortografia, ortodoxo
pan-	todos, tudo	panteísmo, pan-americano
penta-	cinco	pentágono, pentâmetro
poli-	muito	poliglota, polígono
pseudo-	falso	pseudônimo, pseudoesfera
psico-	alma, espírito	psicologia, psicanálise
quilo-	mil	quilograma, quilômetro

FORMA	SENTIDO	EXEMPLIFICAÇÃO
rino-	nariz	rinoceronte, rinoplastia
rizo-	raiz	rizófilo, rizotônico
tele-	longe	telefone, telegrama
tetra-	quatro	tetrarca, tetraedro
topo-	lugar	topografia, toponímia
tri-	três	tríade, trissílabo
zoo-	animal	zoógrafo, zoologia

2. Funcionam, preferentemente, como segundo elemento da composição estes radicais gregos:

FORMA	SENTIDO	EXEMPLIFICAÇÃO
-agogo	que conduz	demagogo, pedagogo
-algia	dor	cefalalgia, nevralgia
-arca	que comanda	heresiarca, monarca
-arquia	comando, governo	autarquia, monarquia
-astenia	debilidade	neurastenia, psicastenia
-céfalo	cabeça	dolicocéfalo, microcéfalo
-cracia	poder	democracia, plutocracia
-doxo	que opina	heterodoxo, ortodoxo
-dromo	lugar para correr	autódromo, hipódromo
-edro	base, face	pentaedro, poliedro
-fagia	ato de comer	aerofagia, antropofagia
-fago	que come	antropófago, necrófago
-filia	amizade	bibliofilia, lusofilia
-fobia	inimizade, ódio, temor	fotofobia, hidrofobia
-fobo	que odeia, inimigo	xenófobo, zoófobo
-foro	que leva ou conduz	electróforo, fósforo
-gamia	casamento	monogamia, poligamia
-gêneo	que gera	heterogêneo, homogêneo
-glota, *-glossa*	língua	poliglota, isoglossa
-gono	ângulo	pentágono, polígono
-grafia	escrita, descrição	ortografia, geografia
-grafo	que escreve	calígrafo, polígrafo
-grama	escrito, peso	telegrama, quilograma
-logia	discurso, tratado, ciência	arqueologia, filologia
-logo	que fala ou trata	diálogo, teólogo
-mania	loucura, tendência	megalomania, monomania

FORMA	SENTIDO	EXEMPLIFICAÇÃO
-mano	louco, inclinado	bibliômano, mitômano
-maquia	combate	logomaquia, tauromaquia
-metria	medida	antropometria, biometria
-metro	que mede	hidrômetro, pentâmetro
-morfo	que tem a forma	antropomorfo, polimorfo
-nomia	lei, regra	agronomia, astronomia
-nomo	que regula	autônomo, metrônomo
-peia	ato de fazer	melopeia, onomatopeia
-pólis / *-pole*	cidade	Petrópolis / metrópole
-ptero	asa	díptero, helicóptero
-scópio	instrumento para ver	microscópio, telescópio
-sofia	sabedoria	filosofia, teosofia
-stico	verso	dístico, monóstico
-teca	lugar onde se guarda	biblioteca, discoteca
-terapia	cura	fisioterapia, hidroterapia
-tomia	corte, divisão	dicotomia, nevrotomia
-tono	tensão, tom	barítono, monótono

Hibridismo

São **palavras híbridas,** ou **hibridismos**, aquelas que se formam de elementos tirados de línguas diferentes. Assim, em *automóvel* o primeiro radical é grego *(auto)* e o segundo latino *(móvel)*; em *sociologia*, ao contrário, o primeiro é latino *(sócio)* e o segundo grego *(logia)*.

As formações híbridas são em geral condenadas pelos gramáticos, mas existem algumas tão enraizadas no idioma que seria pueril pretender eliminá-las. É o caso das palavras mencionadas e de outras, como: *neolatino, bicicleta, decímetro, burocracia* e *monocultura*.

Onomatopeia

As **onomatopeias** são palavras imitativas, isto é, que procuram reproduzir, aproximadamente, certos sons ou ruídos:

tique-taque, zás-trás, zunzum, etc.

Em geral, os verbos e os substantivos denotadores de vozes de animais têm origem onomatopeica.

ciciar	cicio	(da cigarra)
coaxar	coaxo	(da rã, do sapo)

Abreviação Vocabular

O ritmo acelerado da vida intensa de nossos dias obriga-nos a uma elocução mais rápida. Observamos, a todo momento, a redução de frases e palavras até limites que não prejudiquem a compreensão. É o que sucede, por exemplo, com os vocábulos longos e, em particular, com os compostos greco-latinos de criação recente: *auto* (por *automóvel*), *foto* (por *fotografia*), *moto* (por *motocicleta*), *ônibus* (por *auto-ônibus*), *pneu* (por *pneumático*), *quilo* (por *quilograma*), etc. Em todos eles a forma abreviada assumiu o sentido da forma plena.

Siglas

Também moderno — e cada vez mais generalizado — é o processo de criação vocabular que consiste em reduzir longos títulos a meras **siglas**, constituídas das letras iniciais das palavras que os compõem, ou partes iniciais formando quase-palavras.

Atualmente, instituições de natureza vária — como organizações internacionais, partidos políticos, serviços públicos, sociedades comerciais, associações estudantis, culturais, recreativas, etc. — são, em geral, mais conhecidas pelas **siglas** do que pelas denominações completas. Assim:

ABI = Associação Brasileira de Imprensa
ABL = Academia Brasileira de Letras
ANEEL = Agência Nacional de Energia Elétrica
AVC = Acidente Vascular Cerebral
BB = Banco do Brasil

BNDES = Banco Nacional de Desenvolvimento Econômico e Social

CBF = Confederação Brasileira de Futebol

CD = Compact Disc

CEF = Caixa Econômica Federal

CEP = Código de Endereçamento Postal

CPF = Cadastro de Pessoa Física

DDD = Discagem Direta a Distância

OEA = Organização dos Estados Americanos

ONU = Organização das Nações Unidas

PUC = Pontifícia Universidade Católica

UFRJ = Universidade Federal do Rio de Janeiro

IBGE = Fundação Instituto Brasileiro de Geografia e Estatística

FGV = Fundação Getúlio Vargas

Senac = Serviço Nacional de Aprendizagem Comercial

TCU = Tribunal de Contas da União

Varig = Viação Aérea Rio-grandense

ECT = Empresa Brasileira de Correios e Telégrafos

FGTS = Fundo de Garantia por Tempo de Serviço

Embratel = Empresa Brasileira de Telecomunicações

CNBB = Conferência Nacional dos Bispos do Brasil

ABCD = Santo André, São Bernardo do Campo, São Caetano do Sul e Diadema, municípios da Grande São Paulo

Petrobras = Petróleo Brasileiro S.A.

ANATEL = Agência Nacional de Telecomunicações

5 A ORAÇÃO E SEUS TERMOS

A FRASE E SUA CONSTITUIÇÃO

Quando expressamos os nossos pensamentos e sentimentos, servimo-nos de frases, que são as enunciações de sentido completo, as verdadeiras unidades da fala.

As **frases** podem ser formadas:

a) de uma só palavra:

Chove. Atenção! Silêncio!

b) de várias palavras, entre as quais se inclui ou não um verbo:

Cai a chuva lentamente. Que tristeza!

A parte da gramática que descreve as regras segundo as quais as palavras se combinam para formar **frases** denomina-se **sintaxe**.

A **frase** é sempre acompanhada de uma melodia, de uma entoação particular. Quando a frase não possui verbo, a melodia é a única marca por que podemos reconhecê-la. Sem ela, frases como:

Atenção! Que tristeza! Noite linda!

seriam simples vocábulos, unidades léxicas sem função, sem valor gramatical.

Frase e oração

Toda declaração que se faz por meio de um verbo, claro ou oculto, é uma **oração**.

A **frase** pode conter uma ou mais **orações**.

1º) Contém apenas uma oração, quando apresenta:

a) uma só forma verbal, clara ou oculta:

Nós *seguíamos* mudos e sozinhos... (R. CORREIA)

Vida boa, a vida de cidade grande. (M. PALMÉRIO)

b) duas ou mais formas verbais, integrantes de uma **locução verbal**:

Talvez aquilo *tivesse sido feito* por gente. (G. RAMOS)

2º) Contém mais de uma oração, quando nela há mais de um verbo (seja na forma simples, seja na locução verbal), claro ou oculto:

Policiou, / *saneou,* / *moralizou.* (E. DA CUNHA)

O Negrinho *começou a chorar*, / enquanto os cavalos *iam pastando*. (S. LOPES NETO)

Poeta *sou*; / pai, pouco; / irmão, mais. (M. BANDEIRA)

ORAÇÃO E PERÍODO

Período é a frase organizada em uma ou mais orações.

Pode ser:

a) **simples**, quando constituído de uma só oração:

O casarão todo dormia. (G. AMADO)

b) **composto**, quando formado de duas ou mais orações:

O senhor sabe, / são moças, / querem divertir-se. (R. COUTO)

O **período** termina sempre por uma pausa bem definida, que se marca na escrita com ponto, ponto de exclamação, ponto de interrogação, reticências e, algumas vezes, com dois pontos.

Observação:

No período simples, a **oração** se chama **absoluta**.

TERMOS ESSENCIAIS DA ORAÇÃO

Sujeito e predicado

1. São termos essenciais da oração o **sujeito** e o **predicado**.

Sujeito é o ser sobre o qual se faz uma declaração.
Predicado é tudo aquilo que se diz do **sujeito**.

Assim, na oração:

O galo velho olhou de novo o céu. (M. PALMÉRIO)

temos:
sujeito: *O galo velho*;
predicado: *olhou de novo o céu.*

2. Apesar de serem termos essenciais da oração, o **sujeito** e o **predicado** não precisam vir materialmente expressos. Assim, nos exemplos:

Adormeci num grande desânimo. (A. F. SCHMIDT)
No céu azul, dois fiapos de nuvens. (A. F. SCHMIDT)

o sujeito de *adormeci* é *eu*, indicado apenas pela desinência verbal. No segundo exemplo, é o verbo da oração que está subentendido.

Diz-se, conforme o caso, que o **sujeito** ou o **predicado** estão **elípticos** ou **ocultos**.

O sujeito

Representação do sujeito

Os **sujeitos** da 1ª e da 2ª pessoa são, respectivamente, os pronomes pessoais *eu* e *tu*, no singular; *nós* e *vós* (ou combinações equivalentes: *eu* e *tu*, *tu* e *ele*, etc.), no plural.

Os **sujeitos** da 3ª pessoa podem ter como núcleo:

a) um substantivo:

Fabiano contava façanhas. (G. RAMOS)

b) os pronomes pessoais *ele, ela* (singular); *eles, elas* (plural):

Ele se irá, creio, mas ficará *ela*. (M. DE ASSIS)

c) um pronome demonstrativo, relativo, interrogativo, ou indefinido:

Aquilo é terra benta. (J. C. DE CARVALHO)
Qual é o caminho *que* leva ao teu país? (R. COUTO)
Quem encabeçou o movimento? (A. DE A. MACHADO)
Ninguém traz a menor notícia. (A. M. MACHADO)

d) um numeral:

Onde comem *dois* comem *três*. (G. RAMOS)

e) uma palavra ou uma expressão substantivada:

O humilde não teme julgamento alheio. (G. AMADO)
O por fazer é só com Deus. (F. PESSOA)

f) uma oração:

É provável *que ela case outra vez*. (M. DE ASSIS)

Sujeito simples

Quando o sujeito tem apenas um núcleo, isto é, quando o verbo se refere a um só substantivo, ou a um só pronome, ou a um só numeral, ou a uma só palavra substantivada, ou a uma só oração substantiva, o **sujeito** é **simples**. Esse o caso dos sujeitos atrás mencionados.

Sujeito composto

É **composto** o sujeito que tem mais de um núcleo, ou seja, o sujeito constituído de:

a) mais de um substantivo:

Vozes, risos e palmas vieram lá de baixo. (E. VERISSIMO)

b) mais de um pronome:

E assim galgamos *ele e eu* o rochedo. (J. RIBEIRO)

c) mais de uma palavra ou expressão substantivada:

Falam por mim *os abandonados de justiça*, os *simples de coração*. (C. D. DE ANDRADE)

d) mais de um numeral:

Passavam devagar, em fila, *seis ou sete*. (G. AMADO)

e) mais de uma oração:

Era melhor *esquecer o nó / e pensar numa cama igual à de seu Tomás da bolandeira.* (G. RAMOS)

Sujeito oculto (determinado)

É aquele que não está materialmente expresso na oração, mas pode ser identificado:

a) pela desinência verbal:

Gost*o* de chuva, Pedro. (L. JARDIM)

O sujeito de *gosto*, indicado pela desinência *-o*, é o pronome *eu*.

b) pela presença do sujeito em outra oração do mesmo período ou de período contíguo:

O funcionário riu com esforço, e despediu-se enojado. Entrou numa livraria. (A. M. MACHADO)

O sujeito de *riu* e *despediu-se* é *o funcionário*, mencionado apenas na primeira oração, antes de *riu*. E é também o sujeito do verbo *entrou*, pertencente ao período seguinte.

SUJEITO INDETERMINADO

Quando o verbo não se refere a uma pessoa determinada, ou por se desconhecer quem executa a ação, ou por não haver interesse no seu conhecimento, diz-se que o **sujeito** é **indeterminado**. Nestes casos, põe-se o verbo:

a) ou na 3ª pessoa do plural:

Anunciaram que você morreu. (M. BANDEIRA)

b) ou na 3ª pessoa do singular, com o pronome *se*:

Não *se falava* dele no Ateneu. (R. POMPEIA)

ORAÇÃO SEM SUJEITO

Não deve ser confundido o **sujeito indeterminado**, que existe, mas não se pode ou não se deseja identificar, com a inexistência do sujeito.

Em orações como as seguintes:

Chove. Anoitece. Faz frio.

interessa-nos o processo verbal em si, isto é, o **predicado**, pois este não se refere a nenhum sujeito, já que não o atribuímos a nenhum ser. Diz-se, então, que o verbo é **impessoal**; e o **sujeito**, inexistente.

Eis os principais casos de **oração sem sujeito**:

a) com verbos ou expressões que denotam fenômenos da natureza:

De noite *choveu* muito. (J. MONTELLO)

b) com o verbo *haver* na acepção de "existir":

Há flores, vidros, luz e sombra na casa das seis mulheres. (R. BRAGA)

c) com o verbo *haver*, quando indica tempo decorrido:

Já estou aqui *há* dois dias. (J. G. ROSA)

d) com os verbos *ser*, *fazer* e *ir*, na indicação de tempo em geral:

Era inverno na certa no alto sertão. (J. L. DO REGO)
Aí vai esse poema escrito *faz* um ano. (M. DE ANDRADE)
Vai para uns quinze anos escrevi uma crônica do Curvelo. (M. BANDEIRA)

Da atitude do sujeito

COM OS VERBOS DE AÇÃO

Quando o verbo exprime uma ação, a atitude do sujeito com referência ao processo verbal pode ser de atividade, de passividade, ou de atividade e passividade ao mesmo tempo.

1. Neste exemplo:

Sílvia cobriu os olhos com as mãos. (O. L. RESENDE)

o sujeito *Sílvia* executa a ação expressa pela forma verbal *cobriu*. O sujeito é, pois, o **agente**.

2. Neste exemplo:

A população do globo foi aumentada pelos dois em escala razoável. (C. D. DE ANDRADE)

o sujeito *a população do globo* não pratica a ação. O sujeito, no caso, sofre a ação; é dela o **paciente**.

3. Neste exemplo:

Vestiu-*se* às pressas assobiando trechos do Trovador. (M. BANDEIRA)

a ação é simultaneamente exercida e sofrida pelo sujeito *ele*, que é, a um tempo, o **agente** e o **paciente** dela.

Com os verbos de estado

Quando o verbo evoca um estado, a atitude da pessoa ou da coisa que dele participa é de neutralidade. O sujeito, no caso, não é o agente nem o paciente, mas a sede do processo verbal, o lugar onde ele se desenvolve:

A prova é esta carta. (C. D. DE ANDRADE)
O mar está muito calmo. (R. BRAGA)
Os caixotes continuam fechados. (J. MONTELLO)
O gás anda fraquíssimo. (C. D. DE ANDRADE)

O predicado

O **predicado** pode ser **nominal**, **verbal** ou **verbo-nominal**.

Predicado nominal

O **predicado nominal** é formado por um **verbo de ligação + predicativo do sujeito**.

1. O verbo de ligação

Os **verbos de ligação** servem para estabelecer a união entre duas palavras ou expressões de caráter nominal. Não trazem propriamente ideia nova ao sujeito; funcionam apenas como elo entre este e o seu predicativo.

Os verbos de ligação podem expressar:

a) estado permanente:

O fato *é* vulgaríssimo. (E. DA CUNHA)

b) estado transitório:

Os caboclos *estavam* desconfiados. (G. RAMOS)

c) mudança de estado:

Fiquei sensibilizadíssimo. (D. S. DE QUEIRÓS)

d) continuidade de estado:

O rapaz *continua* indeciso. (C. D. DE ANDRADE)

e) aparência de estado:

Os olhos *pareciam* uma posta de sangue. (J. A. DE ALMEIDA)

2. O predicativo do sujeito

Predicativo do sujeito é o termo do **predicado nominal** que se refere diretamente ao sujeito.

Pode ser representado por:

a) substantivo ou expressão substantivada:

Eras *marido e filho*? (M. BANDEIRA)

Não, eu não era *o 301*. (F. SABINO)

b) adjetivo ou locução adjetiva:

Ele ficou *pasmo, sem palavras*. (C. D. DE ANDRADE)

c) pronome:

Nunca fora *nada* na vida... (M. LOBATO)

d) numeral:

Duas são as representações elementares do agradável realizado. (R. POMPEIA)

e) oração:

O pior é *que parti os óculos*. (O. L. RESENDE)

Predicado verbal

O **predicado verbal** tem como núcleo, isto é, como elemento principal da declaração que se faz do sujeito, um **verbo significativo**.

Verbos significativos (ou nocionais) são aqueles que trazem uma ideia nova ao sujeito. Podem ser **intransitivos** e **transitivos**.

Verbos intransitivos

Nesta oração:

Cedo, a noite *caía*. (J. MONTELLO)

verificamos que a ação está integralmente contida na forma verbal *caía*. Tal verbo é, pois, **intransitivo**, ou seja, **não transitivo**: a ação não vai além do verbo.

Verbos transitivos

Nestas orações:

— Não *tenho dinheiro*. O Senhor *te abençoe*. (M. BANDEIRA)

vemos que as formas verbais *tenho* e *abençoe* exigem uma palavra para completar-lhes o significado. Como o processo verbal não está integralmente contido nelas, mas se transmite a outro elemento (o substantivo *dinheiro* e o pronome *te*), estes verbos se chamam **transitivos**.

Os **verbos transitivos** podem ser **diretos, indiretos**, ou **diretos e indiretos** ao mesmo tempo.

1. **Verbos transitivos diretos**

Nestas orações:

Abrirei o portão. *Verei* meu filho? (O. LINS)

a ação expressa por *abrirei* e *verei* se transmite a outros elementos *(o portão* e *meu filho)* diretamente, ou seja, sem o auxílio de preposição. Por isso, são chamados **transitivos diretos**, e o termo da oração que lhes integra o sentido recebe o nome de **objeto direto**.

2. **Verbos transitivos indiretos.**

Nestes exemplos:

> A população da Vila *assistia ao embarque*.
> (M. PALMÉRIO)
> Um poeta, na noite morta, não *necessita de sono*.
> (C. MEIRELES)

a ação expressa por *assistia* e *necessita* transita para outros elementos da oração (*o embarque* e *sono*) indiretamente, isto é, por meio das preposições *a* e *de*. Tais verbos são, por conseguinte, **transitivos indiretos**. O termo da oração que completa o sentido do verbo **transitivo indireto** denomina-se **objeto indireto**.

3. **Verbos transitivos diretos e indiretos.**

Nestes exemplos:

> Capitu *preferia tudo ao seminário*.
> Não *lhe arranquei mais nada*. (M. DE ASSIS)

a ação expressa por *preferia* e *arranquei* transita para outros elementos da oração, a um tempo, direta e indiretamente. Por outras palavras: estes verbos requerem simultaneamente **objeto direto** e **objeto indireto** para completar-lhes o sentido.

Observação:

Como há verbos que se empregam ora como de ligação, ora como significativos, convém atentar sempre no valor que apresentam em determinado texto para classificá-los com acerto. Comparem-se, por exemplo, as frases:

Estavas pensativa.	Estavas no colégio.
Andei muito feliz.	Andei dez quilômetros.

Fiquei assustado.	Fiquei em casa.
Continuamos alegres.	Continuamos o passeio.

Na primeira coluna, os verbos *estar, andar, ficar* e *continuar* são verbos de ligação; na segunda, verbos significativos ou nocionais.

Predicado verbo-nominal

Não apenas os verbos de ligação se constroem com predicativo do sujeito. Também verbos significativos podem ser empregados com ele.

Neste exemplo:

As fisionomias *respiram aliviadas...* (L. BARRETO)

o verbo *respirar* é significativo, e *aliviadas* refere-se a *fisionomias*, de que é uma qualificação.

A este predicado misto, que possui dois núcleos significativos (um verbo e um predicativo), dá-se o nome de **verbo-nominal.**

Variabilidade de predicação verbal

A análise da transitividade verbal é feita de acordo com o texto e não isoladamente. O mesmo verbo pode estar empregado ora intransitivamente, ora transitivamente; ora com objeto direto, ora com objeto indireto. Comparem-se estes exemplos:

Perdoai sempre [= **intransitivo**].

Perdoai *as ofensas* [= **transitivo direto**].

Perdoai *aos inimigos* [= **transitivo indireto**].

Perdoai *as ofensas aos inimigos* [= **transitivo direto e indireto**].

Termos Integrantes da Oração

Examinemos as partes marcadas nas orações abaixo:

Houve, após, o *assalto aos aparelhos*. (R. POMPEIA)

> Pereirinha estava *ciente de tudo*. (M. PALMÉRIO)
> *Gostei de Maria Cora*. (M. DE ASSIS)
> *Relativamente ao seu pedido*, nada tenho que comunicar. (A. NASCENTES)

No primeiro exemplo, o substantivo *aparelhos* está relacionado com o substantivo *assalto* por meio da preposição *a*; no segundo, o pronome *tudo* se relaciona com o adjetivo *ciente* através da preposição *de*; no terceiro, o substantivo *Maria Cora* integra o sentido da forma verbal *gostei* por meio da preposição *de*; no quarto, *o seu pedido* prende-se ao advérbio *relativamente* por intermédio da preposição *a*.

Vemos, pois, que há palavras que completam o sentido de substantivos, de adjetivos, de verbos e de advérbios. As que se ligam por preposição a substantivo, adjetivo ou advérbio chamam-se **complementos nominais**. Denominam-se **complementos verbais** as que integram o sentido do verbo.

Complemento nominal

O **complemento nominal** vem, como dissemos, ligado por preposição ao substantivo, ao adjetivo ou ao advérbio cujo sentido integra ou limita.

Pode ser representado por:

a) substantivo (acompanhado ou não de seus modificadores):

> A notícia do *rebate falso* espalhou-se depressa. (M. PALMÉRIO)
> Fiquei indiferente *a todos os seus agrados*. (J. L. DO REGO)

b) pronome:

> Seria nojo *de mim*? (L. JARDIM)

c) numeral:

> Foi ele o inventor *dos e das dez mais*. (M. BANDEIRA)

d) palavra ou expressão substantivada:

E você tem medo *daquela maluca*? (L. JARDIM)

e) oração:

Tenho certeza *de que gosta de mim*. (C. DOS ANJOS)

Observações:

1ª) O **complemento nominal** pode estar integrando o sujeito, o predicativo, o objeto direto, o objeto indireto, o agente da passiva, o adjunto adverbial, o aposto e o vocativo.

2ª) Convém ter presente que o nome cujo sentido o **complemento nominal** integra corresponde, geralmente, a um verbo transitivo de radical semelhante:

amor *da pátria* — amar *a pátria*
ódio *aos injustos* — odiar *os injustos*

Complementos verbais

Objeto direto

Objeto direto é o complemento de um verbo transitivo direto, ou seja, o complemento que normalmente vem ligado ao verbo sem preposição e indica o ser para o qual se dirige a ação verbal.

Pode ser representado por:

a) substantivo:

Passageiros e motoristas atiram *moedas*. (A. M. MACHADO)

b) pronome (substantivo):

Os jornais *nada* publicaram. (C. D. DE ANDRADE)

c) numeral:

A moça da repartição ganha *450*. (R. BRAGA)

d) palavra substantivada:

Tem *um quê* de inexplicável. (G. DIAS)

e) oração:

Meu pai dizia *que os amigos são para as ocasiões.* (C. D. DE ANDRADE)

Objeto direto preposicionado

1. O **objeto direto** costuma vir regido da preposição *a* nos seguintes casos:

a) com os verbos que exprimem sentimentos:

Não amo *a ninguém*, Pedro. (C. DOS ANJOS)

b) para evitar ambiguidade:

Mamãe bem sabe que ele o estima e respeita como *a um pai*! (A. AZEVEDO)

c) quando vem antecipado, como no provérbio:

A homem pobre ninguém roube.

2. O **objeto direto** é obrigatoriamente preposicionado quando expresso por:

a) pronome pessoal oblíquo tônico:

João, o povo, na noite imensa, festeja *a ti*. (R. BRAGA)

b) pronome relativo *quem*:

A pessoa *a quem* amo está ausente.

Objeto direto pleonástico

1. Quando se quer chamar a atenção para o **objeto direto** que precede o verbo, costuma-se repeti-lo. É o que se chama **objeto direto pleonástico**. Nele, uma das formas é sempre um pronome pessoal átono:

As minhas lições as tomava em casa um professor particular. (J. L. DO REGO)

2. O **objeto direto pleonástico** pode também ser constituído de um pronome átono e de uma forma pronominal tônica preposicionada:

> Um dia esquecera-*a*, *a ela*, d. Iris, no teatro e recolhera descuidado a Paissandu. (P. NAVA)

OBJETO INDIRETO

O **objeto indireto** é o complemento de um verbo transitivo indireto, isto é, o complemento que se liga ao verbo por meio de preposição.

Pode ser representado por:

a) substantivo:

> Falamos *de* vários *assuntos* inconfessáveis. (R. BRAGA)

b) pronome (substantivo):

> Também dialogava *com elas*. (M. LOBATO)

c) numeral:

> É preciso optar *por um*. (M. TORGA)
> Rosa optou *por* esta *última*. (J. MONTELLO)

d) palavra ou expressão substantivada:

> Mas, — quem daria dinheiro *aos pobres*...? (C. LISPECTOR)

e) oração:

> Esquecia-se *de que não havia piano em casa*. (C. D. DE ANDRADE)

Observação:

Não vem precedido de preposição o **objeto indireto** representado pelos pronomes pessoais oblíquos *me, te, lhe, nos, vos, lhes* e pelo reflexivo *se*.

> A vida por aquelas bandas *me* agradava mais. (J. L. DO REGO)

Objeto indireto pleonástico

Com a finalidade de realçá-lo, costuma-se repetir o **objeto indireto**. Neste caso, uma das formas é obrigatoriamente um pronome pessoal átono:

> Um dia *a nós nos* coube participar da pantomima como desinteressados palhaços. (M. REBELO)

Predicativo do objeto

1. Tanto o **objeto direto** como o **indireto** podem ser modificados por **predicativo**. O **predicativo do objeto** só aparece no predicado **verbo-nominal**. Podem ser expressos por:

a) substantivo:

> Uns *a* nomeiam *primavera*. Eu *lhe* chamo *estado de espírito*. (C. D. DE ANDRADE)

Na 1ª oração, o substantivo *primavera* é o predicativo do objeto direto *a*; na 2ª, *estado de espírito* é predicativo do objeto indireto *lhe*.

b) adjetivo:

> Achei-*a bonita* com as duas lágrimas escorrendo pelas faces. (L. JARDIM)

2. Como o **predicativo do sujeito**, o do **objeto** pode vir antecedido de preposição:

> Os jornais chamam-na *de tradicional*. (M. MOTA)
>
> O vigário já escolheu o Antoninho Pio, filho do coronel, *como candidato a Prefeito*. (O. L. RESENDE)

Agente da passiva

Agente da passiva é o complemento que, na voz passiva com auxiliar, designa o ser que pratica a ação sofrida ou recebida pelo sujeito.

Este complemento verbal — normalmente introduzido pela preposição *por* (ou *per*) e, algumas vezes, por *de* — pode ser representado por:

a) substantivo ou palavra substantivada:

Antes de deixar a cidade foi visto *por* um *amigo* madrugador. (M. LOBATO)

b) pronome:

Foi cercado *por todos*. (M. DE ASSIS)

c) numeral:

Tudo quanto os leitores sabem de um e de outro foi ali exposto *por ambos*. (M. DE ASSIS)

d) oração:

O elenco era formado *por quem soubesse ao menos ler as "partes", velhos, moços, crianças*. (G. AMADO)

Transformação de oração ativa em passiva

1. Quando uma oração contém um verbo constituído com objeto direto, ela pode assumir a forma passiva, mediante as seguintes transformações:

a) o objeto direto passa a ser sujeito;

b) o verbo passa à forma passiva analítica do mesmo tempo e modo;

c) o sujeito converte-se em agente da passiva.

Tomando-se como exemplo a seguinte oração da voz ativa:

A lua domina o mar. (R. BRAGA)

Poderíamos colocá-la no esquema:

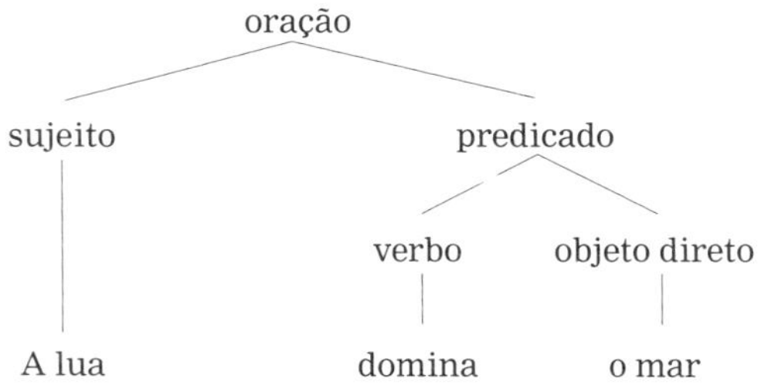

Convertida na voz passiva, teríamos:

O mar é dominado pela lua.

O seu esquema seria então:

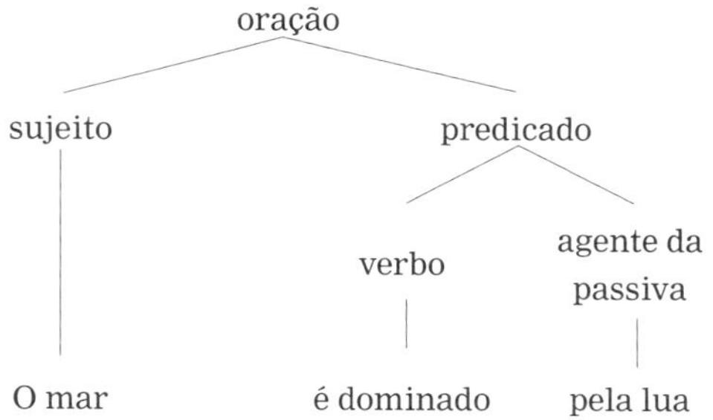

2. Se numa oração da voz ativa o verbo estiver na 3ª pessoa do plural para indicar a indeterminação do sujeito, na transformação passiva cala-se o agente. Assim:

voz ativa	**voz passiva**
Destruíram o cartaz	O cartaz foi destruído
Destruíram os cartazes	Os cartazes foram destruídos

Observações:

1ª) Cumpre não esquecer que, na passagem de uma oração da voz ativa para a passiva, o agente e o paciente continuam os mesmos; apenas desempenham função sintática diferente.

2ª) Somente orações com objeto direto podem ser apassivadas.

voz ativa: Ouvimos *gritos*.

voz passiva: *Gritos* foram ouvidos por nós.

3ª) Na voz ativa, o termo que representa o agente é o **sujeito** do verbo; o que representa o paciente é o **objeto direto**. Na voz passiva, o **objeto** (paciente) torna-se o **sujeito** do verbo.

4ª) Omite-se o agente da passiva quando este é ignorado, ou não interessa declará-lo. Tal omissão corresponde, na ativa, ao sujeito indeterminado. Na voz passiva pronominal, não se emprega o agente:

Ouviram-se *gritos*.

Termos Acessórios da Oração

Chamam-se **acessórios** os **termos** que se juntam a um nome ou a um verbo para precisar-lhes o significado.

Embora tragam um dado novo à oração, os **termos acessórios** não são indispensáveis ao entendimento do enunciado. Daí a sua denominação.

São **termos acessórios**:

a) o **adjunto adnominal**;

b) o **adjunto adverbial**;

c) o **aposto**.

Adjunto adnominal

Adjunto adnominal é o termo de valor adjetivo que serve para especificar ou delimitar o significado de um substantivo, qualquer que seja a função deste.

O **adjunto adnominal** pode vir expresso por:

a) adjetivo:

A festa *inaugural* esteve animada. (R. POMPEIA)

b) locução adjetiva:

Tinha uma memória *de prodígio*. (J. L. DO REGO)

c) artigo (definido ou indefinido):

Cessaram *as* vozes. (G. ARANHA)

Às vezes, *um* galo canta. (C. MEIRELES)

d) pronome adjetivo:

Sofia nunca lhe contou *este meu* palpite? (M. DE ASSIS)

e) numeral:

Os *dois* homens estavam fascinados. (C. D. DE ANDRADE)

f) oração:

O caso *que vos citei* é expressivo. (E. DA CUNHA)

Adjunto adverbial

Adjunto adverbial é, como o nome indica, o termo de valor adverbial que denota alguma circunstância do fato expresso pelo verbo, ou intensifica o sentido deste, de um adjetivo, ou de um advérbio.

O **adjunto adverbial** pode vir representado por:

a) advérbio:

Eu *jamais* tinha ouvido coisa igual. (C. MEIRELES)

b) locução ou expressão adverbial:

De repente um carro começa a buzinar *com força junto ao meu portão*. (R. BRAGA)

c) oração:

Como eu achasse muito breve, explicou-se. (M. DE ASSIS)

Classificação dos adjuntos adverbiais

É difícil enumerar todos os tipos de **adjuntos adverbiais**. Muitas vezes, só em face do texto se pode propor uma classificação exata. Não obstante, convém conhecer os seguintes:

a) **de causa:**

O homem, *por desejo de nutrição e de amor*, produziu a evolução histórica da humanidade. (R. POMPEIA)

b) **de companhia:**

Vivi *com Daniel* perto de dois anos. (C. LISPECTOR)

c) **de concessão:**

Apesar de cansado, não sentia sono. (J. MONTELLO)

d) **de dúvida:**

Talvez a gente combine alguma coisa para amanhã. (H. SALES)

e) **de fim:**

Volto daqui a meia hora, *para o enterro*. (C. D. DE ANDRADE)

f) **de instrumento:**

A pobre morria *com o palmo e meio de aço* enterrado no coração. (M. PALMÉRIO)

g) **de intensidade:**

Temos mudado *muito*. (E. DA CUNHA)

h) **de lugar:**

A lama respinga *por toda a parte*. (C. MEIRELES)

i) **de matéria:**

Os quintais são massas escuras *de verdura*. Contraste com as ruas vermelhas *de terra batida*. (E. VERISSIMO)

j) **de meio:**

Voltamos *de bote* para a ponta do Caju. (L. BARRETO)

l) **de modo:**

A orquestra atacava *de rijo*. (P. NAVA)

m) **de negação:**

Não quero ouvir mais cantar. (C. MEIRELES)

n) **de tempo:**

Ontem Afonsina te escreveu. (A. DE GUIMARAENS)

Aposto

Aposto é o termo de caráter nominal que se junta a um substantivo, a um pronome, ou a um equivalente destes, a título de explicação ou de apreciação.

1. Entre o **aposto** e o termo a que ele se refere há em geral pausa, marcada na escrita por vírgula, dois pontos, travessão.

Ela, *Açucena*, estava em seus olhos. (ADONIAS FILHO)
Tudo aquilo para mim era uma delícia — *o gado, o leite de espuma morna, o frio das cinco horas da manhã, a figura alta e solene de meu avô*. (J. L. DO REGO)

Mas pode também não haver pausa entre o **aposto** e a palavra principal, quando esta é um termo genérico, especificado ou individualizado pelo **aposto**.

A cidade *de Teresópolis*. O mês *de junho*. O poeta *Bilac*.

Este **aposto**, chamado **de especificação**, não deve ser confundido com certas construções formalmente semelhantes, como:

O clima *de Teresópolis*. As festas *de junho*.

em que *de Teresópolis* e *de junho* equivalem aos adjetivos (= *teresopolitano* e *juninas*) e funcionam, portanto, como **adjuntos adnominais**.

2. O **aposto** pode também ser representado por uma oração:

De pronto, fixou-se uma solução: *traria o relógio*. (J. MONTELLO)

Vocativo

Examinando estes versos:

Deus te abençoe, *minha filha*. (O. COSTA FILHO)
Ó lanchas, Deus vos leve pela mão! (A. NOBRE)

vemos que, neles, os termos *minha filha* e *Ó lanchas* não estão subordinados a nenhum outro termo da frase. Servem apenas para invocar, chamar ou nomear, com ênfase, uma pessoa.

A estes termos, de entoação exclamativa e isolados do resto da frase, dá-se o nome de **vocativo**.

Colocação dos Termos na Oração

Ordem direta e ordem inversa

1. Em português predomina a **ordem direta**, isto é, os termos da oração se dispõem preferentemente na sequência:

sujeito + verbo + objeto direto + objeto indireto

ou

sujeito + verbo + predicativo

Essa preferência pela **ordem direta** é mais sensível nas **orações enunciativas** ou **declarativas** (afirmativas ou negativas). Assim:

> Os vizinhos deram jantar aos órfãos nessa tarde. (J. AMADO)
>
> Deodato ainda é menino. (O. COSTA FILHO)

2. Ao reconhecermos a predominância da ordem direta em português, não devemos concluir que as inversões repugnem ao nosso idioma. Pelo contrário, com muito mais facilidade do que outras línguas (do que o francês, por exemplo), ele nos permite alterar a ordem normal dos termos da oração. Há mesmo certas inversões que o uso consagrou, e se tornaram para nós uma exigência gramatical.

Assim:

> Aqui outrora reboaram hinos. (M. BANDEIRA)
>
> Uma tarde entrou-me quarto a dentro um canarinho da terra. (M. BANDEIRA)

6 SUBSTANTIVO

Substantivo é a palavra com que designamos ou nomeamos os seres em geral.

São, por conseguinte, **substantivos**:

a) os nomes de pessoas, animais, vegetais, lugares, instituições, coisas:

Maria   cão   ipê   Recife   Senado   livro

b) os nomes de noções, ações, estados e qualidades, tomados como seres:

verdade   colheita   velhice   bondade   largura

Do ponto de vista funcional, o **substantivo** é a palavra que serve, privativamente, de núcleo do sujeito, do objeto direto, do objeto indireto e do agente da passiva.

Qualquer palavra de outra classe que desempenhe uma dessas funções equivalerá forçosamente a um substantivo (pronome substantivo, numeral ou qualquer palavra substantivada).

Classificação dos Substantivos

Substantivos concretos e abstratos

Chamam-se **concretos** os substantivos que designam os seres propriamente ditos, isto é, os nomes de pessoas, animais, vegetais, lugares, instituições, coisas.

Assim:

Maria	gato	flor	Brasil	Itamarati
Carlos	tigre	ipê	Paris	caneta

Dá-se o nome de **abstratos** aos substantivos que designam noções, ações, estados e qualidades, considerados como seres.

Assim:

patriotismo	produção	otimismo	beleza
limpeza	dança	coragem	firmeza

Substantivos próprios e comuns

Os substantivos podem designar a totalidade dos seres de uma espécie (designação genérica) ou um indivíduo de determinada espécie (designação específica).

Quando se aplica a todos os seres de uma espécie ou designa uma abstração, o substantivo é chamado **comum**.

Quando se aplica a determinado indivíduo da espécie, o substantivo é **próprio**.

Assim, os substantivos *homem*, *país* e *cidade* são comuns, porque se empregam para nomear todos os seres e todas as coisas das respectivas classes. *Carlos, Brasil* e *Paris*, ao contrário, são substantivos próprios, porque se aplicam a um determinado homem, a um dado país e a uma certa cidade.

Substantivos coletivos

Coletivos são os substantivos comuns que, no singular, designam um conjunto de seres ou coisas da mesma espécie.

Comparem-se, por exemplo, estas duas afirmações:

> *Cento e noventa milhões* de brasileiros pensam assim.
>
> O *povo* brasileiro pensa assim.

Na primeira enuncia-se um número enorme de brasileiros, mas representados como uma *quantidade de indiví-*

duos. Na segunda, sem indicação de número, sem marcar gramaticalmente a multiplicidade, isto é, com uma forma de singular, consegue-se agrupar maior número ainda de elementos, ou seja, *todos os brasileiros* como um conjunto harmônico.

Além desses coletivos que exprimem um todo, há na língua outros que designam:

a) uma parte organizada de um todo, como, por exemplo, *regimento, batalhão, companhia* (partes do coletivo geral *exército*);

b) um grupo acidental, como, por exemplo, *multidão, bando*: *bando de andorinhas, bando de salteadores, bando de ciganos*;

c) um grupo de seres de determinada espécie: *boiada* (de bois), *ramaria* (de ramos);

d) corporações sociais, culturais e religiosas, que não representam agrupamentos de seres, mas sim instituições de natureza especial, criadas para determinado fim, como *congresso, congregação, concílio*.

Eis alguns coletivos que merecem ser conhecidos:

alcateia (de lobos)
arquipélago (de ilhas)
assembleia (de parlamentares, de membros de associações e de companhias, etc.)
banca (de examinadores)
banda (de músicos)
bando (de aves, de ciganos, de malfeitores, etc.)
cabido (de cônegos)
cacho (de bananas, de uvas, etc.)
cáfila (de camelos)
cambada (de caranguejos, de chaves, de malandros, etc.)
cancioneiro (conjunto de canções, de poesias líricas)
caravana (de viajantes, de peregrinos, de estudantes, etc.)
cardume (de peixes)
choldra (de assassinos, de malandros, de malfeitores)
chusma (de gente, de pessoas)
concílio (de bispos)
conclave (de cardeais para a eleição do Papa)
congregação (de professores, de religiosos)
congresso (conjunto de deputados e senadores, reunião de especialistas em determinado ramo do saber)
consistório (de cardeais, sob a presidência do Papa)
constelação (de estrelas)
corja (de vadios, de tratantes, de velhacos, de ladrões)

coro (de anjos, de cantores)
elenco (de atores)
esquadra (de navios de guerra)
esquadrilha (de aviões)
falange (de soldados, de anjos)
fato (de cabras)
feixe (de lenha, de capim)
flotilha (de navios pequenos, de aviões)
frota (de navios mercantes, de ônibus)
horda (de povos selvagens nômades, de desordeiros, de aventureiros, de bandidos, de invasores)
junta (de bois, de médicos, de credores, de examinadores)
legião (de soldados, de demônios, etc.)*magote* (de pessoas, de coisas)
malta (de desordeiros)
manada (de bois, de búfalos, de elefantes)
matilha (de cães de caça)
matula (de vadios, de desordeiros)
mó (de gente)
molho (de chaves, de verdura)
multidão (de pessoas)
ninhada (de pintos)
penca (de bananas, de chaves)
quadrilha (de ladrões, de bandidos)
ramalhete (de flores)
rebanho (de ovelhas)
récua (de bestas de carga, de cavalgaduras)
repertório (de peças teatrais, de composições musicais)
réstia (de cebolas, de alhos)
roda (de pessoas)
romanceiro (conjunto de poesias narrativas)
sínodo (de párocos)
súcia (de velhacos, de desonestos)
talha (de lenha)
tropa (de muares)
turma (de estudantes, de trabalhadores)
vara (de porcos)

Observação:

O coletivo especial geralmente dispensa a enunciação da pessoa ou coisa a que se refere. Tal omissão é mesmo obrigatória quando o coletivo é um mero derivado do substantivo a que se aplica. Assim, dir-se-á:

A *ramaria* balouçava ao vento.
A *papelada* estava em ordem.

Quando, porém, a significação do coletivo não for específica, deve-se nomear o ser a que se refere. Assim:

Uma junta de médicos, de bois, etc.
Um feixe de capim, de lenha, etc.

Flexões dos Substantivos

Os substantivos podem variar em **número** e em **gênero**.

Número

Quanto à flexão de **número**, os substantivos podem estar no **singular** ou no **plural**:

1. No **singular**, quando designam um ser único, ou um conjunto de seres considerados como um todo (**substantivo coletivo**):

ave bando

2. No **plural**, quando designam mais de um ser, ou mais de um desses conjuntos orgânicos:

aves bandos

Formação do plural

Substantivos terminados em vogal ou ditongo

Regra geral

O plural dos substantivos terminados em vogal ou ditongo forma-se pelo acréscimo de *-s* ao singular.

SINGULAR	PLURAL	SINGULAR	PLURAL
mesa	mesas	pai	pais
estante	estantes	pau	paus
tinteiro	tinteiros	lei	leis
rajá	rajás	chapéu	chapéus
boné	bonés	camafeu	camafeus
javali	javalis	herói	heróis
cipó	cipós	boi	bois
peru	perus	mãe	mães

Incluem-se nesta regra os substantivos terminados em vogal nasal. Como a nasalidade das vogais /e/, /i/, /o/ e /u/, em posição final, é representada graficamente por *-m*, e não se pode escrever *-ms*, muda-se o *-m* em *-n*. Assim: *bem* faz no plural *bens*; *flautim* faz *flautins*; *som* faz *sons*; *atum* faz *atuns*.

Regras especiais

1. Os substantivos terminados em *-ão* formam o plural de três maneiras:

a) a maioria muda a terminação *-ão* em *-ões*:

SINGULAR	PLURAL	SINGULAR	PLURAL
balão	balões	gavião	gaviões
botão	botões	leão	leões
canção	canções	nação	nações
confissão	confissões	operação	operações
coração	corações	opinião	opiniões
eleição	eleições	questão	questões
estação	estações	tubarão	tubarões
fração	frações	vulcão	vulcões

Neste grupo se incluem todos os aumentativos:

SINGULAR	PLURAL	SINGULAR	PLURAL
amigalhão	amigalhões	moleirão	moleirões
bobalhão	bobalhões	narigão	narigões
casarão	casarões	paredão	paredões
chapelão	chapelões	pobretão	pobretões
dramalhão	dramalhões	rapagão	rapagões
espertalhão	espertalhões	sabichão	sabichões
facão	facões	vagalhão	vagalhões
figurão	figurões	vozeirão	vozeirões

b) um reduzido número muda o final *-ão* em *-ães*:

SINGULAR	PLURAL	SINGULAR	PLURAL
alemão	alemães	charlatão	charlatães
bastião	bastiães	escrivão	escrivães
cão	cães	guardião	guardiães
capelão	capelães	pão	pães
capitão	capitães	sacristão	sacristães
catalão	catalães	tabelião	tabeliães

c) um número pequeno de oxítonos e todos os paroxítonos acrescentam simplesmente um *-s* à forma singular:

SINGULAR	PLURAL	SINGULAR	PLURAL
cidadão	cidadãos	acórdão	acórdãos
cortesão	cortesãos	bênção	bênçãos
cristão	cristãos	gólfão	gólfãos
desvão	desvãos	órfão	órfãos
irmão	irmãos	órgão	órgãos
pagão	pagãos	sótão	sótãos

Observações:

1ª) Neste grupo se incluem os monossílabos tônicos, *chão, grão, mão* e *vão*, que fazem no plural *chãos, grãos, mãos* e *vãos*.

2ª) *Artesão*, quando significa "artífice", faz no plural *artesãos*; no sentido de "adorno arquitetônico", o seu plural pode ser *artesãos* ou *artesões*.

2. Para alguns substantivos finalizados em *-ão*, não há ainda uma forma de plural definitivamente fixada, notando-se, porém, na linguagem corrente, uma preferência sensível pela formação mais comum, em *-ões*. Assim:

SINGULAR	PLURAL	SINGULAR	PLURAL
alão	alãos alões alães	ermitão	ermitãos ermitães ermitões

SINGULAR	PLURAL	SINGULAR	PLURAL
alazão	alazães alazões	guardião	guardiães guardiões
aldeão	aldeãos aldeões aldeães	hortelão	hortelãos hortelões
anão	anãos anões	refrão	refrãos refrões
ancião	anciãos anciões anciães	rufião	rufiães rufiões
corrimão	corrimãos corrimões	sultão	sultões sultãos sultães
castelão	castelãos castelões	verão	verões verãos
cirurgião	cirurgiães cirurgiões	vilão	vilãos vilões
deão	deães deões	vulcão	vulcãos vulcões vulcães

Plural com alteração de timbre da vogal tônica

1. Alguns substantivos, cuja vogal tônica é *o* fechado, além de receberem a desinência *-s*, mudam, no plural, o *o* fechado [ô] para *o* aberto [ó]:

abrolho	escolho	jogo	povo
aposto	esforço	miolo	reforço
caroço	estorvo	olho	rogo
contorno	fogo	osso	socorro
corcovo	forno	ovo	tijolo

corpo	foro	poço	toco
corvo	fosso	porco	tojo
despojo	grosso	porto	torno
destroço	imposto	posto	troco

2. Note-se, porém, que muitos substantivos conservam no plural o *o* fechado do singular. Entre outros, não alteram o timbre da vogal tônica:

adorno	dorso	molho	reboco
almoço	encosto	morro	repolho
bojo	engodo	namoro	restolho
bolo	esposo	pescoço	rolo
bolso	estojo	piloto	rosto
cachorro	ferrolho	piolho	sopro
coco	globo	polvo	suborno
consolo	gosto	potro	topo

Observação:

Atente-se na distinção entre *molho* [ô] "condimento" (por ex.: *o molho da carne*) e *molho* [ó] "feixe" (por ex.: *um molho de chaves*), palavras que conservam no plural a mesma diferença de timbre da vogal tônica: *molhos* [ô] e *molhos* [ó].

Substantivos terminados em consoante

1. Os substantivos terminados em *-r*, *-z* e *-n* formam o plural acrescentando *-es* ao singular:

SINGULAR	PLURAL
mar	mares
açúcar	açúcares
rapaz	rapazes
raiz	raízes
abdômem	abdômenes
cânon	cânones

Observações:

1ª) *Caráter* faz no plural *caracteres*, com deslocação do acento tônico e com permanência do *c* que possuía de origem.

2ª) Também com deslocação do acento é o plural dos substantivos *espécimen, Júpiter, Lúcifer*: *especímenes, Jupíteres, Lucíferes*. Advirta-se, porém, que, a par de *Lúcifer*, há *Lucifer*, forma antiga no idioma, cujo plural é, naturalmente, *Luciferes*.

2. Os substantivos terminados em *-s*, quando oxítonos, formam o plural acrescentando também *-es* ao singular; quando paroxítonos, são invariáveis:

SINGULAR	PLURAL	SINGULAR	PLURAL
o português	os portugueses	o lápis	os lápis
o país	os países	o atlas	os atlas

Observações:

1ª) O monossílabo *cais* é invariável. *Cós* é geralmente invariável, mas documenta-se também o plural *coses*.

2ª) Como os paroxítonos terminados em *-s*, os poucos substantivos existentes finalizados em *-x* são invariáveis: *o tórax — os tórax, o ônix — os ônix*.

3. Os substantivos terminados em *-al, -el, -ol* e *-ul* substituem no plural o *-l* por *-is*:

SINGULAR	PLURAL	SINGULAR	PLURAL
animal	animais	farol	faróis
papel	papéis	paul	pauis

Observação:

Excetuam-se as palavras *mal* e *cônsul* e seus derivados, que fazem, respectivamente, *males, cônsules* e, por este, *procônsules, vice-cônsules*.

4. Os substantivos oxítonos terminados em *-il* mudam o *-l* em *-s*:

SINGULAR	PLURAL	SINGULAR	PLURAL
barril	barris	projetil	projetis

5. Os substantivos paroxítonos terminados em *-il* substituem esta terminação por *-eis*:

SINGULAR	PLURAL	SINGULAR	PLURAL
fóssil	fósseis	réptil	répteis

Observações:

1ª) Além de *projetil*, há na língua a variante paroxítona *projétil*, com o plural *projéteis*.

2ª) *Réptil*, pronúncia que postula a origem latina da palavra, tem a variante *reptil*, cujo plural é, naturalmente, *reptis*.

6. Nos diminutivos formados com os sufixos *-zinho* e *-zito*, tanto o substantivo primitivo como o sufixo vão para o plural, desaparecendo, porém, o *-s* do plural do substantivo primitivo. Assim:

SINGULAR	PLURAL
balãozinho	balõe(s) + zinhos > balõezinhos
cãozito	cãe(s) + zito > cãezitos
colarzinho	colare(s) + zinhos > colarezinhos
florzinha	flore(s) + zinhas > florezinhas
papelzinho	papéi(s) + zinhos > papeizinhos

Observação:

Atualmente, usam-se com mais frequência as formas *florzinhas, colarzinhos, mulherzinhas, barzinhos.*

Substantivos de um só número

1. Há substantivos que só se empregam no plural. Assim:

afazeres	bofes	férias (escolares)	parênteses
algemas	cãs	fezes	pêsames
anais	condolências	finanças	suspensórios
antolhos	confins	idos	trevas
arredores	efemérides	matinas	víveres
belas-artes	endoenças	núpcias	copas (naipe)
boas-festas	esponsais	óculos	espadas (naipe)
boas-vindas	exéquias	olheiras	ouros (naipe)
bodas	fastos	parabéns	paus (naipe)

2. Outros substantivos existem que se usam habitualmente no singular. Assim os nomes de metais e os nomes abstratos: *ferro, ouro, cobre; fé, esperança, caridade*. Quando aparecem no plural, têm de regra um sentido diferente. Comparem-se, por exemplo, *cobre* (metal) a *cobres* (dinheiro), *ferro* (metal) a *ferros* (algemas, grilhões). Incluem-se neste caso certos substantivos, como: *ar* (vento), *ares* (aparência); *bem* (benefício), *bens* (propriedade); *costa* (litoral), *costas* (dorso); *féria* (renda diária), *férias* (descanso).

Substantivos compostos

Não é fácil a formação do plural dos substantivos compostos. Observem-se, porém, as seguintes normas, com fundamento na grafia:

1ª) Quando o substantivo composto é constituído de palavras que se escrevem ligadamente, sem hífen, forma o plural como se fosse um substantivo simples:

aguardente*(s)* claraboia*(s)* malmequer*(es)* lobisomen*(s)*
varapau*(s)* ferrovia*(s)* pontapé*(s)* vaivén*(s)*

2ª) Quando os termos componentes se ligam por hífen, podem variar todos ou apenas um deles:

SINGULAR	PLURAL
couve-flor	couves-flores
obra-prima	obras-primas
salvo-conduto	salvos-condutos
grão-mestre	grão-mestres
guarda-marinha	guardas-marinha
guarda-roupa	guarda-roupas

Note-se, porém, que:

a) quando o primeiro termo do composto é verbo ou palavra invariável e o segundo substantivo ou adjetivo, só o segundo vai para o plural:

SINGULAR	PLURAL
guarda-chuva	guarda-chuvas
sempre-viva	sempre-vivas
vice-presidente	vice-presidentes
bate-boca	bate-bocas
abaixo-assinado	abaixo-assinados
grão-duque	grão-duques

b) quando os termos componentes se ligam por preposição, só o primeiro toma a forma de plural:

SINGULAR	PLURAL
chapéu-de-sol	chapéus-de-sol
pão-de-ló	pães-de-ló
pé-de-cabra	pés-de-cabra
peroba-do-campo	perobas-do-campo
joão-de-barro	joões-de-barro
mula-sem-cabeça	mulas-sem-cabeça

c) também só o primeiro toma a forma de plural quando o segundo termo da composição é um substantivo que funciona como determinante específico:

SINGULAR	PLURAL
navio-escola	navios-escola
salário-família	salários-família
banana-prata	bananas-prata
manga-espada	mangas-espada

d) geralmente ambos os elementos tomam a forma de plural quando o composto é constituído de dois substantivos, de um substantivo e um adjetivo, ou de um numeral e um substantivo:

SINGULAR	PLURAL
carta-bilhete	cartas-bilhetes
tenente-coronel	tenentes-coronéis
amor-perfeito	amores-perfeitos
gentil-homem	gentis-homens
água-marinha	águas-marinhas
vitória-régia	vitórias-régias
primeiro-tenente	primeiros-tenentes
segunda-feira	segundas-feiras

Gênero

Há dois gêneros em português: o **masculino** e o **feminino**.

1. Pertencem ao gênero **masculino** todos os substantivos a que se pode antepor o artigo *o*:

o aluno o pão o poema o jabuti

2. Pertencem ao gênero **feminino** todos os substantivos a que se pode antepor o artigo *a*:

a casa a mão a ema a juriti

3. O gênero de um substantivo não se conhece, de regra, nem pela sua significação, nem pela sua terminação.

Para facilidade de aprendizado, convém, no entanto, saber:

Quanto à significação

1. São geralmente masculinos:

a) os nomes de homens ou de funções por eles exercidas:

João mestre padre rei

b) os nomes de animais do sexo masculino:

cavalo galo gato peru

c) Os nomes de lagos, montes, oceanos, rios e ventos, nos quais se subentendem as palavras *lago, monte, oceano, rio* e *vento*, que são masculinas:

o Amazonas [= o rio Amazonas]
o Atlântico [= o oceano Atlântico]
o Minuano [= o vento Minuano]
os Alpes [= os montes Alpes]

d) os nomes dos meses e dos pontos cardeais:

março findo setembro vindouro o Norte o Sul

2. São geralmente femininos:

a) os nomes de mulheres ou de funções por elas exercidas:

Maria professora freira rainha

b) os nomes de animais do sexo feminino:

égua galinha gata perua

c) os nomes de cidades e ilhas, nos quais se subentendem as palavras *cidade* e *ilha*, que são femininas:

a antiga Ouro Preto a Sicília as Antilhas

Quanto à terminação

1. São masculinos os nomes terminados em *-o* átono:

o aluno o livro o lobo o banco

2. São geralmente femininos os nomes terminados em *-a* átono:

a aluna a caneta a loba a mesa

Excetuam-se, porém, *clima, cometa, dia, fantasma, mapa, planeta, telefonema*, e alguns outros que serão estudados adiante.

3. Dos substantivos terminados em *-ão*, os concretos são masculinos e os abstratos femininos:

o agrião o algodão a educação a opinião
o balcão o feijão a produção a recordação

Excetua-se *mão*, que, embora concreto, é feminino.

Fora desses casos, é sempre difícil conhecer-se pela terminação o gênero de um dado substantivo.

Formação do feminino

Os substantivos que designam pessoas e animais têm geralmente uma forma para indicar os seres do sexo masculino e outra para indicar os do sexo feminino. Assim:

MASCULINO	FEMININO	MASCULINO	FEMININO
homem	mulher	bode	cabra
aluno	aluna	galo	galinha
cidadão	cidadã	leitão	leitoa
cantor	cantora	barão	baronesa
profeta	profetisa	lebrão	lebre

Dos exemplos citados verifica-se que a forma do feminino pode ser:

a) completamente diversa da do masculino, ou seja, proveniente de um radical distinto:

bode cabra homem mulher

b) derivada do radical do masculino, mediante a substituição ou o acréscimo de desinências:

aluno aluna cantor cantora

Examinemos, pois, à luz desses dois processos, a formação do feminino dos substantivos da nossa língua.

MASCULINOS E FEMININOS DE RADICAIS DIFERENTES

Convém conhecer os seguintes:

MASCULINO	FEMININO	MASCULINO	FEMININO
bode	cabra	genro	nora
boi (OU TOURO)	vaca	homem	mulher
cão	cadela	macho	fêmea
carneiro	ovelha	marido	mulher
cavalheiro	dama	padrasto	madrasta
cavalo	égua	padrinho	madrinha
compadre	comadre	pai	mãe
frei	sóror (OU SOROR)	zangão (OU ZÂNGÃO)	abelha

FEMININOS DERIVADOS DE RADICAL DO MASCULINO

Regras gerais

1ª) Os substantivos terminados em *-o* átono formam normalmente o feminino substituindo essa desinência por *-a*:

MASCULINO	FEMININO	MASCULINO	FEMININO
gato	gata	pombo	pomba
lobo	loba	aluno	aluna

Observação:

Há um pequeno número de substantivos terminados em *-o*, que, no feminino, substituem essa final por desinências especiais. Assim:

MASCULINO	FEMININO	MASCULINO	FEMININO
diácono	diaconisa	maestro	maestrina
galo	galinha	silfo	sílfide

2ª) Os substantivos terminados em consoante formam normalmente o feminino com o acréscimo da desinência *-a*. Exemplos:

MASCULINO	FEMININO	MASCULINO	FEMININO
camponês	camponesa	leitor	leitora
freguês	freguesa	pintor	pintora

Regras especiais

1ª) Os substantivos terminados em *-ão* podem formar o feminino de três maneiras:

a) mudando *-ão* em *-oa*:

MASCULINO	FEMININO	MASCULINO	FEMININO
ermitão	ermitoa	leitão	leitoa
hortelão	horteloa	patrão	patroa

b) mudando *-ão* em *-ã*:

MASCULINO	FEMININO	MASCULINO	FEMININO
campeão	campeã	cidadão	cidadã
cirurgião	cirurgiã	irmão	irmã

c) mudando *-ão* em *-ona*:

MASCULINO	FEMININO	MASCULINO	FEMININO
comilão	comilona	espertalhão	espertalhona
sabichão	sabichona	solteirão	solteirona

Observações:

1ª) Como se vê, os substantivos que fazem o feminino em *-ona* são ou aumentativos ou adjetivos substantivados.

2ª) Não seguem esses processos de formação os substantivos seguintes:

MASCULINO	FEMININO	MASCULINO	FEMININO
barão	baronesa	lebrão	lebre
ladrão	ladra ou ladrona	perdigão	perdiz

2ª) Os substantivos terminados em *-or* formam normalmente o feminino, como dissemos, com o acréscimo da desinência *-a*:

MASCULINO	FEMININO	MASCULINO	FEMININO
pastor	pastora	remador	remadora

Alguns, porém, fazem o feminino em *-eira*. Assim: *cantador — cantadeira, cerzidor — cerzideira.*

Outros, dentre os finalizados em *-dor* e *-tor*, mudam estas terminações em *-triz*. Assim: *ator — atriz, imperador — imperatriz.*

Observação:

De *embaixador* há, convencionalmente, dois femininos: *embaixatriz* (a esposa do embaixador) e *embaixadora* (funcionária chefe de embaixada).

3ª) Certos substantivos que designam títulos de nobreza e dignidades formam o feminino com as terminações *-esa, -essa* e *-isa*:

MASCULINO	FEMININO	MASCULINO	FEMININO
barão	baronesa	duque	duquesa
conde	condessa	sacerdote	sacerdotisa

Observação:

De *prior* há o feminino *prioresa* (superiora de certas ordens) e *priora* (irmã da Ordem Terceira)

4ª) Os substantivos terminados em *-e*, não incluídos entre os que acabamos de mencionar, são geralmente uniformes. Essa igualdade formal para os dois gêneros é, como veremos adiante, quase que absoluta nos finalizados em *-nte*, de regra originários de particípios presentes e de adjetivos uniformes latinos. Há, porém, um pequeno número que, à semelhança da substituição *-o* (masculino) por *-a* (feminino), troca o *-e* por *-a*. Assim:

MASCULINO	FEMININO	MASCULINO	FEMININO
elefante	elefanta	mestre	mestra
governante	governanta	monge	monja

Observação:

Os femininos *giganta* (de *gigante*), *hóspeda* (de *hóspede*) e *presidenta* (de *presidente*) têm ainda uso restrito no idioma.

5ª) São dignos de nota os femininos dos seguintes substantivos:

MASCULINO	FEMININO	MASCULINO	FEMININO
avô	avó	maestro	maestrina
cônsul	consulesa	píton	pitonisa
czar	czarina	poeta	poetisa
felá	felaína	profeta	profetisa
frade	freira	rajá	rani
grou	grua	rapaz	rapariga, moça
herói	heroína	rei	rainha
jogral	jogralesa	réu	ré

Observação:

Rapariga é o feminino de *rapaz* usado mais em Portugal. No Brasil, prefere-se *moça* em razão do valor pejorativo que, em certas regiões, adquiriu o primeiro termo.

Substantivos Uniformes

Substantivos epicenos

Denominam-se **epicenos** os nomes de *animais* que possuem um só gênero gramatical para designar um e outro sexo.

Assim:

a águia	a mosca	o besouro	o gavião
a baleia	a pulga	o condor	o tatu
a borboleta	a sardinha	o crocodilo	o tigre

Observação:

Quando há necessidade de especificar o sexo do animal, juntam-se então ao substantivo as palavras *macho* e *fêmea*: *crocodilo macho, crocodilo fêmea*; *o macho* ou *a fêmea do jacaré.*

Substantivos sobrecomuns

Chamam-se **sobrecomuns** os substantivos que têm um só gênero gramatical para designar *pessoas* de ambos os sexos.

Assim:

o apóstolo	o cônjuge	a criança	a pessoa
o carrasco	o indivíduo	a criatura	a testemunha

Observação:

Neste caso, querendo-se discriminar o sexo, diz-se, por exemplo: *o cônjuge feminino; uma pessoa do sexo masculino.*

Substantivos comuns de dois gêneros

Os substantivos que apresentam uma só forma para os dois gêneros, mas distinguem o masculino do feminino pelo gênero do artigo ou de outro determinativo acompanhante, chamam-se **comuns de dois gêneros**.

Exemplos:

MASCULINO	FEMININO	MASCULINO	FEMININO
o agente	a agente	o herege	a herege
o artista	a artista	o imigrante	a imigrante
o camarada	a camarada	o indígena	a indígena
o colega	a colega	o intérprete	a intérprete
o colegial	a colegial	o jovem	a jovem
o cliente	a cliente	o jornalista	a jornalista
o compatriota	a compatriota	o mártir	a mártir
o dentista	a dentista	o selvagem	a selvagem
o estudante	a estudante	o servente	a servente
o gerente	a gerente	o suicida	a suicida

Observações:

1ª) São **comuns de dois gêneros** todos os substantivos ou adjetivos substantivados terminados em *-ista*: *o pianista, a pianista; um anarquista, uma anarquista.*

2ª) Diz-se, indiferentemente, *o personagem* ou *a personagem* com referência ao protagonista homem ou mulher.

MUDANÇA DE SENTIDO NA MUDANÇA DE GÊNERO

Há um certo número de substantivos cuja significação varia com a mudança de gênero:

MASCULINO	FEMININO
o águia (PESSOA ESPERTA)	a águia (AVE)
o cabeça (LÍDER)	a cabeça (PARTE DO CORPO)
o caixa (PESSOA Q. TRAB. NA CAIXA)	a caixa (OBJETO PARA GUARDAR)
o capital (DINHEIRO)	a capital (CIDADE)
o cisma (SEPARAÇÃO)	a cisma (DESCONFIANÇA)
o grama (UNIDADE DE PESO)	a grama (CAPIM)
o guarda (SOLDADO)	a guarda (SERVIÇO DE VIGILÂNCIA)
o guia (ORIENTADOR)	a guia (DOCUMENTO, FORMULÁRIO)
o lente (PROFESSOR)	a lente (VIDRO DE AUMENTO)
o moral (CORAGEM)	a moral (ÉTICA)
o rádio (APARELHO RECEPTOR)	a rádio (ESTAÇÃO EMISSORA)
o voga (REMADOR)	a voga (MODA)

Substantivos masculinos terminados em -a

Vimos que, embora a terminação *-a* seja, em geral, denotadora do feminino, há vários masculinos com essa terminação: *artista, camarada, colega, poeta, profeta*, etc. Alguns desses substantivos apresentam uma forma própria para o feminino, como *poeta (poetisa)* e *profeta (profetisa)*; a maioria, no entanto, distingue o gênero apenas pelo determinativo empregado: o *compatriota*, a *compatriota;* este *jornalista,* aquela *jornalista;* meu *camarada,* minha *camarada.*

Um pequeno número de substantivos em *-a* existe, todavia, que só se usa no masculino por designar profissão ou atividade própria do homem. Assim:

jesuíta	nauta	patriarca	heresiarca
monarca	papa	pirata	tetrarca

Observações:

1ª) Entre os substantivos que designam *coisas*, são masculinos os terminados em *-ema* e *-oma* que se originam de palavras gregas:

anátema	edema	sistema	diploma
cinema	estratagema	telefonema	idioma
diadema	fonema	tema	aroma
dilema	poema	teorema	axioma
emblema	problema	trema	hematoma

2ª) Embora a palavra *grama* seja bastante usada no gênero feminino *(quinhentas gramas)* na linguagem coloquial, a forma padrão, para o sentido de unidade de peso, é *o grama* (masculino). Seus compostos mantêm-se no gênero masculino: *um miligrama, o quilograma.*

Substantivos de gênero vacilante

Substantivos há em cujo emprego se nota vacilação de gênero.

Eis alguns, para os quais se recomenda a seguinte preferência:

a) **Gênero masculino**:

ágape	clã	gengibre	sanduíche
antílope	contralto	lança-perfume	soprano
caudal	diabete(s)	praça (soldado)	suéter
champanha	tapa	pijama	sósia

b) **Gênero feminino**:

abusão	áspide	jaçanã	ordenança
alcíone	fácies	juriti	sentinela
aluvião	filoxera	omoplata	sucuri
dinamite	cal	derme	comichão

Gradação dos Substantivos

Um substantivo pode apresentar-se:

a) com a sua significação normal: *chapéu, boca*;

b) com a sua significação exagerada ou intensificada, disforme ou desprezível (**grau aumentativo**): *chapelão, bocarra; chapéu grande, boca enorme*;

c) com a sua significação atenuada, ou valorizada afetivamente (**grau diminutivo**): *chapeuzinho, boquinha; chapéu pequeno, boca minúscula.*

Vemos, portanto, que a **gradação** do significado de um substantivo se faz por dois processos:

a) **sinteticamente**, mediante o emprego de sufixos especiais, assim: *chape-l-ão, boc-arra; chapeu-zinho, boqu-inha*;

b) **analiticamente**, juntando-lhe um adjetivo que indique aumento ou diminuição, ou aspectos relacionados com essas noções: *chapéu grande, boca enorme; chapéu pequeno, boca minúscula.*

Valor das formas aumentativas e diminutivas

Convém saber que o que denominamos **aumentativo** e **diminutivo** nem sempre indica o aumento ou a diminuição do tamanho de um ser. Ou melhor, essas noções são expressas quase sempre pelas formas analíticas, especialmente pelos adjetivos *grande* e *pequeno*, ou sinônimos, que acompanham o substantivo.

Os sufixos aumentativos, em geral, emprestam ao nome as ideias de desproporção, de disformidade, de brutalidade, de grosseria ou de coisa desprezível. Assim: *narigão, beiçorra, pratalhaz* ou *pratarraz, atrevidaço, porcalhão,* etc. Ressalta, pois, na maioria dos aumentativos, esse **valor depreciativo** ou **pejorativo**.

Os sufixos diminutivos empregam-se normalmente com **valor afetivo**. Daí a frequência com que aparecem nas formas de carinho. Assim: *mãezinha, velhinho,* etc.

Especialização de formas

Muitas formas, originariamente aumentativas e diminutivas, adquiriram, com o correr do tempo, significados especiais, por vezes dissociados do sentido da palavra derivante. Nestes casos, não se pode mais, a rigor, falar em aumentativo ou diminutivo. São, em verdade, palavras na sua acepção normal. Assim: *cartão, ferrão, florão, portão, cartilha, cavalete, corpete, flautim, folhinha* (calendário), *lingueta, pastilha, vidrilho.*

Função Sintática do Substantivo

Funções sintáticas do substantivo

O **substantivo** pode figurar na oração como:

1. **Sujeito**:
Maria escuta, se uma *folha* esvoaça. (A. MEYER)

2. **Predicativo**:
a) do sujeito:
Serei seu *advogado*. (M. DE ASSIS)

b) do objeto direto:

Fêz-me *tio* por adoção. (M. BANDEIRA)

c) do objeto indireto:

Chamavam-lhe, em família, *Iaiá Lindinha*. (M. DE ASSIS)

3. **Objeto direto**:

As mulheres bebiam o *champanha*. (J. L. DO REGO)

4. **Objeto indireto**:

Atendi a este *conselho*. (M. DE ASSIS)

5. **Complemento nominal**:

Estou farto de *influências*, João. (C. D. DE ANDRADE)

6. **Adjunto adverbial**:

Trabalhamos alguns *dias*. (G. RAMOS)

7. **Agente da passiva**:

Foi atalhada por *Julião*. (M. DE ASSIS)

8. **Aposto**:

E só tu, *Estátua*, resistes! (C. MEIRELES)

9. **Vocativo**:

Lembras-te, *Eurico?* (A. DE GUIMARAENS)

SUBSTANTIVO COMO ADJUNTO ADNOMINAL

1. Precedido de preposição, pode o **substantivo** formar uma **locução adjetiva**, que funciona como **adjunto adnominal**. Assim:

uma vontade *de ferro* [= férrea]

um menino *às direitas* [= correto]

2. Em função de **adjunto adnominal**, pode também o **substantivo** referir-se diretamente a outro **substantivo**. Comparem-se expressões do tipo:

um riso *canalha*
uma recepção *monstro*

Substantivo caracterizador de adjetivo

Os adjetivos referentes a cores podem ser modificados por um substantivo que melhor precise uma de suas tonalidades, um de seus matizes.

Assim:

amarelo-*canário* verde-*garrafa*
azul-*petróleo* roxo-*batata*

Substantivos como núcleos de frases nominais

As **frases nominais**, constituídas sem verbos, têm o substantivo como centro. É o que ocorre:

a) nas exclamações:

Ó minha amada,
Que olhos os teus! (V. DE MORAES)

b) nas indicações sumárias:

Fim da tarde, boquinha da noite
Com as primeiras estrelas
E os derradeiros sinos. (J. DE LIMA)

c) em títulos como:

Amanhã, Vasco e Flamengo no Maracanã.

7 ARTIGO

Artigo Definido e Indefinido

Dá-se o nome de **artigo** às palavras *o* (com as variações *a, os, as*) e *um* (com as variações *uma, uns, umas*), que se antepõem aos substantivos.

O artigo serve para indicar:

a) que se trata de um ser já conhecido do leitor ou ouvinte, ao qual não se fez menção anterior:

> *O* vento veio, eriçando-lhe *a* pele molhada.
> (G. FIGUEIREDO)

b) que se trata de um simples representante de uma dada espécie:

> *Um* escritor só se realiza quando faz *um* nome, *uma* obra e *um* público. (J. MONTELLO)

No primeiro caso o artigo é **definido**; no segundo, **indefinido**.

Formas do Artigo

Formas simples

São estas as formas simples do artigo:

	ARTIGO DEFINIDO		ARTIGO INDEFINIDO	
	SINGULAR	PLURAL	SINGULAR	PLURAL
MASCULINO	o	os	um	uns
FEMININO	a	as	uma	umas

Formas combinadas do artigo definido

1. Quando o substantivo, em função de complemento ou de adjunto, se constrói com uma das preposições *a, de, em* e *por*, o **artigo definido** que o acompanha combina-se com essas preposições, dando:

PREPOSIÇÕES	ARTIGO DEFINIDO			
	o	a	os	as
a	ao	à	aos	às
de	do	da	dos	das
em	no	na	nos	nas
por (per)	pelo	pela	pelos	pelas

2. O artigo definido feminino *a*(s), quando vem precedido da preposição *a*, funde-se com ela, e tal fusão (= **crase**) se representa na escrita por um acento grave sobre a vogal: *à*(s). Assim:

Vou *a*	+	*a* cidade	=	Vou *à* cidade
preposição que introduz o adjunto adverbial do verbo *ir*.		artigo que determina o substantivo *cidade*.		*a* craseado, a que se aplica o acento grave.

Não raro, o *à* vale como redução sintática da expressão *à moda de* (= *à maneira de, ao estilo de*):

> Mas o Major? Por que não ria *à inglesa*, nem *à alemã*, nem *à francesa*, nem *à brasileira*? qual o seu gênero? (M. LOBATO)

Como se vê, o conhecimento do emprego da forma feminina do artigo definido é de grande importância para se aplicar acertadamente o acento grave denotador da **crase** com a preposição *a*. Convém, por isso, atentar sempre na construção de determinada palavra com outras preposições para saber se ela exige ou dispensa o artigo. Assim, escreveremos:

Vou *à feira* e, depois, irei *a Copacabana*.

porque também diremos:

Vim *da feira* e, depois, passei *por Copacabana*.

3. Quando a preposição antecede o artigo definido que faz parte do título de obras (livros, revistas, jornais, contos, poemas, etc.), não há uma prática uniforme. Na língua escrita, porém, deve-se neste caso:

a) ou evitar a contração pelo modelo:

Peço à musa da crônica uma nênia pela morte *de O Camiseiro*. (C. D. DE ANDRADE)
A notícia saiu em *O Globo*.

b) ou indicar pelo apóstrofo a supressão da vogal da preposição:

Em um exemplar *d'Os Timbiras*, pertencente à Biblioteca Nacional, alguém escreveu a lápis-tinta. (C. D. DE ANDRADE)
A notícia saiu n'*O Globo*.

Tenha-se presente que as grafias *dos Timbiras* e *no Globo* — talvez as mais frequentes — deturpam o título do poema e do jornal em causa.

4. Quando a preposição que antecede o **artigo** está relacionada com o verbo (no infinitivo), e não com o substantivo que o **artigo** introduz, os dois elementos ficam separados:

Não veio ao Colégio pelo fato *de as* ruas *estarem* alagadas.

Sobre o emprego do acento grave, indicador da **crase**, consultar Capítulo 13 (Preposição).

Formas combinadas do artigo indefinido

1. O **artigo indefinido** pode contrair-se com as preposições *em* e *de*, originando:

num	numa	nuns	numas
dum	duma	duns	dumas

2. As preposições *em* e *de*, antepostas ao **artigo indefinido** que integra o título de obras, separam-se dele na escrita:

> Em *Uns Braços*, conto de Machado de Assis, aparece esse tema.
> Rimbaud é o autor *de Uma Estação no Inferno.*

3. Também não é aconselhável a contração do artigo indefinido com a preposição que se relaciona com o verbo (no infinitivo), e não com o substantivo que o artigo introduz:

> Não houve aulas pelo fato *de uns* professores *estarem* adoentados.

VALORES DO ARTIGO

Quer seja **definido** (*o*, *a*, *os*, *as*), quer seja **indefinido** (*um*, *uma*, *uns*, *umas*), o **artigo** caracteriza-se por ser a palavra que introduz o substantivo indicando-lhe o gênero e o número.

Assim sendo:

a) qualquer palavra ou expressão antecedida de artigo se torna substantivo:

> Entendem os filósofos que nosso conflito essencial e drama talvez único seja mesmo *o estar-no-mundo.*
> (G. ROSA)

b) o artigo faz aparecer o gênero e o número do substantivo:

o Amazonas *as* amazonas *um* poema *uma* gravata

o pires	*os* pires	*um* cliente	*uma* cliente
o pianista	*a* pianista	*um* olhar	*uns* olhares
o clã	*os* clãs	*uma* gravata	*umas* flores

Com isso, permite a distinção entre substantivos homônimos, tais como:

o cabeça	*a* cabeça	*o* guarda	*a* guarda
o caixa	*a* caixa	*o* guia	*a* guia

Emprego do Artigo Definido

Na língua dos nossos dias, o **artigo definido** é, em geral, um mero designativo. Anteposto a um substantivo comum, serve para determiná-lo, ou seja, para apresentá-lo isolado dos outros indivíduos ou objetos da espécie:

> *A igreja* era grande e pobre. *Os altares*, humildes. (C. D. DE ANDRADE)

Emprego do Artigo Indefinido

O **artigo indefinido** serve principalmente para a apresentação de um ser ou de um objeto ainda não conhecido do ouvinte ou do leitor, como neste passo de ALCEU AMOROSO LIMA:

> Pouco depois, atraído também pelo espetáculo, foi chegando *um caboclinho* magro, com *uma taquara* na mão.

Uma vez apresentados o ser e o objeto, não há mais razão para o emprego do artigo indefinido, e o escritor ou o locutor deverá usar daí por diante o artigo definido. É o que se observa na continuação do texto em causa:

> Pupilas acesas vinham espiar entre as árvores, como que também atraídas pela melodia *da taquara do caboclinho.* (A. A. LIMA)

8 ADJETIVO

O **adjetivo** é essencialmente um modificador do substantivo.

Serve para:

1º) caracterizar os seres ou os objetos nomeados pelo substantivo, indicando-lhes:

a) uma qualidade (ou defeito): inteligência *lúcida*, homem *perverso*;

b) o modo de ser: pessoa *simples*; moça *delicada*;

c) o aspecto ou aparência: céu *azul*; vidro *fosco*;

d) o estado: laranjeiras *floridas*; casa *arruinada*.

2º) estabelecer com o substantivo uma relação de tempo, de espaço, de matéria, de finalidade, de propriedade, de procedência, etc. (adjetivo de relação):

nota *mensal* = nota relativa ao mês
movimento *estudantil* = movimento feito por estudantes
casa *paterna* = casa onde habitam os pais
vinho *português* = vinho proveniente de Portugal

Observação:

Tais adjetivos são de natureza classificatória, ou seja, precisam o conceito expresso pelo substantivo, restringindo-lhe, pois, a extensão do significado. Não admitem graus de intensidade e vêm normalmente pospostos ao substantivo.

Nome Substantivo e Nome Adjetivo

É muito estreita a relação entre o **substantivo** (termo determinado) e o **adjetivo** (termo determinante). Não raro, há uma única forma para as duas classes de palavras e, nesse caso, a distinção só poderá ser feita na frase. Comparem-se, por exemplo:

Uma *baiana velha* vendia acarajé.
(uma baiana *que era velha*)
Uma *velha baiana* vendia acarajé.
(uma velha *que era baiana*)

Na primeira oração, *baiana* é substantivo, porque é a palavra-núcleo, caracterizada por *velha*, que, por sua vez, é adjetivo na medida em que é a palavra caracterizadora do termo-núcleo. Na segunda oração, *velha* é substantivo e *baiana*, adjetivo.

Como vemos, a subdivisão dos nomes portugueses em substantivos e adjetivos obedece, muitas vezes, a um critério basicamente sintático, funcional.

Substantivação do adjetivo

Sempre que a qualidade referida a um ser, objeto ou noção for concebida com grande independência, o adjetivo que a representa deixará de ser um termo subordinado para tornar-se o termo nuclear. Dá-se, então, o que se chama **substantivação do adjetivo**, fato que se exprime, gramaticalmente, pela anteposição de um determinativo (em geral, do artigo) ao adjetivo.

Comparem-se, por exemplo, estas orações:

O boi *malhado* chamava atenção.
O *malhado* do boi chamava atenção.

Na primeira, *malhado* é adjetivo; na segunda, substantivo.

LOCUÇÃO ADJETIVA

Locução adjetiva é a expressão formada de duas ou mais palavras, equivalentes a um adjetivo.

Pode ser representada por

Preposição + Substantivo:

Coração *de anjo* (= angélico)
Indivíduo *sem coragem* (= medroso)

Preposição + Advérbio:

Jornal *de hoje* (= hodierno)
Patas *de trás* (= traseiras)

Convém conhecer as seguintes **locuções adjetivas** com os respectivos adjetivos:

de abdômen	abdominal	de lebre	leporino
de abelha	apícola	de leite	lácteo
de águia	aquilino	de lobo	lupino
de aluno	discente	de memória	mnemônico
de baço	esplênico	de mestre	magistral
de bispo	episcopal	de moeda	monetário, numismático
de boca	bucal, oral	de monge	monacal, monástico
de bronze	brônzeo, êneo	de morte	mortífero, letal
de cabeça	cefálico	de nádegas	glúteo
de cabelo	capilar	de nariz	nasal
de cabra	caprino	de neve	níveo
de campo	rural, campesino	de norte	setentrional, boreal
de cavalo	equino, hípico	de olho	ocular, óptico, oftálmico, ótico
de chumbo	plúmbeo	de ouvido	auricular
de chuva	pluvial	de ouro	áureo
de cidade	citadino, urbano	de ovelha	ovino
de cinza	cinéreo	de paixão	passional
de cobra	viperino, ofídico	de pântano	palustre
de coração	cardíaco, cordial	de pedra	pétreo
de criança	pueril, infantil	de peixe	písceo
de dedo	digital	de pele	epidérmico, cutâneo
de dinheiro	pecuniário	de pescoço	cervical
de estômago	estomacal, gástrico	de porco	suíno
de estrela	estelar	de prata	argênteo, argentino
de fábrica	fabril	de professor	docente, professoral
de farinha	farináceo	de rato	murino
de fígado	hepático	de rim	renal
de fogo	ígneo	de rio	fluvial
de garganta	gutural	de selo	filatélico
de gato	felino	de selva	silvestre
		de sonho	onírico

de gelo	glacial	de sul	meridional, austral
de guerra	bélico	de touro	taurino
de ilha	insular	de umbigo	umbilical
de inverno	hibernal	de veia	venoso
de irmão	fraternal	de velho	senil
de lago	lacustre	de vento	eólio, eólico
de laranja, limão	cítrico	de verão	estival
		de vidro	vítreo, hialino
de leão	leonino	de voz	vocal

Há casos em que não existe correspondência entre o substantivo da **locução adjetiva** e o adjetivo equivalente:

carioca *da gema* (= autêntico)
discussão *sem pé nem cabeça* (= absurda)
negócio *da China* (= lucrativo)

ADJETIVOS PÁTRIOS

Entre os adjetivos derivados de substantivos cumpre salientar os que se referem a continentes, países, regiões, províncias, estados, cidades, vilas e povoados, bem como aqueles que se aplicam a raças e povos.

Eis alguns **adjetivos pátrios** brasileiros:

Brasil > brasileiro, -a	Pará > paraense (m.f.)
Acre > acriano, -a	Paraíba > paraibano, -a
Alagoas > alagoano, -a	Paraná > paranaense (m.f.)
Amazonas > amazonense (m.f.)	Pernambuco > pernambucano, -a
Amapá > amapaense (m.f.)	Piauí> piauiense (m.f.)
Bahia > baiano, -a	Rio de Janeiro > fluminense (m.f.)
Ceará > cearense (m.f.)	Rio Grande do Norte > norte-rio-grandense (m.f.)
Espírito Santo > espírito-santense (m.f.)	Rio Grande do Sul > sul-rio-grandense (m.f.)
Goiás > goiano, -a	Rondônia > rondoniano, -a
Maranhão > maranhense (m.f.)	Roraima > roraimense (m.f.)
Mato Grosso > mato-grossense (m.f.)	Santa Catarina > catarinense (m.f.)
Mato Grosso do Sul> mato-grossense-do-sul (m.f.)	São Paulo > paulista (m.f.)
Minas Gerais > mineiro, -a	Sergipe > sergipano, -a
	Tocantins > tocantinense (m.f.)

Observações:

1ª) Além de *brasileiro*, que é o pátrio normal, há as formas alatinadas de emprego mais raro: *brasiliano, brasílico* e *brasiliense*. Sirva de exemplo: Coleção *Brasiliana*, da Companhia Editora Nacional; *Corografia Brasílica*, livro de Aires do Casal; *Correio Brasiliense*, nome do célebre jornal de Hipólito José da Costa.

2ª) *Fluminense*, natural do Estado do Rio de Janeiro, é derivado do latim *flumen, fluminis* (rio). *Carioca*, natural da cidade do Rio de Janeiro, provém do tupi *kari'oka* (casa de branco).

3ª) Os naturais dos Estados do Rio Grande do Norte e do Rio Grande do Sul são mais conhecidos pelas alcunhas coletivas de *potiguar* e *gaúcho*.

Adjetivos pátrios compostos

Quando dizemos:

a civilização *portuguesa*,

referimo-nos à civilização própria do povo português. Se, no entanto, quisermos indicar aquela civilização que é comum ao povo português e ao brasileiro, diremos:

a civilização *luso-brasileira*,

assumindo o primeiro adjetivo uma forma alatinada e reduzida.

Entre as formas alatinadas e reduzidas que se empregam como primeiro elemento desses pátrios compostos, as mais frequentes são:

anglo = inglês	amizade *anglo-americana*
austro = austríaco	império *austro-húngaro*
euro = europeu	relações *euro-africanas*
franco = francês	falares *franco-provençais*
greco = grego	antiguidade *greco-romana*
hispano = hispânico, espanhol	literatura *hispano-americana*
indo = indiano	línguas *indo-europeias*

ítalo = italiano	atlas *ítalo-suíço*
galaico = galego	trovadores *galaico-portugueses*
luso = lusitano, português	glossário *luso-asiático*
nipo = nipônico, japonês	comércio *nipo-brasileiro*
sino = chinês	cultura *sino-japonesa*
teuto = teutônico, alemão	colégio *teuto-brasileiro*

Flexões dos Adjetivos

Como os substantivos, os adjetivos podem flexionar-se em **número** e em **gênero**.

Número

O adjetivo toma a forma **singular** ou **plural** do substantivo que ele qualifica.

Assim:

aluno *estudioso*	alunos *estudiosos*
mulher *hindu*	mulheres *hindus*
perfume *francês*	perfumes *franceses*

Plural dos adjetivos simples

Na formação do plural, os adjetivos simples seguem as mesmas regras a que obedecem os substantivos.

Plural dos adjetivos compostos

Nos adjetivos compostos, apenas o último elemento recebe a forma de plural:

movimentos *anglo-germânicos*
centros *médico-cirúrgicos*

Observação:

Excetuam-se:

a) surdo-mudo, que faz *surdos-mudos*;

b) os adjetivos referentes a cores, que são invariáveis quando o segundo elemento da composição é um substantivo:

uniformes *verde-oliva* canários *amarelo-ouro*
saias *azul-piscina* blusas *vermelho-sangue*

Gênero

O *adjetivo* toma a forma de masculino ou de feminino do substantivo a que ele se refere.

Formação do feminino

1. Geralmente os adjetivos são **biformes**, isto é, possuem duas formas, uma para o masculino e outra para o feminino:

MASCULINO	FEMININO	MASCULINO	FEMININO
bom	boa	mau	má
formoso	formosa	nu	nua
lindo	linda	português	portuguesa

2. O processo de formação do feminino destes adjetivos é idêntico ao dos substantivos. Assim:

1º) Os terminados em *-o* átono formam o feminino mudando *-o* em *-a*:

belo bela ligeiro ligeira

2º) Os terminados em *-u*, *-ês* e *-or* formam geralmente o feminino acrescentando *-a* ao masculino:

cru crua nu nua
francês francesa inglês inglesa
encantador encantadora morador moradora

Excetuam-se, porém, os adjetivos, que têm uma só forma para os dois gêneros:

a) dos finalizados em *-u*: o gentílico *hindu* e *zulu*;

b) dos finalizados em *-ês*: *cortês, descortês, montês* e *pedrês*;

c) dos finalizados em *-or*: *anterior, posterior, inferior, superior, interior, multicor, incolor, sensabor, melhor, pior, menor.*

Observações:

1. Alguns adjetivos terminados em *-dor* e *-tor* mudam essas sílabas para *-triz*: *gerador/geratriz*; *motor/motriz*.

2. Um pequeno número de adjetivos substitui *-or* por *-eira*: *trabalhador/trabalhadeira*.

3. A forma *trabalhadora* é o feminino do substantivo *trabalhador*.

3º) Os terminados em *-ão* formam o feminino em *-ã* ou em *-ona*:

são	sã	chorão	chorona

4º) Os terminados em *-eu* (com *e* fechado) formam o feminino em *-eia*:

europeu	europeia	plebeu	plebeia

Excetuam-se *judeu* e *sandeu*, que fazem, respectivamente, *judia* e *sandia*.

5º) Os terminados em *-éu* (com *e* aberto) formam o feminino em *-oa*:

ilhéu	ilhoa	tabaréu	tabaroa

6º) Alguns adjetivos que no masculino possuem *o* tônico fechado [ô], além de receberem a desinência *-a*, mudam o *o* fechado para aberto [ó], no feminino:

brioso	briosa	formoso	formosa

Outros, porém, conservam no feminino o *o* fechado [ô] do masculino:

fofo	fofa	oco	oca

Adjetivos uniformes

Há adjetivos que têm uma só forma para os dois gêneros.

São de regra **uniformes** os que terminam em *-a, -e, -l, -m, -r, -s,* e *-z*. Exemplos:

o instrumento *agrícola*	a atividade *agrícola*
o homem *inteligente*	a mulher *inteligente*
o exercício *fácil*	a questão *fácil*
o fato *comum*	a coisa *comum*
o menino *exemplar*	a menina *exemplar*
o móvel *simples*	a casa *simples*
o momento *feliz*	a atitude *feliz*

Observação:

Fazem exceção: *andaluz*, fem. *andaluza*; *bom*, fem. *boa*; *espanhol*, fem. *espanhola*; e a maior parte dos terminados em *-ês* e *-or*.

Feminino dos adjetivos compostos

Nos **adjetivos compostos**, apenas o segundo ou o último elemento pode assumir a forma feminina:

a literatura *luso-brasileira*
uma intervenção *médico-cirúrgica*
a guerra *nipo-anglo-americana*

A única exceção é *surdo-mudo*, que faz no feminino *surda-muda*:

um menino *surdo-mudo* uma criança *surda-muda*

Gradação dos Adjetivos

Dois são os **graus** do adjetivo: o **comparativo** e o **superlativo**.

A gradação pode ser expressa em português por processos sintáticos ou morfológicos.

Comparativo

O **comparativo** pode indicar:

a) que um ser possui determinada qualidade em grau *superior*, *igual* ou *inferior* a outro:

Paulo é *mais estudioso do que* Álvaro.
Álvaro é *tão estudioso como* [ou *quanto*] Pedro.
Álvaro é *menos estudioso do que* Paulo.

b) que num mesmo ser determinada qualidade é *superior*, *igual* ou *inferior* a outra que também possui:

Paulo é *mais inteligente que estudioso.*
Pedro é *tão inteligente quanto estudioso.*
Álvaro é *menos inteligente do que estudioso.*

Daí a existência de um **comparativo de superioridade**, de um **comparativo de igualdade** e de um **comparativo de inferioridade**.

Superlativo

O **superlativo** pode denotar:

a) que um ser apresenta em elevado grau determinada qualidade (**superlativo absoluto**):

Paulo é *inteligentíssimo.*
Pedro é *muito inteligente.*

b) que, em comparação à totalidade dos seres que apresentam a mesma qualidade, um sobressai por possuí-la em grau maior ou menor que os demais (**superlativo relativo**):

Carlos é *o* aluno *mais estudioso do* Colégio.
João é *o* aluno *menos estudioso do* Colégio.

No primeiro exemplo, o **superlativo relativo** é **de superioridade**; no segundo, **de inferioridade**.

Formação do grau comparativo

1. Forma-se o **comparativo de superioridade** antepondo-se o advérbio *mais* e pospondo-se a conjunção *que* ou *do que* ao adjetivo:

Pedro é *mais idoso do que* Carlos.
João é *mais nervoso que desatento.*

2. Forma-se o **comparativo de igualdade** antepondo-se o advérbio *tão* e pospondo-se a conjunção *como* ou *quanto* ao adjetivo:

Carlos é *tão jovem como* Álvaro.
José é *tão nervoso quanto* desatento.

3. Forma-se o **comparativo de inferioridade** antepondo-se o advérbio *menos* e pospondo-se a conjunção *que* ou *do que* ao adjetivo:

Paulo é *menos idoso que* Álvaro.
João é *menos nervoso do que* desatento.

Os exemplos mostram que, assim como se compara uma qualidade entre dois seres, pode-se comparar duas qualidades num mesmo ser.

Formação do grau superlativo

Vimos que há duas espécies de **superlativo**: o **absoluto** e o **relativo**.

O **superlativo absoluto** pode ser:

a) **sintético**, se expresso por uma só palavra (adjetivo+ sufixo):

amicíssimo facílimo salubérrimo

b) **analítico**, se formado com a ajuda de outra palavra, geralmente um advérbio indicador de excesso — *muito, imensamente, extraordinariamente, excessivamente, grandemente*, etc.:

muito estudioso	excessivamente fácil
imensamente triste	extraordinariamente salubre
grandemente prejudicial	excepcionalmente cheio

Superlativo absoluto sintético

1. Forma-se pelo acréscimo ao adjetivo do sufixo *-íssimo*:

fértil	fertilíssimo
vulgar	vulgaríssimo

Se o adjetivo terminar em vogal, esta desaparece ao aglutinar-se o sufixo:

belo	belíssimo
triste	tristíssimo

2. Muitas vezes o adjetivo, ao receber o sufixo *-íssimo*, reassume a primitiva forma latina. Assim:

a) os adjetivos terminados em *-vel* formam o superlativo em *-bilíssimo*:

amável	amabilíssimo
volúvel	volubilíssimo

b) os terminados em *-z* fazem o superlativo em *-císsimo*:

capaz	capacíssimo
atroz	atrocíssimo

c) os terminados em vogal nasal (representada com *-m* gráfico) formam o superlativo em *-níssimo*:

bom	boníssimo
comum	comuníssimo

d) os terminados no ditongo *-ão* fazem o superlativo em *-aníssimo*:

vão	vaníssimo
pagão	paganíssimo

3. Não raro a forma portuguesa do adjetivo difere sensivelmente da latina, da qual se deriva o superlativo. Assim:

NORMAL	SUPERLATIVO	NORMAL	SUPERLATIVO
amargo	amaríssimo	magnífico	magnificentíssimo
amigo	amicíssimo	maléfico	maleficentíssimo
antigo	antiquíssimo	malévolo	malevolentíssimo
benéfico	beneficentíssimo	miúdo	minutíssimo
benévolo	benevolentíssimo	nobre	nobilíssimo
cristão	cristianíssimo	pessoal	personalíssimo
cruel	crudelíssimo	pródigo	prodigalíssimo
doce	dulcíssimo	sábio	sapientíssimo
fiel	fidelíssimo	sagrado	sacratíssimo
frio	frigidíssimo	simples	simplicíssimo (ou simplíssimo)
geral	generalíssimo		
inimigo	inimicíssimo	soberbo	superbíssimo

Observação:

Em lugar das formas superlativas *seriíssimo, necessariíssimo* e outras semelhantes, a língua atual prefere *seríssimo, necessaríssimo*, com um só *i*.

4. Também os superlativos em *-imo* e *-rimo* representam simples formações latinas. Com exclusão de *facílimo, dificílimo* e *paupérrimo* (superlativos de *fácil, difícil* e *pobre*), que pertencem à linguagem coloquial, são todos de uso literário e um tanto precioso. Anotem-se os seguintes:

NORMAL	SUPERLATIVO	NORMAL	SUPERLATIVO
acre	acérrimo	negro	nigérrimo (ou negríssimo)
célebre	celebérrimo		
humilde	humílimo (ou humildíssimo)	pobre	paupérrimo (ou pobríssimo)
íntegro	integérrimo	provável	probabilíssimo
livre	libérrimo	sábio	sapientíssimo
magro	macérrimo (ou magríssimo)	salubre	salubérrimo

Superlativo relativo

O **superlativo relativo** é sempre analítico.

O **de superioridade** forma-se antepondo-se *o mais* e pospondo-se *de* ou *dentre* ao adjetivo:

Este aluno é *o mais estudioso de* todos.

O mais alegre dentre os colegas era Ricardo.

O **de inferioridade** forma-se antepondo-se *o menos* e pospondo-se *de* ou *dentre* ao adjetivo:

Este aluno é *o menos estudioso de* todos.

O menos alegre dentre os colegas era Joaquim.

Outras formas de superlativo

Pode-se formar também o **superlativo** com:

a) o acréscimo de um prefixo, como *arqui-, extra-, hiper-, super-, ultra-*, etc.: *arquimilionário, extrafino, hipersensível, superexaltado, ultrarrápido*.

b) a repetição do próprio adjetivo:

Teus olhos são *negros, negros,*
Como as noites sem luar... (C. ALVES)

c) uma comparação breve:

— Isso é *claro como água* [= Isso é *claríssimo*]. (C. SOROMENHO)

d) certas expressões fixas, como *podre de rico* [= riquíssimo], *de mão-cheia* [= excelente], e outras semelhantes.

Zorilda era uma pianista *de mão-cheia*. (H. SALES)

Comparativos e superlativos anômalos

Quatro adjetivos — *bom, mau, grande* e *pequeno* — formam o comparativo e o superlativo de modo especial:

ADJETIVO	COMPARATIVO DE SUPERIORIDADE	SUPERLATIVO	
		ABSOLUTO	RELATIVO
bom	melhor	ótimo	o melhor
mau	pior	péssimo	o pior
grande	maior	máximo	o maior
pequeno	menor	mínimo	o menor

Observações:

1ª) Quando se compara a qualidade de dois seres, não se deve dizer *mais bom, mais mau, mais grande* nem *mais pequeno*; e sim: *melhor, pior, maior* e *menor*. Possível é, no entanto, usar as formas analíticas desses adjetivos quando se confrontam duas qualidades do mesmo ser:

Ele foi *mais mau do que desgraçado.*

Ele é bom e inteligente; *mais bom do que inteligente.*

2ª) A par de *ótimo, péssimo, máximo* e *mínimo*, existem os superlativos absolutos regulares: *boníssimo* e *muito bom, malíssimo* e *muito mau*, *grandíssimo* e *muito grande, pequeníssimo* e *muito pequeno*.

3ª) *Grande* e *pequeno* possuem dois superlativos: *o maior* ou *o máximo* e *o menor* ou *o mínimo.*

4ª) Alguns comparativos e superlativos não têm forma normal usada:

COMPARATIVO	SUPERLATIVO
superior	supremo ou sumo
inferior	ínfimo
anterior	—
posterior	póstumo
ulterior	último

As formas *superior* e *inferior*, *supremo* (ou *sumo*) e *ínfimo* podem ser empregadas como comparativo e superlativo de *alto* e *baixo*, respectivamente.

ADJETIVOS QUE NÃO APRESENTAM A IDEIA DE GRAU

Muitos adjetivos não apresentam a ideia de grau porque o próprio significado não o permite. Entre outros: *anual, mensal, semanal, diário, hodierno, casado, solteiro, eterno, unânime, perpétuo, áureo.*

Para que um adjetivo tenha comparativo e superlativo, é necessário, por conseguinte, que o seu sentido admita variação de intensidade.

FUNÇÕES SINTÁTICAS DO ADJETIVO

A rigor, o **adjetivo** só existe referido a um substantivo. Conforme se estabeleça a relação entre os dois termos na frase, o **adjetivo** desempenhará a função sintática de **adjunto adnominal** ou de **predicativo**.

A diferença entre o **adjetivo** em função de **adjunto adnominal** e o **adjetivo** em função de **predicativo** baseia-se, principalmente, em dois pontos:

1º) O primeiro é **termo acessório** da oração, parte de um **termo essencial** ou **integrante** dela; o segundo é, por si próprio, um **termo essencial** da oração.

Se disséssemos, por exemplo:

O campo é *imenso*,

o adjetivo predicativo não poderia faltar, pois, sendo **termo essencial**, sem ele a oração não teria sentido.

Se disséssemos, no entanto:

O campo *imenso* está alagado,

o adjetivo *imenso* seria parte do sujeito, uma dispensável qualificação do substantivo que lhe serve de núcleo, um **termo**, portanto, **acessório** da oração.

2º) A qualidade expressa por um adjetivo em função **predicativa** vem marcada no tempo, e por essa relação cronológica entre a qualidade e o ser é responsável o verbo que liga o adjetivo ao substantivo. Comparem-se estas frases:

O *bom* aluno estuda.
Ele está *nervoso*, mas era *calmo*.

Na primeira, acrescentamos a noção de *bom* à de *aluno* sem termos em mente qualquer referência à ideia de tempo. Já na segunda, as noções expressas pelos adjetivos *nervoso* e *calmo* são por nós atribuídas ao sujeito com a situação de tempo marcada pelo verbo: *nervoso*, no presente; *calmo*, no passado.

Emprego adverbial do adjetivo

1. Examinemos as seguintes orações:

O menino dorme *tranquilo*.
A menina dorme *tranquila*.
Os meninos dormem *tranquilos*.
As meninas dormem *tranquilas*.

Vemos que, nelas, o adjetivo em função predicativa concorda em gênero e número com o substantivo sujeito. Nas construções abaixo, o adjetivo assume a forma adverbial, pelo acréscimo do sufixo *-mente*, fazendo referência ao verbo.

Esse valor naturalmente será o preponderante se, em lugar daquelas construções, usarmos as seguintes:

O menino dorme *tranquilamente*.
A menina dorme *tranquilamente*.
Os meninos dormem *tranquilamente*.
As meninas dormem *tranquilamente*.

Aqui, a forma adverbial, invariável, impede a possibilidade de concordância, justamente o elo que prendia o adjetivo ao sujeito, e, com isso, faz aflorar com toda a nitidez o modo por que se processa a ação indicada pelo verbo *dormir*.

2. Está hoje generalizada, no entanto, a adverbialização do adjetivo, sem o acréscimo do sufixo *-mente*.

Por exemplo, nestas orações:

Alice fala *baixo*.

A fazenda custou *caro*.

Vamos falar *claro*.

As palavras *baixo*, *caro* e *claro* são advérbios, razão por que ficam invariáveis.

Colocação do adjetivo adjunto nominal

1. Sabemos que, na oração declarativa, prepondera a *ordem direta*, que corresponde à sequência progressiva do enunciado lógico.

Como elemento acessório da oração, o adjetivo em função de *adjunto adnominal* deverá, portanto, vir com maior frequência depois do substantivo que ele qualifica.

2. Mas sabemos, também, que ao nosso idioma não repugna a *ordem* chamada *inversa*, principalmente nas formas afetivas da linguagem e que a anteposição de um termo é, de regra, uma forma de realçá-lo.

3. Podemos, então, estabelecer previamente que:

a) sendo a sequência *substantivo* + *adjetivo* a predominante no enunciado lógico, deriva daí a noção de que o adjetivo posposto possui valor objetivo:

noite *escura* dia *triste*

b) sendo a sequência *adjetivo* + *substantivo* provocada pela ênfase dada ao qualificativo, decorre daí a noção de que, anteposto, o adjetivo assume um valor subjetivo:

escura noite *triste* dia

Concordância Nominal

Concordância nominal é a que determina os adjetivos, pronomes, numerais e artigos a ajustarem suas **flexões** em **gênero** e **número** ao substantivo a que se referem.

Concordância do adjetivo com o substantivo

O **adjetivo**, dissemos, varia em gênero e número de acordo com o gênero e o número do **substantivo** ao qual se refere.

É por essa correspondência de flexões que os dois termos se acham inequivocamente relacionados, mesmo quando distantes um do outro na frase. Assim:

O *capim* estava *úmido* de orvalho. (R. BRAGA)

Adjetivo referido a um substantivo

O **adjetivo**, quer em função de **adjunto nominal**, quer em função de **predicativo**, desde que se refira a *um único substantivo*, com ele concorda em gênero e número:

Uma *chuvinha miúda* toldava a *manhã indecisa*. (J. MONTELLO)

Os outros *anjinhos* olhavam *espantados*. (R. BRAGA)

Adjetivo referido a mais de um substantivo

Quando o **adjetivo** se associa a *mais de um substantivo*, importa considerar:

a) o **gênero dos substantivos**;

b) a **função dos adjetivos** (adjunto adnominal ou predicativo);

c) a **posição do adjetivo** (anteposto ou posposto aos substantivos), condições essas que permitem a concordância do adjetivo com os substantivos englobados, ou apenas com o mais próximo.

Examinemos as diversas possibilidades, exemplificando-as.

Adjetivo com a função de adjunto adnominal

O ADJETIVO VEM ANTES DOS SUBSTANTIVOS

1. **O adjetivo** concorda em gênero e número com o substantivo mais próximo, ou seja, com o primeiro deles:

Vivia em *tranquilos bosques* e montanhas.
Vivia em *tranquilas montanhas* e bosques.
Tinha por ele *alto respeito* e admiração.
Tinha por ele *alta admiração* e respeito.

2. Quando os substantivos são nomes próprios ou nomes de parentesco, o **adjetivo** vai sempre para o plural:

Venera o Brasil os *denodados Caxias* e *Tamandaré*.
Maria passeava com as *formosas prima, irmã* e *tia*.

O ADJETIVO VEM DEPOIS DOS SUBSTANTIVOS

Neste caso, a concordância depende do gênero e do número dos substantivos.

1. Se os substantivos são de *mesmo gênero e do singular*, o adjetivo conserva o gênero dos substantivos e vai para o plural ou concorda com o substantivo mais próximo:

Estudo *a língua e a literatura portuguesas.*
Estudo *a língua e a literatura portuguesa.*

2. Se os substantivos são de *gêneros diferentes e do singular*, o adjetivo vai para o masculino plural ou concorda com o substantivo mais próximo:

A professora estava com *uma saia e um chapéu escuros.*

A professora estava com *uma saia e um chapéu escuro.*

3. Se os substantivos são do *mesmo gênero*, mas de *números diversos*, o adjetivo toma o gênero dos substantivos e vai para o plural (concordância mais comum) ou para o número do substantivo mais próximo:

Trazia brincos e colar dourados.

Trazia brincos e colar dourado.

4. Se os substantivos são de *gêneros diferentes* e do *plural*, o adjetivo vai para o plural e para o gênero do substantivo mais próximo, ou, com menos frequência, para o masculino plural:

Havia alunos e alunas interessadas *no jogo.*

Havia alunos e alunas interessados *no jogo.*

5. Se os substantivos são de *gêneros e números diferentes*, o adjetivo pode ir para o masculino plural (concordância mais comum), ou para o gênero e o número do substantivo mais próximo:

Tinha irmão e irmãs dedicados.

Tinha irmão e irmãs dedicadas.

Observação:

Numa sequência de substantivos, o adjetivo concordará, obrigatoriamente, com o mais próximo quando apenas o último substantivo estiver sendo qualificado:

Acompanhavam-me dois rapazes e uma *mulher idosa.*

Adjetivo com a função de predicativo de sujeito composto

1. Se o sujeito composto for representado por substantivos do *mesmo gênero*, o adjetivo em função predicativa concordará com o gênero deles e irá para o plural.

O *caderno* e o *livro* são *novos*.
A *porta* e a *janela* estavam *abertas*.
Os *esforços* e o *ardor* dele ficarão *famosos*.
Minhas *irmãs* e minhas *primas* andam *adoentadas*.

2. Se o sujeito composto for constituído por substantivos de *gêneros diferentes*, o adjetivo em função predicativa irá para o masculino plural.

O *livro* e a *caneta* são *novos*.
A *janela* e o *portão* estavam *abertos*.

3. Se o adjetivo em função predicativa vier antes do sujeito composto e o verbo de ligação estiver no singular, concordará ele com o substantivo mais próximo.

Era *novo* o *livro* e a caneta.
Estava *aberta a janela e* o portão.

Observação:

O adjetivo em função de predicativo do objeto direto obedece, em geral, às mesmas regras de concordância observadas pelo adjetivo em função de predicativo do sujeito.

9 PRONOMES

Pronomes Substantivos e Pronomes Adjetivos

1. Os **pronomes** desempenham na oração as funções equivalentes às exercidas pelos elementos nominais.

Servem para:

a) representar um substantivo:

> Havia muitos *poemas que* mexiam, *que se* agitavam no seu espírito. Não encontrava, porém, forma de trazê-*los* à superfície. (A. F. SCHMIDT)

b) acompanhar um substantivo, determinando-lhe a extensão do significado:

> Vi terras da *minha terra.*
> Por *outras terras* andei.
> Mas o que ficou marcado,
> No *meu olhar* fatigado,
> Foram terras que inventei. (M. BANDEIRA)

No primeiro caso, desempenham a função de um substantivo e, por isso, recebem o nome de **pronomes substantivos**; no segundo chamam-se **pronomes adjetivos**, porque modificam o substantivo, que acompanham, como se fossem adjetivos.

Há seis espécies de pronomes: **pessoais, possessivos, demonstrativos, relativos, interrogativos** e **indefinidos.**

Pronomes Pessoais

Os **pronomes pessoais** caracterizam-se:

1º) por denotarem as três pessoas gramaticais:

a) quem fala = 1ª **pessoa**: *eu* (singular), *nós* (plural);

b) com quem se fala = 2ª **pessoa**: *tu* (singular), *vós* (plural);

c) de quem ou de que se fala = 3ª **pessoa**: *ele, ela* (singular); *eles, elas* (plural).

2º) por poderem representar, quando na 3ª pessoa, uma forma nominal anteriormente expressa:

> Santas virtudes primitivas, ponde
> Bênçãos nesta *Alma* para que *ela* se una
> A Deus, e vá, sabendo bem por onde...
> (A. DE GUIMARAENS)

3º) por variarem de forma, segundo:

a) a função que desempenham na oração;

b) a acentuação que nela recebem.

Formas dos pronomes pessoais

Quanto à *função*, as formas do pronome pessoal podem ser **retas** ou **oblíquas**. **Retas**, quando funcionam como sujeito da oração; **oblíquas**, quando nela se empregam fundamentalmente como objeto (direto ou indireto).

Quanto à *acentuação*, distinguem-se, nos pronomes pessoais, as formas **tônicas** das **átonas**.

O quadro a seguir mostra claramente a correspondência entre essas formas:

		PRONOMES PESSOAIS RETOS	PRONOMES PESSOAIS OBLÍQUOS NÃO REFLEXIVOS	
			ÁTONOS	TÔNICOS
SINGULAR	1ª pessoa	eu	me	mim, comigo
	2ª pessoa	tu	te	ti, contigo
	3ª pessoa	ele, ela	o, a, lhe	ele, ela
PLURAL	1ª pessoa	nós	nos	nós, conosco
	2ª pessoa	vós	vos	vós, convosco
	3ª pessoa	eles, elas	os, as, lhes	eles, elas

Formas *o*, *lo* e *no* do pronome oblíquo

Quando o pronome oblíquo da 3ª pessoa, que funciona como objeto direto, vem antes do verbo, apresenta-se com as formas *o, a, os, as*. Assim:

A mãe *o* chamava da porta da cozinha. (O. L. RESENDE)

Quando, porém, está colocado depois do verbo e se liga a este por hífen (**pronome enclítico**), a sua forma depende da terminação do verbo. Assim:

1º) Se a forma verbal terminar em **vogal** ou **ditongo oral**, empregam-se *o, a, os, as*:

louvo-*o* louvei-*os*
louvava-*a* louvou-*as*

2º) Se a forma verbal terminar em *-r, -s* ou *-z*, suprimem-se estas consoantes, e o pronome assume as modalidades *lo, la, los, las*:

faze(r)+o = fazê-*lo*
faze(s)+o = faze-*lo*
fe(z)+o = fê-*lo*
Ouvi-*lo* é um prazer, revê-*lo* uma delícia. (C. DE LAET)
Um rumor fê-*lo* voltar-se (C. D. DE ANDRADE)

O mesmo se dá quando ele vem posposto ao designativo *eis* ou aos pronomes *nos* e *vos*:

Ei-lo finalmente diante da locomotiva (A. MACHADO)
Que o Senhor *vo-la* dê suave e pronta. (J. MONTELLO)

3º) Se a forma verbal terminar em **ditongo nasal**, o pronome assume as modalidades *no, na, nos, nas*:

dão-*no*	tem-*nos*
põe-*na*	trouxeram-*nas*

Observação:

No futuro do presente e no futuro do pretérito, o pronome oblíquo não pode ser **enclítico**, isto é, não pode vir depois do verbo. Dá-se a **próclise** ou, então, a **mesóclise** do pronome, ou seja, a sua colocação no interior do verbo. Justifica-se tal colocação por terem sido estes dois tempos formados pela justaposição do infinitivo do verbo principal e das formas reduzidas, respectivamente, do presente e do imperfeito do indicativo do verbo *haver*. O pronome empregava-se depois do infinitivo do verbo principal, situação que, em última análise, ainda hoje conserva. E, como todo infinitivo termina em *-r*, também nos dois tempos em causa desaparece esta consoante e o pronome toma as formas *lo, la, los, las*. Assim:

FUTURO DO PRESENTE	
vender-(h)ei	vendê-lo-ei
vender-(h)ás	vendê-lo-ás
vender-(h)á	vendê-lo-á
vender-(h)emos	vendê-lo-emos
vender-(h)eis	vendê-lo-eis
vender-(h)ão	vendê-lo-ão
FUTURO DO PRETÉRITO	
vender-(h)ia	vendê-lo-ia
vender-(h)ias	vendê-lo-ias
vender-(h)ia	vendê-lo-ia
vender-(h)íamos	vendê-lo-íamos
vender-(h)íeis	vendê-lo-íeis
vender-(h)iam	vendê-lo-iam

Pronomes reflexivos e recíprocos

1. Quando o objeto direto ou indireto representa a mesma pessoa ou a mesma coisa que o sujeito do verbo, ele é expresso por um **pronome reflexivo**.

O **reflexivo** apresenta três formas próprias — *se, si* e *consigo* —, que se aplicam tanto à 3ª pessoa do singular como à do plural:

Ela vestiu-*se* rapidamente.
Ela fala sempre de *si*.
O comprador trouxe o dinheiro *consigo*.
Eles vestiam-*se* rapidamente.
Os compradores trouxeram o dinheiro *consigo*.

Nas demais pessoas, as suas formas identificam-se com as do pronome oblíquo: *me, te, nos* e *vos*:

Eu *me* feri.	Nós *nos* vestimos.
Tu *te* lavas.	Vós *vos* levantais.

2. As formas do **reflexivo** nas pessoas do plural (*nos, vos* e *se*) empregam-se também para exprimir a reciprocidade da ação, isto é, para indicar que a ação é mútua entre dois ou mais indivíduos. Neste caso, diz-se que o pronome é **recíproco**:

De alegria, todos *se* davam as mãos, confraternizando. (C. D. DE ANDRADE)

3. Como são idênticas as formas do pronome recíproco e do reflexivo, pode haver ambiguidade com um sujeito plural. Uma frase como:

Joaquim e Antônio enganaram-*se*.

pode significar que o grupo formado por Joaquim e Antônio cometeu o engano, ou que Joaquim enganou Antônio e este a Joaquim.

Remove-se a ambiguidade com expressões reforçativas. Assim:

a) para marcar expressamente a ação reflexiva, acrescenta-se-lhes, conforme a pessoa, *a mim mesmo, a ti mesmo, a si mesmo*, etc.:

Joaquim e Antônio enganaram-*se a si mesmos.*

b) para marcar expressamente a ação recíproca, junta-se-lhes ou uma expressão pronominal, como *um ao outro, uns aos outros, entre si*, ou um advérbio, como *reciprocamente, mutuamente*:

Joaquim e Antônio enganaram-*se entre si.*
Joaquim e Antônio enganaram-*se um ao outro.*
Joaquim e Antônio enganaram-*se mutuamente.*

Emprego dos pronomes retos

Funções dos pronomes retos

1. Os **pronomes retos** empregam-se como:

a) **sujeito**:

Ela riu alto, demais. (A. DOURADO)

b) **predicativo do sujeito:**

Vou calar-me e fingir que eu sou *eu*... (A. RENAULT)

2. *Tu* e *vós* podem ser **vocativos**:

Ó *tu*, Senhor Jesus, o Misericordioso,
De quem o Amor sublime enaltece o Universo...
(A. DE GUIMARAENS)

Omissão do pronome sujeito

Os pronomes sujeitos *eu, tu, ele (ela), nós, vós, eles (elas)* são normalmente omitidos em português, porque as desinências verbais bastam, de regra, para indicar a pessoa a que se refere o predicado, bem como o número gramatical (singular ou plural) dessa pessoa:

and*o*	escreve*s*	dormi*u*
ri*mos*	parti*stes*	volta*m*

PRESENÇA DO PRONOME SUJEITO

Emprega-se o pronome sujeito:

a) quando se deseja, enfaticamente, chamar a atenção para a pessoa do sujeito:

> *Eu* sinto em mim o borbulhar do gênio. (C. ALVES)

b) para opor duas pessoas diferentes:

> Sorri e disse:
> — *Ele* se irá, creio, mas ficará *ela*. (M. DE ASSIS)

c) quando a forma verbal é comum à 1ª e à 3ª pessoa do singular e, por isso, se torna necessário evitar o equívoco:

> Convém que *eu* saiba o que *ele* disse?
> Convém que *ele* saiba o que *eu* disse?

Extensão de emprego dos pronomes retos

Na linguagem formal, certos pronomes retos adquirem valores especiais. Enumeremos os seguintes:

1. O **plural de modéstia**. Para evitar o tom impositivo ou muito pessoal de suas opiniões, costumam os escritores e os oradores tratar-se por *nós* em lugar da forma normal *eu*. Com isso, procuram dar a impressão de que as ideias que expõem são compartilhadas por seus leitores ou ouvintes, pois que se expressam como porta-vozes do pensamento coletivo. A este emprego da 1ª pessoa do plural pela correspondente do singular chamamos **plural de modéstia**:

> Algumas [cantigas], mas poucas, foram por *nós* colhidas da boca do Povo. (J. CORTESÃO)

Advirta-se que, quando o sujeito *nós* é um **plural de modéstia**, o predicativo ou particípio, que com ele deve concordar, costuma ficar no singular, como se o sujeito fosse efetivamente *eu*. Assim, em vez de:

> *Fiquei perplexo* com o que ele disse.

podemos dizer:

Ficamos perplexo com o que ele disse.

2. **Fórmula de cortesia** (3ª pessoa pela 1ª). Quando fazemos um requerimento, por deferência à pessoa a quem nos dirigimos, tratamo-nos a nós próprios pela 3ª pessoa, e não pela 1ª:

Fulano de tal, aluno desse Colégio, *requer* a V.S.ª se digne de mandar passar por certidão as notas mensais por ele obtidas no presente ano letivo.

3. O **vós de cerimônia**. O pronome vós praticamente desapareceu da linguagem corrente do Brasil. Mas em discursos enfáticos alguns oradores ainda se servem da 2ª pessoa do plural para se dirigirem cerimoniosamente a um auditório qualificado.

Veja-se este passo com que Olavo Bilac termina o seu discurso de ingresso na Academia das Ciências de Lisboa:

Em vós, na vossa mocidade, no vosso entusiasmo, beijo a terra de Minas, coração do Brasil. (O. BILAC)

Realce do pronome sujeito

Para dar ênfase ao pronome sujeito, costuma-se reforçá-lo:

a) seja com as palavras *mesmo* e *próprio*:

— *Tu mesmo* serás o novo Hércules. (M. DE ASSIS)

b) seja com a expressão invariável *é que*:

— Eu *é que* lhe devia pedir desculpas de minha irritação. (R. M. F. DE ANDRADE)

Precedência dos pronomes sujeitos

Quando no sujeito composto há um pronome da 1ª pessoa do singular (*eu*), é boa norma de civilidade colocá-lo em último lugar:

Carlos, Augusto e eu fomos promovidos.

Se, porém, o que se declara contém algo de desagradável ou importa responsabilidade, por ele devemos iniciar a série:

Eu, Carlos e Augusto fomos os culpados do acidente.

Equívocos e incorreções

1. Como o pronome *ele (ela)* pode representar qualquer substantivo anteriormente mencionado, convém ficar bem claro a que elemento da frase ele se refere.

Por exemplo, uma frase como:

Álvaro disse a Paulo que *ele* chegaria primeiro.

é ambígua, pois *ele* pode aplicar-se tanto a *Álvaro* como a *Paulo.*

Para evitar a ambiguidade, pode-se repetir o nome da pessoa a quem o pronome *ele* se refere, em forma de aposto:

Álvaro disse a Paulo que ele, Álvaro, chegaria primeiro.

2. Na linguagem coloquial e familiar do Brasil, é muito frequente o uso do pronome *ele(s), ela(s)* como objeto direto em frases do tipo:

Vi *ele.*

Encontrei *ela.*

3. Convém, no entanto, não confundir tal construção com outras, perfeitamente legítimas, em que o pronome em causa funciona como objeto direto. Assim:

a) quando, antecedido da preposição *a*, repete o objeto direto enunciado pela forma normal átona (*o*, *a*, *os*, *as*):

Temia-*a*, *a ela*, à mulher que o guiava. (G. ROSA)

b) quando precedido das palavras *todo* ou *só*:

Só elas é que devíamos frequentar. (O. ANDRADE)

Amo em ti *todas elas.* (M. REBELO)

Contração das preposições *de* e *em* com o pronome reto da 3ª pessoa

As preposições *de* e *em* contraem-se com o pronome reto de 3ª pessoa *ele(s), ela(s)*, dando, respectivamente, *dele(s), dela(s)* e *nele(s), nela(s)*:

A pasta é *dele*, e *nela* está o meu caderno.

É de norma, porém, não haver a contração quando o pronome é sujeito; ou, melhor dizendo, quando as preposições *de* e *em* se relacionam com o infinitivo, e não com o pronome. Assim:

Ele me escrevia contente *de eu* ter topado com entusiasmo a ideia. (R. BRAGA)

Pronomes de Tratamento

1. Denominam-se **pronomes de tratamento** certas palavras e locuções que valem por verdadeiros pronomes pessoais, como: *você, o senhor, Vossa Excelência.*

Embora designem a pessoa a quem se fala (isto é, a 2ª), esses pronomes levam o verbo para a 3ª pessoa:

— Estela, *você sabe* que *está* com um vestido muito bonito? (C. D. DE ANDRADE)

Já fazia muito tempo que *Vossa Excelência* não *vinha* a Paris. (J. MONTELLO)

2. Convém conhecer as seguintes formas de tratamento reverente e as abreviaturas com que são indicadas na escrita.

ABREV.	TRATAMENTO	USADO PARA
V.A.	Vossa Alteza	Príncipes, arquiduques, duques
V.Em.ª	Vossa Eminência	Cardeais
V.Ex.ª	Vossa Excelência	Altas autoridades do Governo e das Forças Armadas
V.Mag.ª	Vossa Magnificência	Reitores das Universidades
V.M.	Vossa Majestade	Reis, imperadores
V.Ex.ª Rev.ᵐᵃ	Vossa Excelência Reverendíssima	Bispos e arcebispos

ABREV.	TRATAMENTO	USADO PARA
V.P.	Vossa Paternidade	Abades, superiores de conventos
V.Rev.ª V.Rev.ᵐᵃ	Vossa Reverência ou Vossa Reverendíssima	Sacerdotes em geral
V.S.	Vossa Santidade	Papa
V.S.ª	Vossa Senhoria	Funcionários públicos graduados, oficiais até coronel, pessoas de cerimônia

Observação:

Como dissemos, estas formas aplicam-se à 2ª pessoa, àquela com quem falamos; para a 3ª pessoa, aquela de quem falamos, usam-se as formas Sua Alteza, Sua Eminência, etc.

Emprego dos pronomes de tratamento da 2ª pessoa

1. *Tu, você, o senhor*

1º) O uso da forma pronominal *tu* restringe-se ao extremo Sul do país e a alguns pontos da região Norte, ainda não suficientemente delimitados. Em quase todo o território brasileiro, foi ela substituída por *você*. Pode-se dizer que para a imensa maioria dos brasileiros só há dois tratamentos de 2ª pessoa realmente vivos: *você*, como forma de intimidade; *o senhor, a senhora*, como forma de respeito ou cortesia. Neste caso, se se trata de moça solteira, usa-se a forma *senhorita*.

2º) O emprego das formas *você* e *o senhor* (e *a senhora*) estende-se, dia a dia, não só às funções de sujeito e de agente da passiva, mas também às de objeto (direto ou indireto), substituindo com frequência as correspondentes átonas: *o, a* e *lhe*.

> Não vi *você* ontem. [= Não *o* vi ontem.]
>
> Queria servir *o senhor* muito bem. [= Queria servi-*lo* muito bem.]
>
> Comprei uma bolsa *para a senhora*. [= Comprei-*lhe* uma bolsa.]

2. *Tratamento cerimonioso*

As formas de tratamento cerimonioso são pouco usadas no Brasil.

1ª) *Vossa Excelência* (V.Ex.ª) só se emprega para o Presidente da República, ministros, governadores dos Estados, senadores, deputados e as mais altas patentes militares. E assim mesmo quase que exclusivamente na língua escrita e protocolar. Em requerimentos, petições, etc. o seu uso costuma estender-se a presidentes de instituições, diretores de serviços e altas autoridades em geral.

2ª) *Vossa Senhoria* (V.S.ª) é tratamento muito raro na língua falada. Na língua escrita, emprega-se ainda em cartas comerciais, em requerimentos, em ofícios, etc., quando não é próprio o tratamento de *Vossa Excelência*.

3ª) As outras formas — *Vossa Eminência, Vossa Magnificência*, *Vossa Santidade*, etc. — são protocolares e se aplicam especificamente aos ocupantes dos cargos atrás indicados. Por vezes, no tratamento direto, é possível substituí-las por formas também respeitosas, mas menos solenes. A um sacerdote, por exemplo, é comum tratar-se, em lugar de *Vossa Reverência* ou *Vossa Reverendíssima*, por *o senhor*.

3. *Títulos profissionais e honoríficos*

Sistematicamente, só se empregam títulos específicos seguidos dos nomes próprios:

a) a patente dos militares:

O General Osório   O Brigadeiro Eduardo Gomes

b) os altos cargos e títulos nobiliárquicos:

O Presidente Bernardes
A Condessa Pereira Carneiro

c) o título *Dom* (escrito abreviadamente *D.*), para os membros da família imperial, para os nobres, para os monges beneditinos e para os dignitários da Igreja a partir dos bispos:

D. Pedro D. Hélder

Observe-se que, se *Dom* tem emprego restrito em português, o feminino *Dona* (também abreviado em *D.*) se aplica, em princípio, a senhoras de qualquer classe social.

De uso bastante generalizado é o título de *Doutor*. Recebem-no não só os médicos e os que defenderam tese de doutorado, mas, indiscriminadamente, todos os diplomados por escolas superiores.

Formas de tratamento da 1ª pessoa

Na linguagem coloquial, emprega-se *a gente* por *nós* e, também, por *eu*:

> *A gente* ia abaixando em silêncio, *a gente* ouvia, respeitava-os. (A. DOURADO)

e o verbo deve ficar na 3ª pessoa do singular.

Emprego dos pronomes oblíquos

Formas tônicas

Sabemos que as formas oblíquas tônicas dos pronomes pessoais vêm acompanhadas de preposição. Como pronomes, são sempre termos da oração e, de acordo com a preposição que as acompanhe, podem desempenhar as funções de:

a) **complemento nominal:**

> Tenho confiança *em ti*. (J. MONTELLO)

b) **objeto indireto:**

> A Academia reclama *de mim* sucessivas conferências. (J. MONTELLO)

c) **objeto direto** (antecedido da preposição *a* e dependente, em geral, de verbos que exprimem sentimento):

Rubião viu em duas rosas vulgares uma festa imperial, e esqueceu a sala, a mulher e *a si*. (M. DE ASSIS)

d) **agente da passiva:**

O plano de assalto à casa foi traçado *por mim*. (R. BRAGA)

e) **adjunto adverbial:**

Instamos com ele para que ficasse uns dois dias *conosco*. (M. BANDEIRA)

Observação:

Cumpre evitar-se uma incorreção muito generalizada, que consiste em dar forma oblíqua ao sujeito do verbo no infinitivo. Diga-se:

Isto não é trabalho *para eu fazer*.

e não:

Isto não é trabalho *para mim fazer*.

Tal construção viciosa não deve ser confundida com outra, em tudo legítima:

Para mim, fazer isto não é trabalho.
Para mim, não é trabalho fazer isto.

Pronomes precedidos de preposição

As formas oblíquas tônicas *mim, ti, ele (ela), nós, vós, eles (elas)* só se usam antecedidas de preposição. Assim:

Fez isto *para mim*.
Gosto *de ti*.
A ele cabe decidir.
Orai *por nós*.
Confiamos *em vós*.
Não há discordância *entre elas*.

Se o pronome oblíquo for precedido da preposição *com*, dir-se-á *comigo, contigo, conosco* e *convosco*. É regular, no entanto, a construção *com ele (com ela, com eles, com elas)*:

> Nunca se sabe quem está *conosco* ou *contra nós*.
> (E. VERISSIMO)

Normal é também o emprego de *com nós* e *com vós* quando os pronomes vêm reforçados por *outros, mesmos, próprios, todos, ambos* ou qualquer numeral:

> Terá de resolver *com nós mesmos*.
> Estava *com vós outros*.
> Saiu *com nós três*.
> Contava *com todos vós*.

Observações:

1ª) Empregam-se as formas *eu* e *tu* depois das preposições acidentais: *afora, fora, exceto, menos, salvo, segundo, tirante*, etc.:

> *Fora* minha mãe e *eu*, quase todo mundo representava em Itaporanga. (G. AMADO)
> Talvez soubessem todos, *menos eu*, simplesmente por estar de pouco na terceira classe. (R. POMPEIA)

2ª) A tradição gramatical aconselha o emprego das formas oblíquas tônicas depois da preposição *entre*:

> No jantar, Lili ficou *entre mim e ele*, o padrinho, e, coisa incrível, deu-me mais atenção que a ele. (A. PEIXOTO)

3ª) Com a preposição *até* usam-se as formas oblíquas *mim, ti*, etc.:

> Um grito do velho Zé Paulino chegou *até mim*.
> (J. L. DO REGO)

Se, porém, *até* denota inclusão, e equivale a *mesmo, também, inclusive*, constrói-se com a forma reta do pronome:

> *Até eu*, sempre discreto, como é de minha natureza, vim para fora. (J. MONTELLO)

Formas átonas

1. São formas próprias do **objeto direto**: *o, a, os, as*:

A vaidade picou-*o* de leve. (C. D. DE ANDRADE)

2. São formas próprias do **objeto indireto**: *lhe, lhes*:

Olga traz-*lhe* um café especial. (C. D. DE ANDRADE)

3. Podem empregar-se como **objeto direto** ou **indireto**: *me, te, nos* e *vos*:

Amou-*nos* com os nossos defeitos, deu-*nos* conselhos preciosos. (M. BANDEIRA)

O pronome oblíquo átono sujeito de um infinitivo

Se compararmos as duas frases:

Mandei *que ele saísse.*

Mandei-*o sair.*

verificamos que o objeto direto, exigido pela forma verbal *mandei*, é expresso:

a) na primeira, pela oração *que ele saísse*;

b) na segunda, pelo pronome seguido do infinitivo: *o sair*. E verificamos, também, que o pronome *o* está para o infinitivo *sair* como o pronome *ele* para a forma finita *saísse*, da qual é sujeito. Logo, na frase acima o pronome *o* desempenha a função de sujeito do verbo *sair*.

Construções semelhantes admitem os pronomes *me, te, nos, vos* (e o reflexivo *se*, que estudaremos à parte). Exemplos:

Deixe-*me falar.*

Fez-*nos sentar.*

Mandam-*te entrar.*

Pronome átono com valor possessivo

Os pronomes átonos que funcionam como objeto indireto (*me, te, lhe, nos, vos, lhes*) podem ser usados com sentido possessivo, principalmente quando se aplicam a partes do corpo de uma pessoa ou a objetos de seu uso particular:

> A revolta amargava-*lhe* a boca, ressecava-*lhe* os lábios, contraía-*lhe* os maxilares. (J. MONTELLO)

Valores e empregos do pronome *se*

O pronome *se* emprega-se como:

a) **objeto direto** (emprego mais comum):

> Martinho *se* trancou por dentro... (ADONIAS FILHO)

b) **objeto indireto** (emprego mais raro):

> Sofia dera-*se* pressa em tomar-lhe o braço. (M. DE ASSIS)

Entretanto, quando exprime a reciprocidade da ação, o emprego é menos raro:

> As duas miseráveis não *se* falavam. (G. ARANHA)

c) **sujeito de um infinitivo:**

> Sofia deixou-*se* *estar* à janela. (M. DE ASSIS)

d) **pronome apassivador:**

> Já não *se* via o sol. (M. PALMÉRIO)

e) **símbolo de indeterminação do sujeito** (junto à 3ª pessoa do singular de verbos intransitivos, ou de transitivos tomados intransitivamente, e ainda os transitivos indiretos):

> Discutia-*se*, gritava-*se* acenava-*se*. (A. ARINOS)

f) **palavra expletiva** (para realçar, com verbos intransitivos, a espontaneidade de uma atitude ou de um movimento do sujeito):

> Depois o vento *se* foi também... (L. JARDIM)

g) **parte integrante de certos verbos** que geralmente exprimem sentimento, ou mudança de estado: *admirar-se, arrepender-se, atrever-se, indignar-se, queixar-se; congelar-se, derreter-se,* etc.

D. Adélia *queixava-se* baixinho. (G. RAMOS)

Observação:

Em frases do tipo:

Vendem-*se* casas.

Compram-*se* móveis.

consideram-se *casas* e *móveis* os sujeitos das formas verbais *vendem* e *compram*, na voz passiva pronominal (= casas são vendidas; móveis são comprados), razão por que, no padrão formal da língua, se evita deixar o verbo no singular.

Combinações e contrações dos pronomes átonos

Quando numa mesma oração ocorrem dois pronomes átonos, um objeto direto e outro indireto, podem combinar-se, observadas as seguintes regras:

1ª) *Me, te, nos, vos, lhe* e *lhes* (formas de objeto indireto) juntam-se a *o, a, os, as* (de objeto direto), dando:

mo=me+o	ma=me+a	mos=me+os	mas=me+as
to=te+o	ta=te+a	tos=te+os	tas=te+as
lho=lhe+o	lha=lhe+a	lhos=lhe+os	lhas=lhe+as
no-lo=nos+[l]o	no-la=nos+[l]a	no-los=nos+[l]os	no-las=nos+[l]as
vo-lo=vos+[l]o	vo-la=vos+[l]a	vo-los=vos+[l]os	vo-las=vos+[l]as
lho=lhes+o	lha=lhes+a	lhos=lhes+os	lhas=lhes+as

2ª) O pronome *se* associa-se a *me, te, nos, vos, lhe* e *lhes* (e nunca a *o, a, os, as*). Na escrita, as duas formas conservam a sua autonomia, quando antepostas ao verbo, e ligam-se por hífen, quando lhe vêm pospostas:

Ofereceu-*se-lhe* depois o faustoso pórtico de outra construção ciclópica. (C. LAET)

A escadaria *se me* afigurava imensa. (P. NAVA)

3ª) As formas *me, te, nos* e *vos*, quando funcionam como objeto direto, ou quando são parte integrante dos chamados verbos pronominais, não admitem a posposição de outra forma pronominal átona. O objeto indireto assume em tais casos a forma tônica preposicionada. Assim, dir-se-á:

Recomendaram-*te a mim*. Recomendaram-*me a ti*.

e não:

Recomendaram-*te-me*. Recomendaram-*me-te*.

Observações:

1ª) As combinações *lho, lha* (equivalentes a *lhes* + *o, lhes* + *a*) e *lhos, lhas* (equivalentes a *lhes* + *os, lhes* + *as*) encontram sua explicação no fato de, na língua antiga, a forma *lhe* (sem -*s*) ser empregada tanto para o singular como para o plural. Originariamente, eram, pois, contrações em tudo normais.

2ª) No Brasil, quase não se usam as combinações *mo, to, lho, no-lo, vo-lo*, etc. Da língua corrente estão de todo banidas e, na linguagem literária, aparecem algumas vezes:

Não lhe tiro a razão, Excelência. Não, não *lha* tiro. (J. MONTELLO)

Colocação dos pronomes átonos

1. Em relação ao verbo, o pronome átono pode estar:

a) **enclítico**, isto é, depois dele:

Impressionou-*me* sua solidão. (L. CARDOSO)

b) **proclítico**, isto é, antes dele:

Dela *me* veio a grande revelação. (P. NAVA)

c) **mesoclítico**, ou seja, no meio dele, colocação que só é possível com formas do **futuro do presente** ou do **futuro do pretérito**:

Vender-se-ão calos artificiais, quase tão dolorosos como os verdadeiros. (M. DE ASSIS)

Ter-lhe-ia feito mal a comida do restaurante? (J. MONTELLO)

2. Sendo o pronome átono objeto direto ou indireto do verbo, a sua posição, na linguagem padrão, é a **ênclise**:

Andrade *olhou-o* devagar e *virou-lhe* as costas. (L. BARRETO)

Há, porém, casos em que se evita essa colocação. Examinaremos apenas os mais correntes.

Regras gerais

1. Com um só verbo

1º) Quando o verbo está no **futuro do presente** ou no **futuro do pretérito**, dá-se tão-somente a **próclise** ou a **mesóclise** do pronome:

Eu *me* calarei	Calar-*me*-ei
Eu *me* calaria	Calar-*me*-ia

2º) É, ainda, preferida a **próclise**:

a) nas orações que contêm uma palavra negativa (*não, nunca, jamais, ninguém, nada,* etc.) quando entre ela e o verbo não há pausa:

Nunca o vi tão sereno e obstinado. (C. DOS ANJOS)

b) nas orações iniciadas com pronomes e advérbios interrogativos:

Como o esquecerei? (A. F. SCHMIDT)

c) nas orações iniciadas por palavras exclamativas, bem como nas orações que exprimem desejo (optativas):

Bons olhos o vejam! exclamou. (M. DE ASSIS)

d) nas orações subordinadas desenvolvidas, ainda quando a conjunção esteja oculta:

Agora quero também *que me ajude.* (J. L. DO REGO)

— Que é que desejas *te mande* do Rio? (A. PEIXOTO)

e) com o gerúndio regido da preposição *em*:

Em se lhe dando corda, ressurgia nele o tagarela da cidade. (M. LOBATO)

3º) Não se dá a **ênclise** nem a **próclise** com os **particípios**.

Quando o **particípio** vem desacompanhado de auxiliar, usa-se sempre a forma oblíqua regida de preposição:

Dada a mim a explicação, saiu.

4º) Com os **infinitivos** soltos, mesmo quando modificados por negação, é lícita a **próclise** ou a **ênclise**, embora haja acentuada tendência para esta última colocação pronominal:

E ah! que desejo de *a tomar* nos braços... (O. BILAC)

Para *não fitá-lo*, deixei cair os olhos. (M. DE ASSIS)

A **ênclise** é mesmo de rigor quando o pronome tem a forma *o* (principalmente no feminino *a*) e o **infinitivo** vem regido da preposição *a*:

Se soubesse, não continuaria *a lê-lo.* (R. BARBOSA)

Iaiá deixou-se estar diante dela, *a fitá-la* e *a resolvê-la.* (M. DE ASSIS)

5º) Pode-se dizer que, além dos casos examinados, a língua portuguesa tende à **próclise** pronominal:

a) quando o verbo vem antecedido de certos advérbios (*bem, mal, ainda, já, sempre, só, talvez,* etc.) ou expressões adverbiais e não há pausa que os separe:

Ao despertar, *ainda as encontro* lá, *sempre se mexendo e discutindo.* (A. M. MACHADO) *b)* quando o sujeito da oração, anteposto ao verbo, contém o numeral *ambos* ou algum dos pronomes indefinidos (*todo, tudo, alguém, qualquer, outro*, etc.):

> *Ambos lhe queriam* bem, bem diferente.
> (J. L. DO REGO)
>
> *Todos* os barcos *se perdem* entre o passado e o futuro.
> (C. MEIRELES)

c) nas orações alternativas:

> Maria, *ora se atribulava, ora se abonançava.*
> (O. RIBAS)

d) quando a oração, disposta em ordem inversa, se inicia por objeto direto ou predicativo.

> *A grande notícia te dou* agora. (F. NAMORA)

6º) Observe-se por fim que, sempre que houver *pausa* entre um elemento capaz de provocar a **próclise** e o verbo, pode ocorrer a **ênclise** ou **mesóclise**:

> — *Não; dá-me* conselhos... bons conselhos, meu Luís.
> (M. DE ASSIS)
>
> *Aqui, esboçar-se-ia* uma querela sobre a essência da solidão. (C. D. DE ANDRADE)

2. Com uma locução verbal

1. Nas **locuções verbais** em que o verbo principal está no **infinitivo** ou no **gerúndio** pode dar-se:

1º) *sempre* a **ênclise** ao infinitivo ou ao gerúndio:

> O roupeiro *veio interromper-me.* (R. POMPEIA)

2º) a **próclise** ao verbo auxiliar, quando ocorrem as condições exigidas para a anteposição do pronome a um só verbo, isto é:

a) quando a locução verbal vem precedida de palavra negativa, e entre elas não há pausa:

Tempo que navegaremos
Não se pode calcular (C. MEIRELES)

b) nas orações iniciadas por pronomes ou advérbios interrogativos:

Que é que *me podia acontecer*? (G. RAMOS)

c) nas orações iniciadas por palavras exclamativas, bem como nas orações que exprimem desejo (optativas):

Como se vinha trabalhando mal!
Deus *nos há de proteger*!

d) nas orações subordinadas desenvolvidas, mesmo quando a conjunção está oculta:

O sufrágio *que me vai dar* será para mim uma consagração. (E. DA CUNHA)

Ao cabo de cinco dias, minha mãe amanheceu tão transtornada que ordenou *me mandassem buscar* ao seminário. (M. DE ASSIS)

3º) a **ênclise** ao verbo auxiliar, quando não se verificam essas condições que aconselham a **próclise**:

Ia-me esquecendo dela. (G. RAMOS)

2. Quando o verbo principal está no **particípio**, o pronome átono não pode vir depois dele. Virá, então, **proclítico** ou **enclítico** ao verbo auxiliar, de acordo com as normas expostas para os verbos na forma simples:

Arrependa-se do que me disse, e *tudo lhe será perdoado*. (M. DE ASSIS)

Gostaria de *tê-la percorrido* com alguém a meu lado... (M. BANDEIRA)

Observação:

A colocação dos pronomes átonos na linguagem coloquial do Brasil tende à próclise. Podem-se considerar como características do português do Brasil:

a) a possibilidade de se iniciarem frases com tais pronomes, especialmente com a forma *me*:

— *Me desculpe* se falei demais. (E. VERISSIMO)

b) a preferência pela próclise nas orações absolutas, principais e coordenadas não iniciadas por palavra que exija ou aconselhe tal colocação:

A cozinha *me pareceu* diferente. (R. BRAGA)

— Se Vossa Reverendíssima me permite, *eu me sento* na rede. (J. MONTELLO)

c) a próclise ao verbo principal nas locuções verbais:

— Será que o pai *não ia se dar* ao respeito? (A. DOURADO)

Pronomes pessoais, possessivos e demonstrativos

Estreitamente relacionados com os pronomes pessoais estão os *pronomes possessivos* e os *demonstrativos*.

Os *pronomes pessoais*, vimos, denotam as pessoas gramaticais; os outros dois indicam algo determinado por elas:

a) os *possessivos*, o que lhes cabe ou pertence;

b) os *demonstrativos*, o que delas se aproxima ou se distancia no espaço e no tempo.

Podemos, assim, estabelecer estas correspondências prévias:

	1ª PESSOA	2ª PESSOA	3ª PESSOA
PRONOME PESSOAL	eu	tu	ele
PRONOME POSSESSIVO	meu	teu	seu
PRONOME DEMONSTRATIVO	este	esse	aquele

Pronomes Possessivos

Os **pronomes possessivos** acrescentam à noção de pessoa gramatical uma ideia de posse. São, de regra, pronomes adjetivos, equivalentes a um adjunto adnominal antecedido da preposição *de (de mim, de ti, de nós, de vós, de si)*, mas podem empregar-se como pronomes substantivos:

> *Meu livro* é este.
> Este livro é o *meu*.
> Sempre com *suas histórias*!
> Fazer das *suas*.

Formas dos pronomes possessivos

Os **pronomes possessivos** apresentam três séries de formas, correspondentes à pessoa a que se referem. Em cada série, estas formas variam de acordo com o gênero e o número da coisa possuída e com o número de pessoas representadas no possuidor.

		UM POSSUIDOR		VÁRIOS POSSUIDORES	
		UM OBJETO	VÁRIOS OBJETOS	UM OBJETO	VÁRIOS OBJETOS
1ª PESSOA	MASC.	meu	meus	nosso	nossos
	FEM.	minha	minhas	nossa	nossas
2ª PESSOA	MASC.	teu	teus	vosso	vossos
	FEM.	tua	tuas	vossa	vossas
3ª PESSOA	MASC.	seu	seus	seu	seus
	FEM.	sua	suas	sua	suas

Concordância do pronome possessivo

1. O **pronome possessivo** concorda em gênero e número com o substantivo que designa o objeto possuído; e em pessoa, com o possuidor do objeto em causa:

> Pensava em ti. Ante *meus olhos* ávidos
> *tua imagem* sorria. (A. DE OLIVEIRA)

2. Quando um só **possessivo** determina mais de um substantivo, concorda com o que lhe esteja mais próximo:

> Rubião estacara o passo; ela pôde vê-lo bem, com *seus gestos e palavras*, o peito alto, e uma barretada que deu em volta. (M. DE ASSIS)

Posição do pronome adjetivo possessivo

O **pronome adjetivo possessivo** precede normalmente o substantivo que determina, como nos mostram os exemplos até aqui citados. Pode, no entanto, vir posposto ao substantivo:

1º) quando este vem desacompanhado do artigo definido:

> Soube por José Veríssimo que estranhou a ausência de *cartas minhas*. (E. DA CUNHA)

2º) quando o substantivo já está determinado (pelo artigo indefinido ou por numeral, por pronome demonstrativo ou por pronome indefinido):

> Recebi, no Rio, no dia da posse no Instituto *um telegrama seu*, de felicitações... (E. DA CUNHA)

3º) nas interrogações diretas:

> Onde estais, *cuidados meus*? (M. BANDEIRA)

4º) quando há ênfase:

> Perdão para os *crimes meus*!... (CASTRO ALVES)

Emprego ambíguo do possessivo de 3ª pessoa

As formas *seu, sua, seus, suas* aplicam-se indiferentemente ao possuidor da 3ª pessoa do singular ou da 3ª pessoa do plural, seja este possuidor masculino ou feminino.

O fato de o possessivo concordar unicamente com o substantivo denotador do objeto possuído provoca, não raro, dúvida a respeito do possuidor.

Para evitar qualquer ambiguidade, o português nos oferece o recurso de precisar a pessoa do possuidor com a substituição de *seu(s), sua(s)* pelas formas *dele(s), dela(s), de você, do senhor* e outras expressões de tratamento. Por exemplo, a frase:

> Em encontro com Rosa, José fez comentários sobre *os seus exames.*

tem um enunciado ambíguo: os comentários de José podem ter sido feitos sobre os exames de Rosa; ou sobre os exames dele, José; ou, ainda, sobre os exames de ambos. Assim sendo, o locutor deverá expressar-se, conforme a sua intenção:

> Em encontro com Rosa, José fez comentários sobre *os exames dela* (ou *dele* ou *deles*).

Reforço dos possessivos

O valor possessivo destes pronomes nem sempre é suficientemente forte. Quando há necessidade de realçar a ideia de posse — quer visando à clareza, quer à ênfase —, costuma-se reforçá-los:

a) com a palavra *próprio* ou *mesmo*:

> Era ela mesma; eram os *seus mesmos braços.*
> (M. DE ASSIS)

b) com as expressões *dele*(*s*), *dela*(*s*), no caso do possessivo da 3ª pessoa:

> Montaigne explica pelo *seu* modo *dele* a variedade deste livro. (M. DE ASSIS)

Valores dos possessivos

O pronome possessivo não exprime sempre uma relação de posse ou pertinência, real ou figurada. Na língua moderna, tem ele assumido múltiplos valores, por vezes bem distanciados daquele sentido originário.

Mencione-se o seu emprego:

a) como indefinido:

> A senhora há de ter tido *seus apertos* de dinheiro, disse Rubião. (M. DE ASSIS)

b) para indicar aproximação numérica:

Entrou uma mulherzinha de *seus quarenta anos*, decidida e de passo firme. (F. SABINO)

c) para designar um hábito:

Era lindo o bicho, com *sua calma* de passarinho manso. (R. BRAGA)

Valores afetivos

1. Variados são os matizes afetivos expressos pelos possessivos. Servem, por vezes, para acentuar um sentimento:

a) de deferência, de respeito, de polidez:

— Não posso deixá-lo um instante, *meu Fidalgo*. (A. ARINOS)

b) de intimidade, de amizade:

— Dispõe de mim, *meu velho*, estou às suas ordens, bem sabes. (A. AZEVEDO)

c) de simpatia, de interesse (com referência a personagem de uma narrativa, a autor de leitura frequente, a clubes ou associações de que seja sócio ou aficionado, etc.):

— Não sei para onde vou mandar o *meu herói*... — disse com um falso sorriso. (E. VERISSIMO)

d) de ironia, de malícia, de sarcasmo:

Na mesa do major jantei o *meu frango*, comi *a minha boa posta de robalo*, trabalho que afundou em mais de duas horas. (J. C. DE CARVALHO)

Observe-se que, nos dois últimos casos, o possessivo vem normalmente acompanhado do artigo definido.

2. De acentuado caráter afetivo é também a construção em que uma forma feminina plural do pronome completa a

expressão *fazer* (ou *dizer*) *das* = praticar uma ação ou dizer algo particular, geralmente passível de crítica:

> — Você andou por aí *fazendo das suas*.
>
> (J. LINS DO REGO)

Nosso de modéstia e de majestade

Paralelamente ao emprego do pronome pessoal *nós* por *eu* nas fórmulas de modéstia e de majestade que estudamos, aparece o do possessivo *nosso*(*a*) por *meu* (*minha*).

Comparem-se estes exemplos:

a) de modéstia:

> Este livro nada mais pretende ser do que um pequeno ensaio. Foi *nosso escopo* encontrar apoio na história do Brasil, na formação e crescimento da sociedade brasileira, para colocar a língua no seu verdadeiro lugar: expressão da sociedade, inseparável da história da civilização. (S. DA SILVA NETO)

b) de majestade:

> Mandamos que os ciganos, assi homens como mulheres, nem outras pessoas, de qualquer nação que sejam, que com eles andarem, não entrem em *nossos Reinos e Senhorios*. (Ordenações Filipinas, livro V, título 69.)

Vosso de cerimônia

O uso do pronome pessoal *vós* como tratamento cerimonioso aplicado a um indivíduo ou a um auditório qualificado leva, naturalmente, a igual emprego do POSSESSIVO *vosso*(*a*). Exemplos:

> Levareis, Senhores Delegados, aos *vossos Governos*, à *vossa Pátria*, estas declarações que são a expressão sincera dos sentimentos do Governo e do Povo Brasileiro. (BARÃO DO RIO BRANCO)

Substantivação dos possessivos

Os POSSESSIVOS, quando substantivados, designam:

a) no singular, o que pertence a uma pessoa:

A rapariga não tinha um minuto *de seu*. (A. RANGEL)

b) no plural, os parentes de alguém, seus companheiros, compatriotas ou correligionários:

Peço-lhe que não desampare *os meus*. (M. DE ASSIS)

Emprego do possessivo pelo pronome oblíquo tônico

Em certas locuções prepositivas, o pronome oblíquo tônico, que deve seguir a preposição e com ela formar um complemento nominal do substantivo anterior, é normalmente substituído pelo **pronome possessivo** correspondente. Assim:

em frente *de ti* = em *tua* frente
ao lado *de mim* = ao *meu* lado
em favor *de nós* = em *nosso* favor
por causa *de você* = por *sua* causa

PRONOMES DEMONSTRATIVOS

1. Os **pronomes demonstrativos** situam a pessoa ou a coisa designada relativamente às pessoas gramaticais. Podem situá-la no *espaço* ou no *tempo*:

Vivi; pois Deus me guardava
Para *este lugar* e *hora*! (G. DIAS)

A capacidade de mostrar um objeto sem nomeá-lo, a chamada **função dêitica**, é a que caracteriza fundamentalmente esta classe de pronomes.

2. Mas os **demonstrativos** empregam-se também para lembrar ao ouvinte ou ao leitor *o que já foi mencionado ou o que se vai mencionar*:

> A ternura não embarga a discrição nem *esta* diminui *aquela*. (M. DE ASSIS)

É a sua **função anafórica**.

Formas dos pronomes demonstrativos

1. Os **pronomes demonstrativos** apresentam formas variáveis e formas invariáveis, ou neutras:

VARIÁVEIS				INVARIÁVEIS
MASCULINO		FEMININO		
este	estes	esta	estas	isto
esse	esses	essa	essas	isso
aquele	aqueles	aquela	aquelas	aquilo

2. As formas variáveis (*este, esse, aquele*, etc.) podem funcionar como pronomes adjetivos e como pronomes substantivos:

> *Este* livro é meu.
> Meu livro é *este*.

3. As formas invariáveis (*isto, isso, aquilo*) são sempre pronomes substantivos.

4. Estes **demonstrativos** combinam-se com as preposições *de* e *em*, tomando as formas: *deste, desta, disto; neste, nesta, nisto; desse, dessa, disso; nesse, nessa, nisso; daquele, daquela, daquilo; naquele, naquela, naquilo.*

Aquele, aquela e *aquilo* contraem-se ainda com a preposição *a*, dando: *àquele, àquela* e *àquilo*.

5. Podem também ser **demonstrativos** *o (a, os, as), mesmo, próprio, semelhante* e *tal*, como veremos adiante.

Valores gerais

Considerando-os nas suas relações com as pessoas do discurso, podemos estabelecer as seguintes características gerais para os **pronomes demonstrativos**:

1º) *Este, esta* e *isto* indicam:

a) o que está perto da pessoa que fala:

As mãos que trago, as mãos são *estas*. (C. MEIRELES)

b) o tempo presente em relação à pessoa que fala:

Ó tristeza sem fim *deste dia* de agosto! (G. DE ALMEIDA)

2º) *Esse, essa* e *isso* designam:

a) o que está perto da pessoa a quem se fala:

— Que susto você me pregou, entrando aqui com *essa cara* de alma do outro mundo! (C. DOS ANJOS)

b) o tempo passado ou futuro com relação à época em que se coloca a pessoa que fala:

Desses longes imaginados, *dessas expectativas* de sonho, passava ele ao exame da situação da Europa em geral e da Alemanha em particular. (G. AMADO)

3º) *Aquele, aquela* e *aquilo* denotam:

a) o que está afastado tanto da pessoa que fala como da pessoa a quem se fala:

Por que latem *aqueles cães* lá longe? (R. COUTO)

b) um afastamento no tempo de modo vago, ou uma época remota:

Por que acordaste *naquela hora* morta?
(G. DE ALMEIDA)

Naquele tempo não existia o Dia do Papai.
(C. D. DE ANDRADE)

Outros empregos

1. *Este (esta, isto)* é a forma de que nos servimos para chamar a atenção sobre aquilo que dissemos ou que vamos dizer:

> Dizendo *isto*, Jorge entrou a falar de suas esperanças e futuros. (M. DE ASSIS)

2. Para aludirmos ao que por nós foi antes mencionado, costumamos usar também o demonstrativo *esse (essa, isso)*:

> Não se falava porém mais entre eles da matéria sentimental; *esse* capítulo estava cancelado.
> (J. DE ALENCAR)

3. *Esse (essa, isso)* é a forma que empregamos quando nos referimos ao que foi dito por nosso interlocutor:

> — Vamos brincar de bandido?
> — Aqui ninguém conhece *esse brinquedo* não, respondeu Sira. (G. RAMOS)

4. Tradicionalmente, usa-se *nisto* no sentido de *então, nesse momento*:

> *Nisto* ouviu um ranger de botinhas no corredor.
> (J. MONTELLO)

5. Em certas expressões o uso fixou determinada forma do demonstrativo, nem sempre de acordo com o seu sentido básico. É o caso das locuções: *além disso, isto é, isto de, por isso* (raramente *por isto*), *nem por isso*:

> Li, *isto é*, folheei, os três pesados volumes da Academia e não encontrei rasto da grande, da encomiada fênix dos engenhos. (J. RIBEIRO)

Posição do pronome adjetivo demonstrativo

1. O demonstrativo, quando pronome adjetivo, precede normalmente o substantivo que determina:

> Mas sinto-me sorrir de ver *esse sorriso.*
> Que me penetra bem, como *este sol de inverno.*
> (C. PESSANHA)

2. Pode, no entanto, vir posposto ao substantivo para melhor especificar o que se disse anteriormente:

> Lia eu traduções de romances franceses, em edições populares vindas de Portugal, *edições essas* que nunca mais vi. (A. F. SCHMIDT)

3. Usa-se para determinar o aposto, precedendo-o, geralmente quando este salienta uma característica marcante da pessoa ou do objeto:

> Acudiu à memória de Rubião que o Freitas — *aquele Freitas tão alegre* — estava gravemente enfermo. (M. DE ASSIS)

4. *Esse* (e mais raramente *este*) emprega-se também para pôr em relevo um substantivo que lhe venha anteposto:

> O sacrificador, *esse*, ficara rondando por aí. (C. D. DE ANDRADE)
>
> Ricardo, *este*, fora ferido mais gravemente. (L. BARRETO)

Alusão a termos precedentes

1. Quando queremos aludir, discriminadamente, a termos já mencionados, servimo-nos do demonstrativo *aquele* para o referido em primeiro lugar, e do demonstrativo *este* para o que foi nomeado por último:

> "O certo é que um e outro são inseparáveis, ou antes, *este* determina *aquele*." (C. D. DE ANDRADE)

2. Observe-se também a ocorrência de dois demonstrativos em construções nas quais o predicativo do sujeito introduzido por *aquele* melhor esclarece o sujeito, expresso por um substantivo determinado por *este* ou *esse*.

> Mas *esses* atos são justamente *aqueles* que os psiquiatras designam como características de qualquer perturbação mental. (T. BARRETO)

Reforço dos demonstrativos

Quando, por motivo de clareza ou de ênfase, queremos precisar a situação das pessoas ou das coisas a que nos referimos, usamos acompanhar o demonstrativo de algum gesto indicador, ou reforçá-lo:

a) com os advérbios *aqui*, *aí*, *ali*, *cá*, *lá*, *acolá*:

— Espera aí. *Este aqui* já pagou. Agora vocês é que vão engolir tudo, se maltratarem este rapaz. (C. D. DE ANDRADE)

b) com as palavras *mesmo* e *próprio*:

— Recusei. Não sei se fiz bem.
— É por causa da mulher.
— *Isso mesmo.* (O. LINS)

Valores afetivos

1. Os demonstrativos reúnem o sentido de atualização ao de determinação. São verdadeiros "gestos verbais", acompanhados em geral de entoação particular e, não raro, de gestos físicos.

A capacidade de fazerem aproximar ou distanciar no espaço e no tempo as pessoas e as coisas a que se referem permite a estes pronomes expressarem variados matizes afetivos, em especial os irônicos.

2. Nos exemplos a seguir, servem para intensificar, de acordo com a entoação e o contexto, os sentimentos de:

a) surpresa, espanto:

— Essa agora! (J. DE SENA)

b) admiração, apreço:

Nunca pensei que houvesse homens com *aquela* coragem. (J. LINS DO REGO) *c)* indignação:

Foi *isto*, meu senhor, foi *esta* praga *daquele* maldito. (M. DE ASSIS)

d) pena, comiseração:

Aquela mulher, flor de poesia, era agora *aquilo*. (A. M. MACHADO)

e) ironia, malícia:

— *Este* Brás! *Este* Brás! Não lhes digo nada! (A. DE A. MACHADO)

f) sarcasmo, desprezo:

— Depois transformaram a senhora *nisso*, D. Adélia. Um trapo, uma velha sem-vergonha. (G. RAMOS)

3. Digno de nota é o acentuado valor irônico, por vezes fortemente depreciativo, dos neutros *isto*, *isso* e *aquilo*, quando aplicados a pessoas, como nestes passos:

Ninguém sabe onde ele anda, Seu Coronel! *Aquilo* é um desgraçado. (J. LINS DO REGO)

Mas, pelos contrastes que não raro se observam nos empregos afetivos, podem esses demonstrativos expressar também alto apreço por determinada pessoa:

— Bonita mulher. Como *aquilo* vê-se pouco. Ele teve sorte. (C. SOROMENHO)

4. As formas femininas *esta* e *essa* fixaram-se em construções elípticas do tipo:

Ora *essa*!	*Essa* é boa!
Essa, não!	*Essa* cá me fica!
Mais *esta*!...	*Esta* é fina!

O, a, os, as como demonstrativo

O demonstrativo *o (a, os, as)* é sempre pronome substantivo e emprega-se nos seguintes casos:

a) quando vem determinado por uma oração ou, mais raramente, por uma expressão adjetiva, e tem o significado de *aquele(s), aquela(s), aquilo*:

Os passarinhos daqui
Não cantam como *os* de lá. (O. DE ANDRADE)

b) quando, no singular masculino, equivale a *isto, isso, aquilo*, e exerce as funções de objeto direto ou de predicativo, referindo-se a um substantivo, a um adjetivo, ao sentido geral de uma frase ou de um termo dela:

Só ele *o* sabia ao certo. (A. ARINOS)

São mulheres desgraçadas...
Como Agar *o* foi também. (C. ALVES)

Substitutos dos pronomes demonstrativos

Podem também funcionar como **demonstrativos** as palavras *tal, mesmo, próprio* e *semelhante*.

1. *Tal* é demonstrativo quando sinônimo:

a) de *este, esta, isto, esse, essa, isso, aquele, aquela, aquilo*:

Umas vezes *tais gaiolas*
vão penduradas nos muros. (J. C. DE MELO NETO)

b) de *semelhante*:

Houve tudo quanto se faz em *tais* ocasiões. (M. DE ASSIS)

2. *Mesmo* e *próprio* são demonstrativos quando têm o sentido de *exato, idêntico* ou de *em pessoa*:

— Foi a *própria* Carmélia quem me fez o convite. (C. DOS ANJOS)

3. *Semelhante* serve de demonstrativo de identidade:

Ele, Fabiano, espremendo os miolos, não diria *semelhante* frase. (G. RAMOS)

PRONOMES RELATIVOS

São assim chamados porque se referem, em geral, a um termo anterior — o **antecedente**.

Formas dos pronomes relativos

1. Os **pronomes relativos** apresentam:

a) formas variáveis e invariáveis

VARIÁVEIS				INVARIÁVEIS
MASCULINO		FEMININO		
o qual	os quais	a qual	as quais	que
cujo	cujos	cuja	cujas	quem
quanto	quantos	—	quantas	onde

b) formas simples: *que, quem, cujo, quanto* e *onde*;

c) forma composta: *o qual.*

2. Antecedido das preposições *a* e *de*, o pronome *onde* com elas se aglutina, produzindo as formas *aonde* e *donde.*

Natureza do antecedente

O **antecedente** do **pronome relativo** pode ser:

a) um **substantivo**:

> Deem-me as *cigarras que* eu ouvi menino.
> (M. BANDEIRA)

b) um **adjetivo**:

> As opiniões têm como as frutas o seu tempo de madureza em que se tornam doces de *azedas* ou *adstringentes que* dantes eram. (MARQUÊS DE MARICÁ)

c) um **pronome**:

> *O que* aconteceu à noite foi maravilhoso.
> (C. D. DE ANDRADE)

d) um **advérbio**:

Aí, *aqui onde* estou,
no gancho do carvalho,
javali me comeu
e só resta de mim
este grito de horror. (C. D. DE ANDRADE)

e) uma **oração** (em regra resumida pelo demonstrativo *o*):

Acomodar-se-iam num sítio pequeno, *o que* parecia difícil a Fabiano, criado solto no mato. (G. RAMOS)

Função sintática dos pronomes relativos

Os **pronomes relativos** assumem um duplo papel no período por representarem um determinado antecedente e servirem de elo subordinante da oração que iniciam. Por isso, ao contrário das conjunções, que são meros conectivos, e não exercem nenhuma função interna nas orações por elas introduzidas, estes pronomes desempenham sempre uma função sintática nas orações a que pertencem. Podem ser:

1. **Sujeito**:

Quero ver do alto o horizonte,
Que foge sempre de mim. (O. MARIANO)
[*que* = sujeito de *foge*].

2. **Objeto direto**:

De novo concentrou a atenção no *que* a amiga lhe dizia. (E. VERISSIMO)
[*que* = objeto direto de *dizia*].

3. **Objeto indireto**:

Eu aguardava com uma ansiedade medonha esta cheia *de que* tanto se falava. (J. L. DO REGO)
[*de que* = objeto indireto de *falava*].

4. **Predicativo**:

Reduze-me ao pó *que* fui. (C. MEIRELES)
[*que* = predicativo do sujeito *eu*, oculto].

5. **Adjunto adnominal**:

Um dia entrei num desses esconderijos subterrâneos a *cuja* entrada eles às vezes semeiam víboras vivas... (E. VERISSIMO)

[*cuja* = adjunto adnominal de *entrada*].

6. **Complemento nominal**:

Foi o último milagre da Penha *de que* tive notícia. (V. DE MORAES)

[*de que* = complemento nominal de *notícia*].

7. **Adjunto adverbial**:

Entrava-se de barco pelo corredor da velha casa de cômodos *onde* eu morava. (M. QUINTANA)

[*onde* = adjunto adverbial de *morava*].

8. **Agente da passiva**:

Este é o ministro *por quem* fui nomeado.

[*por quem* = agente da passiva do verbo *nomear*].

Observação:

Note-se que o **relativo** *cujo* funciona sempre como adjunto adnominal e o **relativo** *onde*, apenas como adjunto adverbial.

Valores e empregos dos relativos

Que

1. *Que* é o **relativo** básico. Usa-se com referência a pessoa ou coisa, no singular ou no plural, e pode iniciar orações:

a) **adjetivas restritivas**:

Os amigos *que me restam* são de data recente. (M. DE ASSIS)

b) **adjetivas explicativas**

O ministro, *que acabava de jantar*, fumava calado e pacífico. (M. DE ASSIS)

2. Por vezes, o antecedente de *que* está subentendido:

> Esta palavra doeu-me muito, e não achei logo *que* lhe replicasse. (M. DE ASSIS)

isto é, *palavra* (aquilo, o) que lhe replicasse.

Qual, o qual

1. Nas orações adjetivas explicativas, o pronome *que*, com antecedente substantivo, pode ser substituído por *o qual (a qual, os quais, as quais)*:

> Durante o seu domínio, todavia, acentua-se a evolução do latim vulgar, falado na península, *o qual* vinha de há muito diversificando-se em dialetos vários. (J. CORTESÃO)

2. Esta substituição pode ser um recurso de estilo, isto é, pode ser aconselhada pela clareza, pela eufonia, pelo ritmo do enunciado. Mas há casos em que a língua prefere o emprego da forma *o qual*.

Precisando melhor:

a) o relativo *que* emprega-se, preferentemente, depois das preposições monossilábicas *a, com, de, em* e *por*:

> A noitinha *em que* nos encontramos e *em que* eu colhi os ramos de murta foi seguida do jantar, *a que* ela compareceu. (A. PEIXOTO)

b) as demais preposições simples, essenciais ou acidentais, bem como as locuções prepositivas, constroem-se, obrigatória ou predominantemente, com o pronome *o qual*:

> É uma velha mesa esta *sobre a qual* bato hoje a minha crônica. (V. DE MORAES)

c) o qual é também a forma usada como partitivo após certos indefinidos, numerais e superlativos:

> O bloqueio do oceano distribuiu-se por três esquadras *duas das quais* dividiram entre si o litoral do Atlântico. (R. BARBOSA)

Quem

Só se emprega com referência a pessoa ou alguma coisa personificada e vem sempre antecedido de preposição:

> Há um amigo meu *a quem* apelidaram "Mal Necessário". (V. MORAES)

Cujo

É equivalente pelo sentido a *do qual, de quem, de que.* Emprega-se apenas como pronome adjetivo, referindo-se a um termo antecedente (o possuidor) e a um consequente (a coisa possuída). Concorda em gênero e número com o termo consequente.

> Herculano é para mim, nas letras, depois de Camões, a figura em *cujo* espírito e em *cuja* obra sinto com plenitude o gênio heroico de Portugal. (G. AMADO)

Quanto

Quanto, como simples relativo, tem por antecedente os pronomes indefinidos *tudo, todos* (ou *todas*). Daí o seu valor também indefinido:

> Soprava dum lado, do outro, e tudo *quanto* foi de garrancho e folha seca se juntou num canto só. (L. JARDIM)

Onde

1. Como desempenha normalmente a função de adjunto adverbial (= o lugar em que, no qual), *onde* costuma ser considerado por alguns gramáticos **advérbio relativo**:

> A casinha em que morei no Curvelo (e *onde* depois morou Raquel de Queirós) foi posta abaixo. (M. BANDEIRA)

2. Embora a ponderável razão de maior clareza idiomática justifique o contraste que a disciplina gramatical procura estabelecer, na língua culta contemporânea, entre *onde* (= o lugar em que) e *aonde* (= o lugar a que), cumpre ressaltar

que esta distinção, praticamente anulada na linguagem coloquial, nunca foi rigorosa nos clássicos.

Não é, pois, de estranhar o emprego de uma forma por outra em passos como os seguintes:

> Vela ao entrares no porto
> *Aonde* o gigante está! (F. VARELA)
> Espiando-se no pendor dos boqueirões profundos, /
> *Onde* vinham ruir com fragor as cascatas.
> (O. BILAC)

PRONOMES INTERROGATIVOS

1. Chamam-se **interrogativos** os pronomes *que, quem, qual* e *quanto*, empregados para formular uma pergunta direta ou indireta:

> *Que* trabalho estão fazendo?
> *Quem* disse tal coisa?
> *Qual* dos livros preferes?
> *Quantos* passageiros desembarcaram?
> Diga-me *que* trabalho estão fazendo.
> Ignoramos *quem* disse tal coisa.
> Não sei *qual* dos livros preferes.
> Pergunte *quantos* passageiros desembarcaram.

2. Os pronomes interrogativos estão estreitamente ligados aos pronomes indefinidos. Em uns e outros a significação é indeterminada, embora no caso do interrogativo a resposta, em geral, venha esclarecer o que foi perguntado.

Flexão dos interrogativos

Os **interrogativos** *que* e *quem* são invariáveis. *Qual* flexiona-se em número (*qual* — *quais*); *quanto*, em gênero e em número *(quanto* — *quanta* — *quantos* — *quantas).*

Valor e emprego dos interrogativos

Que

1. O **interrogativo** *que* pode ser:

a) pronome substantivo, quando significa "que coisa":

> *Que* teria havido naquela tarde? (O. LINS)

b) pronome adjetivo, quando significa "que espécie de", e neste caso refere-se a pessoas ou a coisas:

> *Que* história é aquela? (G. RAMOS)

2. Para dar maior ênfase à pergunta, em lugar de *que* pronome substantivo, usa-se *o que*, ou, com reforço, *que é que, o que é que* e *que é o que*:

> *O que* quer dizer isto, praça? (J. L. DO REGO)
> — *Que é que* o senhor está fazendo? (C. LISPECTOR)

Quem

1. O **interrogativo** *quem* é pronome substantivo e refere-se apenas a pessoas ou a algo personificado:

> *Quem* não a canta? *Quem*? *Quem* não a canta e sente? (J. DE LIMA)

2. Em orações com o verbo *ser*, pode servir de predicativo a um sujeito no plural:

> Sabem, acaso, os vultos, *quem* vão sendo? (C. MEIRELES)

Qual

1. O **interrogativo** *qual* tem valor seletivo e pode referir-se tanto a pessoas como a coisas. Usa-se geralmente como pronome adjetivo, mas nem sempre com o substantivo contíguo. Nas perguntas feitas com o verbo *ser*, costuma-se empregar o verbo depois de *qual*:

> *Qual* foi o entendimento que não chegamos a ter? [= *Qual* entendimento foi o que não chegamos a ter?] (A. DE CAMPOS)

2. A ideia seletiva pode ser reforçada pelo emprego da expressão *qual dos, (das* ou *de)* anteposta ao substantivo ou a pronome no plural:

Qual de nós poderia gabar-se de conhecer espinafre? (C. D. DE ANDRADE)

Quanto

O **interrogativo** *quanto* é um quantitativo indefinido. Refere-se a pessoas e coisas e usa-se quer como pronome substantivo, quer como pronome adjetivo:

Quanto é que o senhor oferece? (R. BRAGA)

Quantos livros já publicou? (C. D. DE ANDRADE)

Pronomes Indefinidos

Chamam-se **indefinidos** os pronomes que se aplicam à 3ª pessoa gramatical, quando considerada de um modo vago e indeterminado.

Formas dos pronomes indefinidos

Os **pronomes indefinidos** apresentam formas variáveis e invariáveis:

VARIÁVEIS				INVARIÁVEIS
MASCULINO		FEMININO		
algum	alguns	alguma	algumas	alguém
nenhum	nenhuns	nenhuma	nenhumas	ninguém
todo	todos	toda	todas	tudo
outro	outros	outra	outras	outrem
muito	muitos	muita	muitas	nada
pouco	poucos	pouca	poucas	cada
certo	certos	certa	certas	algo
vário	vários	vária	várias	
tanto	tantos	tanta	tantas	
quanto	quantos	quanta	quantas	
qualquer	quaisquer	qualquer	quaisquer	

Locuções pronominais indefinidas

Dá-se o nome de **locuções pronominais indefinidas** aos grupos de palavras que equivalem a **pronomes indefinidos**: *cada um, cada qual, quem quer que, todo aquele que, seja quem for, seja qual for*, etc.

Pronomes indefinidos substantivos e adjetivos

1. Os **indefinidos** *alguém, ninguém, outrem, algo, nada* e *tudo* só se usam como **pronomes substantivos**:

> *Alguém* batia palmas insistentes na varanda.
> (O. L. RESENDE)
> Que *outrem* melhor fará o louvor de lira emudecida?
> (M. BANDEIRA)

2. Os demais são **pronomes adjetivos** que, em certos casos, podem funcionar como **pronomes substantivos**:

> *Muitos* alunos prestaram exame, mas *poucos* foram aprovados.

3. *Certo* apenas se usa como **pronome adjetivo**:

> Em *certo ponto* a água cobria um homem.

4. Também os **indefinidos** *cada* e *qualquer* devem sempre vir acompanhados de substantivo, pronome ou numeral cardinal:

> Está *cada qual* como Deus o fez. (G. RAMOS)
> Certas palavras não podem ser ditas em *qualquer lugar*. (C.D. DE ANDRADE)

Valores de alguns indefinidos

Algum e nenhum

1. Anteposto a um substantivo, *algum* tem valor positivo. É o contrário de *nenhum*:

> A saudade do paraíso perdido ainda plange em *alguns corações*. (G. AMADO)

2. Posposto a um substantivo, *algum* assumiu, na língua moderna, significação negativa, mais forte do que a expressa por *nenhum*. Em geral, o **indefinido** adquire este valor em frases onde já existem formas negativas, como *não*, *nem*, *sem*:

> Não escreveu, que eu saiba, *livro algum*. (A. F. SCHMIDT)

3. Reforçado por negativa, *nenhum* pode equivaler ao indefinido *um*:

> Eu, Marília, *não* fui *nenhum* vaqueiro
> Fui honrado pastor da tua aldeia. (T. A. GONZAGA)

Cada

1. Deve-se empregar o indefinido *cada* apenas como **pronome adjetivo**. Quando falta o substantivo, usa-se *cada um* (*uma*), *cada qual*:

> *Cada qual* sabe de sua vida. (J. AMADO)

2. *Cada* pode preceder um numeral cardinal para indicar discriminação entre unidades, ou entre grupos ou séries de unidades:

> De *cada dúzia* de ovos que vendia, a metade era lucro.

3. Tem acentuado valor intensivo em frases do tipo:

> Você tem *cada uma*! (G. RAMOS)

Certo

1. *Certo* é pronome indefinido quando anteposto a um substantivo. Caracteriza-o a capacidade de particularizar o ser expresso pelo substantivo, distinguindo-o dos outros da espécie, mas sem identificá-lo. Dispensa, em geral, o artigo

indefinido. A presença deste torna a expressão menos vaga e dá-lhe um matiz afetivo:

> No rostinho enrugado e emurchecido, havia ainda uma *certa graça e vivacidade* de menina.
> (E. VERISSIMO)

2. É adjetivo, com o significado de *seguro*, *verdadeiro*, *fiel*, *constante*:

a) quando posposto ao substantivo:

> — *Idade certa* não sei. (G. FRANÇA DE LIMA)

b) quando anteposto ao substantivo, mas precedido de palavra que exprima gradação:

> *Mais certo amigo* é João de que Pedro, *tão certo amigo* é João como Paulo. (S. DA SILVEIRA)

Nada

1. *Nada* significa *nenhuma coisa*, mas equivale a *alguma coisa* em frases interrogativas negativas do tipo:

> De tempos em tempos aparecia, perguntava se eu não queria *nada*. (M. DE ANDRADE)

2. Junto a um adjetivo ou a um verbo intransitivo pode ter força adverbial:

> Aquele menino não é *nada tolo*.
> O cavalo não *correu nada*.

Outro

1. Cumpre distinguir as expressões:

a) outro dia, ou *o outro dia* = um dia passado mas próximo:

> — *Outro dia* fui à casa do Sebastião e lá aceitei um café. (C. D. DE ANDRADE)

b) no outro dia, ou *ao outro dia* = no dia seguinte:

No outro dia, de volta do campo, encontrei no alpendre João Nogueira, Padilha e Azevedo Gondim. (G. RAMOS)

Ao outro dia, Jorge madrugou na tapera dos cajueiros. (A. PEIXOTO)

2. Em expressões denotadoras de reciprocidade, como *um ao outro*, *um do outro*, *um para o outro*, conserva-se em geral a forma masculina, ainda que aplicada a indivíduos de sexos diferentes:

Compreendi que um vínculo de simpatia moral nos ligava *um ao outro*; com a diferença que o que era em mim paixão específica, era nela uma simples eleição de caráter. (M. DE ASSIS)

3. *Outro* pode empregar-se como adjetivo na acepção de diferente, mudado, novo:

Teria hoje *outra* visão. (T. M. MOREIRA)

Qualquer

Tem por vezes sentido pejorativo, particularmente quando precedido de artigo indefinido:

— Júlio, se eu te falo assim é porque não te vejo como *um qualquer*. (J. L. DO REGO)

A tonalidade depreciativa torna-se mais forte se o indefinido vem posposto a um nome de pessoa:

Hoje é isto que o senhor vê: *um Pestana qualquer* acha-se com o direito de ser deputado. (J. L. DO REGO)

Todo

1. No singular e posposto ao substantivo, *todo* indica a totalidade das partes:

O conflito acordou *o colégio todo*. (G. AMADO)

2. No plural, anteposto ou não, designa a totalidade numérica:

> *Todos os barcos* se perdem,
> Entre o passado e o futuro. (C. MEIRELES)

3. Anteposto a um elemento nominal, aposto ou predicativo, emprega-se com o sentido de *inteiramente*, *em todas as suas partes*, *muito*:

> Eras *toda graça* e incompreensão. (R. COUTO)

Tudo

Refere-se normalmente a coisas, mas pode aplicar-se também a pessoas:

> Fidélia chegou, Tristão e a madrinha chegaram, *tudo* chegou. (M. DE ASSIS)

10 NUMERAIS

Espécies de Numerais

1. Para indicarmos uma quantidade exata de pessoas ou coisas, ou para assinalarmos o lugar que elas ocupam em determinada série, empregamos uma classe especial de palavras — os **numerais**.

Os **numerais** podem ser **cardinais, ordinais, multiplicativos** e **fracionários**.

---

2. Os **numerais cardinais** são os números básicos. Servem para designar:

a) a quantidade em si mesma, caso em que valem por verdadeiros substantivos:

> *Dois* e *dois* são *quatro*.
> *Três* vezes *quatro* são *doze*.

b) uma quantidade certa de pessoas ou coisas, caso em que acompanham um substantivo, à semelhança dos adjetivos:

três colegas	*cinco* barcos
vinte livros	*cento e um* dias

3. Os **numerais ordinais** indicam a ordem de sucessão dos seres ou objetos numa dada série. Equivalem a adjetivos, que, no entanto, se substantivam facilmente:

> Rodrigues Alves foi o *quinto* Presidente da República.
> Preferia ser o *primeiro* em sua cidade a ser o *segundo* na capital.

4. Os **numerais multiplicativos** indicam o aumento proporcional da quantidade, a sua multiplicação. Podem equivaler a adjetivos e, com mais frequência, a substantivos, por virem geralmente antecedidos de artigo:

> Tomou *uma dose dupla* do remédio.
> Tenho *o dobro* da sua idade.

5. Os **numerais fracionários** exprimem a diminuição proporcional da quantidade, a sua divisão:

> Já pagamos *a metade* da dívida.
> Só recebeu *dois terços* do ordenado.

Numerais coletivos

Assim se denominam certos **numerais** que, como os substantivos coletivos, designam um conjunto de pessoas ou coisas. Caracterizam-se, no entanto, por denotarem o número de seres rigorosamente exato. É o caso de *novena, dezena, década, dúzia, centena, cento, lustro, milhar, milheiro, par.*

FLEXÃO DOS NUMERAIS

Cardinais

1. Os **numerais cardinais** *um, dois* e as centenas a partir de *duzentos* variam em gênero:

um	uma	duzentos	duzentas
dois	duas	trezentos	trezentas

Observação:

Não confundir o **numeral cardinal** *um(a) (= só, somente, apenas)* com o **artigo indefinido** *um(a) (= certo, qualquer, determinado).*

> O curso terá só duas cadeiras: *uma* de mitos e ficções, a outra de xingação por escrito. (C. DE LAET)
> Com a saída de *um* redator fui logo promovido. (F. SABINO)

A criatura mais distinta era *um* certo gatinho. (M. BANDEIRA)
O velho faz *um* ar de absoluto desprezo. (R. BRAGA)

Nos dois primeiros exemplos, *um(a)* emprega-se como numeral cardinal; nos dois últimos, como artigo indefinido.

2. *Milhão, bilhão, trilhão*, etc. comportam-se como substantivos e variam em número:

dois *milhões* vinte *bilhões*

3. *Ambos*, que substitui o **cardinal** *os dois*, varia em gênero.

Primeiro sacudiu a cabeça entre as mãos *ambas*. (M. BANDEIRA)
Um oficial veio ao encontro de *ambos*. (E. VERISSIMO)

4. Os outros **cardinais** são invariáveis.

Ordinais

Os **numerais ordinais** variam em gênero e número:

primeiro	primeira	primeiros	primeiras
vigésimo	vigésima	vigésimos	vigésimas

Multiplicativos

1. Os **numerais multiplicativos** são invariáveis quando equivalem a substantivos. Empregados com o valor de adjetivos, flexionam-se em gênero e em número:

Podia ser meu avô, tem o *triplo* da minha idade.
Bebeu três doses *duplas* de xarope.

2. As formas multiplicativas *dúplice, tríplice*, etc. variam apenas em número:

Deram-se alguns saltos *tríplices*.

Fracionários

1. Os **numerais fracionários** concordam com os cardinais que indicam o número das partes:

> Câmara olhou para o relógio: marcava sete e *um quarto*. (A. PEIXOTO)

2. *Meio* concorda em gênero com o designativo da quantidade de que é fração:

> Isto soa absurdo a dois anos e *meio* de distância. (R. BRAGA)
>
> Até as onze e *meia* da noite atendeu aos homens de sua Companhia. (R. BRAGA)

Numerais coletivos

Todos os **numerais coletivos** flexionam-se em número:

três *décadas* cinco *dúzias*

QUADRO DOS NUMERAIS

I. Numerais cardinais e ordinais

ALGARISMOS		CARDINAIS	ORDINAIS
ROMANOS	ARÁBICOS		
I	1	um	primeiro
II	2	dois	segundo
III	3	três	terceiro
IV	4	quatro	quarto
V	5	cinco	quinto
VI	6	seis	sexto
VII	7	sete	sétimo
VIII	8	oito	oitavo
IX	9	nove	nono
X	10	dez	décimo
XI	11	onze	undécimo ou décimo primeiro

ALGARISMOS		CARDINAIS	ORDINAIS
ROMANOS	ARÁBICOS		
XII	12	doze	duodécimo ou décimo segundo
XIII	13	treze	décimo terceiro
XIV	14	quatorze	décimo quarto
XV	15	quinze	décimo quinto
XVI	16	dezesseis	décimo sexto
XVII	17	dezessete	décimo sétimo
XVIII	18	dezoito	décimo oitavo
XIX	19	dezenove	décimo nono
XX	20	vinte	vigésimo
XXI	21	vinte e um	vigésimo primeiro
XXX	30	trinta	trigésimo
XL	40	quarenta	quadragésimo
L	50	cinquenta	quinquagésimo
LX	60	sessenta	sexagésimo
LXX	70	setenta	septuagésimo
LXXX	80	oitenta	octogésimo
XC	90	noventa	nonagésimo
C	100	cem	centésimo
CC	200	duzentos	ducentésimo
CCC	300	trezentos	trecentésimo ou tricentésimo
CD	400	quatrocentos	quadringentésimo
D	500	quinhentos	quingentésimo
DC	600	seiscentos	seiscentésimo ou sexcentésimo
DCC	700	setecentos	septingentésimo
DCCC	800	oitocentos	octingentésimo
CM	900	novecentos	nongentésimo ou noningentésimo
M	1.000	mil	milésimo
$\overline{X}$	10.000	dez mil	dez milésimos
$\overline{C}$	100.000	cem mil	cem milésimos
$\overline{M}$	1.000.000	um milhão	milionésimo
$\overline{\overline{M}}$	1.000.000.000	um bilhão	bilionésimo

Valores e empregos dos cardinais

1. Na lista dos **cardinais** costuma-se incluir *zero* (0), que equivale a um substantivo, geralmente usado em aposição:

nota *zero* desinência *zero*

Observação:

No Brasil, *quatorze* alterna com *catorze*, que é a forma normal portuguesa.

2. *Cem*, forma reduzida de *cento*, usa-se como um adjetivo invariável:

cem rapazes *cem* moças

Cento é também invariável. Emprega-se hoje apenas:

a) na designação dos números entre *cem* e *duzentos*:

cento e dois homens
cento e duas mulheres

b) precedido de artigo, com valor de substantivo:

Comprou *dois centos* de bananas.
Pagou as laranjas a três reais *o cento*.

Observação:

Precedido de numeral, pode apresentar variação de número.

c) na expressão *cem por cento*.

Cardinal como indefinido

1. É muito frequente o emprego de certos numerais cardinais para indicar uma quantidade aproximada ou indeterminada.

Na última viagem, levei *meia dúzia* de roupas.

2. O emprego do número determinado pelo indeterminado é um dos processos de superlativação, pode ser também usado para expressar a indeterminação exagerada:

Pensou em *mil* desculpas, inventou *dezenas* de razões, todas inconsistentes. (J. AMADO)

Valores e empregos dos ordinais

1. Ao lado de *primeiro*, que é forma própria do **ordinal**, a língua portuguesa conserva o latinismo *primo (-a)*, empregado:

a) seja como substantivo, para designar parentesco *(os primos)* e, na forma feminina *(a prima)*, "a primeira das horas canônicas" e "a mais elevada corda" de alguns instrumentos;

b) seja como adjetivo, fixado em compostos como *obra-prima* e *matéria-prima*, ou em expressões como *números primos*.

2. Certos **ordinais**, empregados com frequência para exprimir uma qualidade, tornam-se verdadeiros adjetivos. Comparem-se:

Um material de *primeira* categoria [= superior].
Um artigo de *segunda* mão [= inferior].

EMPREGO DOS CARDINAIS PELOS ORDINAIS

Em alguns casos o **numeral ordinal** é substituído pelo **cardinal** correspondente. Assim:

1º) Na designação de papas e soberanos, bem como na de séculos e de partes em que se divide uma obra, usam-se os **ordinais** até *décimo*, e daí por diante os **cardinais**, sempre que o numeral vier depois do substantivo:

Pedro II (segundo)	Capítulo XI (onze)
Ato III (terceiro)	Luís XIV (quatorze)
Canto VI (sexto)	Tomo XV (quinze)
Gregório VII (sétimo)	Século XX (vinte)
Século X (décimo)	João XXIII (vinte e três)

Quando o numeral antecede o substantivo, emprega-se, porém, o **ordinal**:

Terceiro ato	Décimo primeiro capítulo

Sexto canto Décimo quinto tomo
Décimo século Vigésimo século

2º) Na numeração de artigos, de leis, decretos e portarias, usa-se o **ordinal** até *nove*, e o **cardinal** de *dez* em diante:

Artigo 1º (primeiro) Artigo 10 (dez)
Artigo 9º (nono) Artigo 41 (quarenta e um)

3º) Nas referências aos dias do mês, usam-se os **cardinais**, salvo na designação do primeiro dia, em que é de regra o **ordinal**. Também na indicação dos anos e das horas empregam-se os **cardinais**.

Chegaremos às *seis horas* do dia *primeiro de maio.*
São *oito horas* da manhã do dia *trinta e um de maio* de *mil novecentos e setenta*.

4º) Na enumeração de páginas e de folhas de um livro, assim como na de casas, apartamentos, quartos de hotel, cabines de navio, poltronas de casas de diversões e equivalentes, empregam-se os **cardinais**. Nestes casos sente-se a omissão da palavra *número*:

Página 3 (três) Casa 31 (trinta e um)
Folha 8 (oito) Apartamento 102 (cento e dois)
Cabine 2 (dois) Quarto 16 (dezesseis)

Se o numeral vier anteposto, usa-se o ordinal:

Segunda cabine Oitava folha
Terceira página Trigésima primeira casa

II. Numerais multiplicativos e fracionários

MULTIPLICATIVOS	FRACIONÁRIOS
duplo, dobro, dúplice	meio ou metade
triplo, tríplice	terço
quádruplo	quarto
quíntuplo	quinto
sêxtuplo	sexto

MULTIPLICATIVOS	FRACIONÁRIOS
séptuplo	sétimo
óctuplo	oitavo
nônuplo	nono
décuplo	décimo
undécuplo	undécimo ou onze avos
duodécuplo	duodécimo ou doze avos
cêntuplo	centésimo

Emprego dos multiplicativos

Dos **multiplicativos** apenas *dobro, duplo* e *triplo* são de uso corrente. Os demais pertencem à linguagem erudita. Em seu lugar, emprega-se o numeral cardinal seguido da palavra *vezes: quatro vezes, oito vezes, doze vezes,* etc.

Emprego dos fracionários

1. Os **numerais fracionários** apresentam as formas próprias *meio* (ou *metade*) e *terço*. Os demais são expressos:

a) pelo **ordinal** correspondente, quando este se compõe de uma só palavra: *quarto, quinto, décimo, vigésimo, milésimo,* etc.;

b) pelo **cardinal** correspondente, seguido da palavra *avos*, quando o **ordinal** é uma forma composta: *treze avos, dezessete avos, vinte e três avos, cento e quinze avos.*

2. Excetuando-se *meio*, os **numerais fracionários** vêm antecedidos de um cardinal, que designa o número de partes de unidade: *um terço, três quintos, cinco treze avos.*

11 VERBO

NOÇÕES PRELIMINARES

O **verbo** é uma palavra de forma variável que exprime *o que se passa*, ou seja, um acontecimento representado no tempo. Na oração, exerce a função obrigatória de **predicado**.

Assim:

O silêncio *comeu* o eco e a escuridão *abraçou* o silêncio. (G. DE FIGUEIREDO)

FLEXÕES DO VERBO

O verbo apresenta as variações de **número**, de **pessoa**, de **modo**, de **tempo**, de **aspecto** e de **voz**.

Números

Como as outras palavras variáveis, o verbo admite dois números: o **singular** e o **plural**. Dizemos que um verbo está no singular quando ele se refere a uma só pessoa ou coisa e, no plural, quando tem por sujeito mais de uma pessoa ou coisa. Exemplo:

SINGULAR	estudo	estudas	estuda
PLURAL	estudamos	estudais	estudam

Pessoas

O verbo possui três **pessoas** relacionadas diretamente com a pessoa gramatical que lhe serve de sujeito.

1. A primeira é aquela que fala e corresponde aos pronomes pessoais *eu* (singular) e *nós* (plural):

estudo estudamos

2. A segunda é aquela a quem se fala e corresponde aos pronomes pessoais *tu* (singular) e *vós* (plural):

estudas estudais

3. A terceira é aquela de quem se fala e corresponde aos pronomes pessoais *ele, ela* (singular) e *eles, elas* (plural):

estuda estudam

Modos

Chamam-se **modos** as diferentes formas que toma o verbo para indicar a atitude (de certeza, de dúvida, de suposição, de mando, etc.) da pessoa que fala em relação ao fato que enuncia.

Há três modos em português:

o **indicativo**, o **subjuntivo** e o **imperativo**.

Formas nominais do verbo

São **formas nominais** do verbo o **infinitivo** (**pessoal** e **impessoal**), o **gerúndio** e o **particípio**.

estudar estudando estudado

Tempos

Tempo é a variação que indica o momento em que se dá o fato expresso pelo verbo.

Os três tempos naturais são o **presente**, o **pretérito** (ou **passado**) e o **futuro**, que designam, respectivamente, um fato ocorrido *no momento em que se fala, antes do momento em que se fala* e *após o momento em que se fala.*

O **presente** é indivisível, mas o **pretérito** e o **futuro** subdividem-se tanto no **modo indicativo** quanto no **subjuntivo**, como se vê no seguinte esquema:

- INDICATIVO
  - Presente: *estudo*
  - Pretérito
    - Imperfeito: *estudava*
    - Perfeito
      - simples: *estudei*
      - composto: *tenho estudado*
    - Mais-que-perfeito
      - simples: *estudara*
      - composto: *tinha* (ou *havia*) *estudado*
  - Futuro
    - do presente
      - simples: *estudarei*
      - composto: *terei* (ou *haverei*) *estudado*
    - do pretérito
      - simples: *estudaria*
      - composto: *teria* (ou *haveria*) *estudado*
- SUBJUNTIVO
  - Presente: *estude*
  - Pretérito
    - imperfeito: *estudasse*
    - perfeito: *tenha* (ou *haja*) *estudado*
    - mais-que-perfeito: *tivesse* (ou *houvesse*) *estudado*
  - Futuro
    - simples: *estudar*
    - composto: *tiver* (ou *houver*) *estudado*
- IMPERATIVO
  - Afirmativo: *estuda* (tu), *estude* (você), *estudemos* (nós), *estudai* (vós), *estudem* (vocês)

Aspectos

1. Diferentemente das categorias do **tempo**, do **modo** e da **voz**, o **aspecto** designa "uma categoria gramatical que manifesta o ponto de vista do qual o locutor considera a ação expressa pelo verbo". Pode ele considerá-la como *concluída*,

isto é, observada no seu término, no seu resultado (**pretérito perfeito**); ou pode considerá-la como *não concluída*, ou seja, considerada na sua duração, na sua repetição (**pretérito imperfeito**).

2. Além dessa distinção básica, que divide o verbo, gramaticalmente, em dois grupos de formas, costumam alguns estudiosos alargar o conceito de *aspecto*, nele incluindo valores semânticos pertinentes ao verbo ou ao contexto.

Assim, nestas frases:

João *começou a comer*.
João *continua a comer*.
João *acabou de comer*.

não há, a bem dizer, uma oposição gramatical de aspecto. É o próprio significado dos auxiliares que transmite ao contexto os sentidos *incoativo*, *permansivo* e *conclusivo*.

Dentro dessa lata conceituação, poderíamos distinguir, entre outras, as seguintes oposições aspectuais:

1ª) **Aspecto pontual/aspecto durativo**. A oposição aspectual caracteriza-se neste caso pela menor ou maior extensão de tempo ocupada pela ação verbal. Assim:

Aspecto pontual	*Acabo de ler* Dom Casmurro.
Aspecto durativo	*Continuo a ler* Dom Casmurro.

2ª) **Aspecto contínuo/aspecto descontínuo**. Aqui a oposição aspectual incide sobre o processo de desenvolvimento da ação:

Aspecto contínuo	*Vou lendo* Dom Casmurro.
Aspecto descontínuo	*Voltei a ler* Dom Casmurro.

3ª) **Aspecto incoativo/aspecto conclusivo**. O aspecto incoativo exprime um processo considerado em sua fase inicial; o aspecto conclusivo ou terminativo expressa um processo observado em sua fase final:

Aspecto incoativo	*Comecei a ler* Dom Casmurro.
Aspecto conclusivo	*Acabei de ler* Dom Casmurro.

3. São também de natureza aspectual as oposições entre:

a) Forma simples/perífrase durativa

Leio.	*Estou lendo* (ou *estou a ler*).

A perífrase de estar + gerúndio (ou infinitivo precedido da preposição *a*), que designa o "aspecto do momento rigoroso" (Said Ali), estende-se a todos os modos e tempos do sistema verbal e pode ser substituída por outras perífrases, formadas com os auxiliares de movimento (*andar*, *ir*, *vir*, *viver*, etc.) ou de implicação (*continuar*, *ficar*, etc.):

Ando lendo (ou *a ler*).	*Continuo lendo* (ou *a ler*).
Vai lendo.	*Ficou lendo* (ou *a ler*).

b) Ser/estar:

Ele *foi ferido.*	Ele *está ferido.*

A oposição *ser/estar* corresponde a dois tipos de passividade. *Ser* forma a passiva de ação; *estar*, a passiva de estado.

4. Como vemos, tais oposições baseiam-se fundamentalmente na diversidade de formação das perífrases verbais.

De um modo geral, pode-se dizer que as perífrases construídas com o *particípio* exprimem o aspecto acabado, concluído; e as construídas com o *infinitivo* ou o *gerúndio* expressam o aspecto inacabado, não concluído.

Dos seus principais valores aspectuais trataremos adiante ao estudarmos os *verbos auxiliares* e as *formas nominais do verbo*.

Vozes

O fato expresso pelo verbo pode ser representado de três formas:

a) como *praticado* pelo sujeito:

João *feriu* Pedro.

Não *vejo* rosas neste jardim.

b) como *sofrido* pelo sujeito:

Pedro *foi ferido* por João.

Não *se veem* [= são vistas] rosas neste jardim.

c) como *praticado* e *sofrido* pelo sujeito:

João *feriu-se.*

Dei-me pressa em sair.

No primeiro caso, diz-se que o verbo está na **voz ativa**; no segundo, na **voz passiva**; no terceiro, na **voz reflexiva**.

Como se verifica dos exemplos dados, o objeto direto da **voz ativa** corresponde ao sujeito da **voz passiva**; e, na **voz reflexiva**, o objeto direto ou indireto é a mesma pessoa do sujeito. Logo, para que um verbo admita transformação de voz, é necessário que ele seja **transitivo**.

Voz passiva

Exprime-se a **voz passiva**:

a) com o **verbo auxiliar** *ser* e o **particípio** do verbo que se quer conjugar:

Pedro *foi ferido* por João.

b) com o **pronome apassivador** *se* e uma terceira pessoa verbal, singular ou plural, em concordância com o sujeito:

Não *se vê* [= é vista] *uma rosa* neste jardim.

Não *se veem* [= são vistas] *rosas* neste jardim.

Voz reflexiva

Exprime-se a **voz reflexiva** juntando-se às formas verbais da voz ativa os pronomes oblíquos *me, te, nos, vos* e *se* (singular e plural):

Eu *me feri* [= a mim mesmo]
Tu *te feriste* [= a ti mesmo]
Ele *se feriu* [= a si mesmo]
Nós *nos ferimos* [= a nós mesmos]
Vós *vos feristes* [= a vós mesmos]
Eles *se feriram* [= a si mesmos]

Observações:

1ª) Além do verbo *ser*, há outros auxiliares que, combinados com um particípio, podem formar a **voz passiva**. Estão nesse caso certos verbos que exprimem estado (*estar, andar,* etc.), mudança de estado (*ficar*) e movimento (*ir, vir*):

Os homens já *estavam tocados* pela fé.
Ficou atormentado pelo remorso.
Os pais *vinham acompanhados* pelos filhos.

2ª) Nas formas da **voz passiva**, o **particípio** concorda em gênero e número com o sujeito:

Ele foi *ferido.*	*Eles* foram *feridos.*
Ela foi *ferida.*	*Elas* foram *feridas.*

Formas rizotônicas e arrizotônicas

Em certas formas verbais o acento tônico recai no radical. Assim:

*an*do	*an*das	*an*da	*an*dam
*an*de	*an*des	*an*de	*an*dem

Em outras, o acento tônico recai na terminação. Assim:

and*a*mos	and*ais*	and*ou*	and*ar*
and*e*mos	and*eis*	and*a*va	andar*á*

Às primeiras damos o nome de **formas rizotônicas**; às segundas, de **formas arrizotônicas**.

Classificação do Verbo

1. Quanto à **flexão**, o verbo pode ser **regular, irregular, defectivo** e **abundante**.

Os **regulares** flexionam-se de acordo com o **paradigma**, modelo que representa o tipo comum da conjugação. Tomando-se, por exemplo, *cantar, vender* e *partir* como paradigmas da 1ª, 2ª e 3ª conjugações, verificamos que todos os verbos regulares da 1ª conjugação formam os seus tempos como *cantar*; os da 2ª, como *vender*; os da 3ª, como *partir*.

São **irregulares** os verbos que se afastam do paradigma de sua conjugação, como *dar, estar, fazer, ser, pedir, ir* e vários outros, que no lugar próprio estudaremos.

Verbos defectivos são aqueles que não têm certas formas, como *abolir, falir* e mais alguns de que tratamos adiante. Entre os **defectivos** costumam os gramáticos incluir os **unipessoais**, que só se empregam na 3ª pessoa do singular e do plural: *miar*, *ganir*, etc.; especialmente os **impessoais**, usados apenas na 3ª pessoa do singular: *chover, ventar,* etc.

Abundantes são os verbos que possuem duas ou mais formas equivalentes. De regra, essa abundância ocorre no particípio. Assim, o verbo *aceitar* apresenta os particípios *aceitado, aceito* e *aceite*; o verbo *entregar*, os particípios *entregado* e *entregue*; o verbo *matar*, os particípios *matado* e *morto*.

2. Quanto à **função**, o verbo pode ser **principal** ou **auxiliar**.

Principal é o verbo que, numa frase, conserva sua significação plena. Assim:

Estudei português.

Auxiliar é aquele que, combinado com formas nominais de um verbo principal, constitui a conjugação composta deste, perdendo, com isso, o seu significado próprio. Assim:

Tenho estudado português.

Os **auxiliares** mais comuns são *ter, haver, ser* e *estar*, de que apresentamos, adiante, a conjugação completa.

Conjugações

Conjugar um verbo é dizê-lo em todos os modos, tempos, pessoas, números e vozes. O agrupamento de todas essas flexões, segundo uma ordem determinada, chama-se **conjugação**.

Há três conjugações em português, caracterizadas pela **vogal temática**.

A 1ª conjugação compreende os verbos que têm a vogal temática *-a-*:

estud-*a*-r fic-*a*-r rem-*a*-r

A 2ª conjugação abarca os verbos que têm a vogal temática *-e-*:

receb-*e*-r dev-*e*-r tem-*e*-r

À 3ª conjugação pertencem os verbos que têm a vogal temática *-i-*:

dorm-*i*-r part-*i*-r sorr-*i*-r

Como as vogais temáticas se apresentam com maior nitidez no infinitivo, costuma-se indicar pela **terminação** deste (= **vogal temática** + **sufixo** *-r*) a conjugação a que pertence um dado verbo. Assim, os verbos de infinitivo terminado em *-ar* são da 1ª conjugação; os de infinitivo em *-er*, da 2ª; os de infinitivo em *-ir*, da 3ª.

TEMPOS SIMPLES

Estrutura do verbo

1. Examinemos os seguintes tempos do indicativo do verbo *cantar*:

PRESENTE	PRETÉRITO IMPERFEITO	PRETÉRITO MAIS-QUE-PERFEITO
canto	cantava	cantara
cantas	cantavas	cantaras
canta	cantava	cantara
cantamos	cantávamos	cantáramos
cantais	cantáveis	cantáreis
cantam	cantavam	cantaram

Verificamos que todas as suas formas se irmanam pelo **radical** *cant-*, a parte invariável que lhes dá a base comum de significação.

Verificamos também que a esse **radical verbal** se junta, em cada forma, uma **terminação**, da qual participa pelo menos um dos seguintes elementos:

a) a **vogal temática** *-a-*, característica da 1ª conjugação:

cant-*a* cant-*a*-va cant-*a*-ra

b) o **sufixo temporal** (ou **modo-temporal**), que indica o tempo e o modo:

cant-a-*va* cant-a-*ra*

c) a **desinência pessoal** (ou **número-pessoal**), que identifica a pessoa e o número:

cant-*o* cant-a-va-*s* cant-á-ra-*mos*

2. Todo o mecanismo da formação dos tempos simples repousa na combinação harmônica desses três elementos flexivos com um determinado radical verbal. Muitas vezes falta um deles, como:

a) a **vogal temática**, no presente do subjuntivo e, em decorrência, nas formas do imperativo dele derivadas: *cante, cantes,* etc.;

b) o **sufixo temporal**, no presente e no pretérito perfeito do indicativo, bem como nas formas do imperativo derivadas do presente do indicativo: *canto, cantas, canta,* etc.; *cantei, cantaste, cantou,* etc.; *canta* (tu), *cantai* (vós);

c) a **desinência pessoal**, na 3ª pessoa do singular do presente do indicativo *(canta)*; na 1ª e na 3ª pessoa do singular do imperfeito *(cantava)*, do mais-que-perfeito *(cantara)* e do futuro do pretérito *(cantaria)* do indicativo; e nestas mesmas pessoas do presente *(cante)*, do imperfeito *(cantasse)* e do futuro *(cantar)* do subjuntivo, assim como nas do infinitivo pessoal (*cantar)*.

Mas, salvo no caso em que a falta da **desinência** iguala duas pessoas de um só tempo, perturbando a clareza, a ausência de qualquer desses elementos flexivos é sempre um sinal particularizante, pois caracteriza a forma lacunosa pelo seu contraste com as que não o são.

Formação dos tempos simples

Para apreendermos melhor o mecanismo das conjugações, adotaremos aqui um vulgarizado artifício didático que consiste em admitir que o verbo apresente três tempos **primitivos**, sendo os outros deles **derivados**.

São tempos primitivos: o **presente do indicativo**, o **pretérito perfeito do indicativo** e o **infinitivo impessoal**.

Derivados do presente do indicativo

Do **presente do indicativo** formam-se:

1º) **imperfeito do indicativo**. É formado do radical do **presente** acrescido:

a) na 1ª conjugação, das terminações *-ava, -avas, -ava, -ávamos, -áveis, -avam* (constituídas da vogal temática *-a-* + sufixo temporal *-va-* + desinências pessoais);

b) na 3ª conjugação, das terminações *-ia, -ias, -ia, -íamos, -íeis, -iam* (constituídas da vogal temática *-i-* + sufixo temporal *-a-* + desinências pessoais);

c) na 2ª conjugação, das mesmas terminações da 3ª, por ter a vogal temática *-e-* passado a *-i-* antes de *-a-*.

Assim, nos verbos *cantar, vender* e *partir*, temos:

RADICAL DO PRESENTE	1ª CONJUGAÇÃO	2ª CONJUGAÇÃO	3ª CONJUGAÇÃO
	cant-	vend-	part-
PRETÉRITO IMPERFEITO DO INDICATIVO	cant-ava cant-avas cant-ava cant-ávamos cant-áveis cant-avam	vend-ia vend-ias vend-ia vend-íamos vend-íeis vend-iam	part-ia part-ias part-ia part-íamos part-íeis part-iam

Observação:

Fogem à regra acima os **verbos** *ser, ter, vir* e *pôr*, que fazem no **imperfeito** *era, tinha, vinha* e *punha*, respectivamente.

2º) **presente do subjuntivo**. Forma-se do radical da 1ª pessoa do presente do indicativo, substituindo-se a desinência *-o* pelas flexões próprias do presente do subjuntivo: *-e, -es, -e, -emos, -eis, -em*, nos verbos da 1ª conjugação; *-a, -as, -a, -amos, -ais, -am*, nos verbos da 2ª e da 3ª conjugação. Assim:

PRES. DO INDICATIVO 1ª PESSOA DO SINGULAR	1ª CONJUGAÇÃO	2ª CONJUGAÇÃO	3ª CONJUGAÇÃO
	cant-o	vend-o	part-o
PRESENTE DO SUBJUNTIVO	cant-e cant-es cant-e cant-emos cant-eis cant-em	vend-a vend-as vend-a vend-amos vend-ais vend-am	part-a part-as part-a part-amos part-ais part-am

Observações:

1ª) Dentre todos os verbos da língua, apenas os seguintes não obedecem à regra anterior: *haver, ser, estar, dar, ir, querer* e *saber*, que fazem no presente do subjuntivo: *haja, seja, esteja, dê, vá, queira* e *saiba*.

2ª) Os verbos defectivos em que a 1ª pessoa do presente do indicativo caiu em desuso não têm presente do subjuntivo.

3º) **imperativo**. O imperativo afirmativo só possui formas próprias de 2ª pessoa do singular e 2ª pessoa do plural, derivadas das correspondentes do presente do indicativo com a supressão do *-s* final. Assim:

canta(s)	vende(s)	parte(s)
cantai(s)	vendei(s)	parti(s)

Observações:

1ª) Excetua-se o verbo *ser*, que faz *sê* (tu) e *sede* (vós).

2ª) Costumam perder o *-e* na 2ª pessoa do singular do imperativo afirmativo os verbos *dizer, fazer, trazer* e os terminados em *-uzir*; *dize* (ou *diz*) tu, *faze* (ou *faz*) tu, *traze* (ou *traz*) tu, *aduze* (ou *aduz*) tu, *traduze* (ou *traduz*) tu.

As outras pessoas do imperativo afirmativo, bem como todas as do imperativo negativo, são supridas pelas equivalentes do presente do subjuntivo, com o pronome posposto, quando usado:

PRES. DO INDICATIVO	IMPERATIVO AFIRMATIVO	PRES. DO SUBJUNTIVO
canto	—	cante
canta(s) →	canta (tu)	cantes
canta	cante (você) ←	cante
cantamos	cantemos (nós) ←	cantemos
cantai(s) →	cantai (vós)	canteis
cantam	cantem (vocês) ←	cantem

Derivados do pretérito perfeito do indicativo

Do tema do **pretérito perfeito** formam-se os seguintes tempos:

1º) o **mais-que-perfeito do indicativo**, juntando-se as terminações (= sufixo temporal *-ra-* + desinências pessoais): *-ra, -ras, -ra, -ramos, -reis, -ram*:

RADICAL DO PERFEITO + VOGAL TEMÁTICA	1ª CONJUGAÇÃO	2ª CONJUGAÇÃO	3ª CONJUGAÇÃO
	canta-	vende-	parti-
PRETÉRITO MAIS-QUE-PERFEITO DO INDICATIVO	canta-ra canta-ras canta-ra cantá-ramos cantá-reis canta-ram	vende-ra vende-ras vende-ra vendê-ramos vendê-reis vende-ram	parti-ra parti-ras parti-ra partí-ramos partí-reis parti-ram

2º) o **imperfeito do subjuntivo**, juntando-se as terminações (= sufixo temporal *-sse-* + desinências pessoais): *-sse, -sses, -sse, -ssemos, -sseis, -ssem*:

RADICAL DO PERFEITO + VOGAL TEMÁTICA	1ª CONJUGAÇÃO	2ª CONJUGAÇÃO	3ª CONJUGAÇÃO
	canta-	vende-	parti-
PRETÉRITO IMPERFEITO DO SUBJUNTIVO	canta-sse canta-sses canta-sse cantá-ssemos cantá-sseis canta-ssem	vende-sse vende-sses vende-sse vendê-ssemos vendê-sseis vende-ssem	parti-sse parti-sses parti-sse partí-ssemos partí-sseis parti-ssem

3º) o **futuro do subjuntivo**, juntando-se as terminações (= sufixo temporal *-r-* + desinências pessoais): *-r, -res, -r, -rmos, -rdes, -rem.*

RADICAL DO PERFEITO + VOGAL TEMÁTICA	1ª CONJUGAÇÃO	2ª CONJUGAÇÃO	3ª CONJUGAÇÃO
	canta-	vende-	parti-
FUTURO DO SUBJUNTIVO	canta-r canta-res canta-r canta-rmos canta-rdes canta-rem	vende-r vende-res vende-r vende-rmos vende-rdes vende-rem	parti-r parti-res parti-r parti-rmos parti-rdes parti-rem

Observações:

1ª) O **tema** do **pretérito perfeito** pode ser obtido suprimindo-se a desinência da 2ª pessoa do singular ou da 1ª pessoa do plural:

canta(ste)	fize(ste)	vie(ste)	puse(ste)
canta(mos)	fize(mos)	vie(mos)	puse(mos)

2ª) Embora as suas formas sejam quase sempre idênticas, o **futuro do subjuntivo** e o **infinitivo pessoal** têm origem diversa, que deve ser conhecida para evitar-se a frequente confusão que se estabelece nos poucos verbos em que as formas são distintas: *fizer — fazer; for — ser; souber — saber*; etc.

Derivados do infinitivo impessoal

Do **infinitivo impessoal** formam-se:

1º) o **futuro do presente**, com o simples acréscimo das terminações *-ei, -ás, -á, -emos, -eis, -ão*:

INFINITIVO IMPESSOAL	1ª CONJUGAÇÃO	2ª CONJUGAÇÃO	3ª CONJUGAÇÃO
	cantar	vender	partir
FUTURO DO PRESENTE	cantar-ei	vender-ei	partir-ei
	cantar-ás	vender-ás	partir-ás
	cantar-á	vender-á	partir-á
	cantar-emos	vender-emos	partir-emos
	cantar-eis	vender-eis	partir-eis
	cantar-ão	vender-ão	partir-ão

2º) o **futuro do pretérito**, com o acréscimo das terminações *-ia, -ias, -ia, -íamos, -íeis, iam*:

INFINITIVO IMPESSOAL	1ª CONJUGAÇÃO	2ª CONJUGAÇÃO	3ª CONJUGAÇÃO
	cantar	vender	partir
FUTURO DO PRETÉRITO	cantar-ia	vender-ia	partir-ia
	cantar-ias	vender-ias	partir-ias
	cantar-ia	vender-ia	partir-ia
	cantar-íamos	vender-íamos	partir-íamos
	cantar-íeis	vender-íeis	partir-íeis
	cantar-iam	vender-iam	partir-iam

Observações:

1ª) Não seguem esta regra os verbos *dizer, fazer* e *trazer*, cujas formas do **futuro do presente** e **do pretérito** são, respectivamente: *direi, diria; farei, faria; trarei, traria.*

2ª) O **futuro do presente** e o **futuro do pretérito** são formados pela aglutinação do **infinitivo** do verbo principal às formas reduzidas do **presente** e do **imperfeito do indicativo** do auxiliar *haver*: *amar + hei, amar + hia* (por *havia*), etc.

3º) o **infinitivo pessoal**, com o acréscimo das desinências pessoais: *-es* (2ª pessoa do singular), *-mos, -des, -em*:

INFINITIVO IMPESSOAL	1ª CONJUGAÇÃO	2ª CONJUGAÇÃO	3ª CONJUGAÇÃO
	cantar	vender	partir
INFINITIVO PESSOAL	cantar	vender	partir
	cantar-es	vender-es	partir-es
	cantar	vender	partir
	cantar-mos	vender-mos	partir-mos
	cantar-des	vender-des	partir-des
	cantar-em	vender-em	partir-em

4º) o **gerúndio** forma-se substituindo o sufixo *-r* do infinitivo pelo sufixo *-ndo*:

INFINITIVO IMPESSOAL	1ª CONJUGAÇÃO	2ª CONJUGAÇÃO	3ª CONJUGAÇÃO
	canta-r	vende-r	parti-r
GERÚNDIO	canta-ndo	vende-ndo	parti-ndo

5º) o **particípio** forma-se substituindo-se o sufixo *-r* do infinitivo pelo sufixo *-do*, sendo de notar que, por influência da vogal temática da 3ª, a da 2ª conjugação passou a *-i-*:

INFINITIVO IMPESSOAL	1ª CONJUGAÇÃO	2ª CONJUGAÇÃO	3ª CONJUGAÇÃO
	canta-r	vende-r	parti-r
PARTICÍPIO	canta-do	vendi-do	parti-do

Observação:

Os verbos *dizer, escrever, fazer, ver, pôr, abrir, cobrir, vir* e seus derivados formam o **particípio** irregularmente: *dito, escrito, feito, visto, posto, aberto, coberto, vindo*. Exclui-se *prover*, cujo **particípio** é *provido*.

VERBOS AUXILIARES E O SEU EMPREGO

1. Os conjuntos formados de um verbo auxiliar com um verbo principal chamam-se **locuções verbais**.

Nas **locuções verbais** conjuga-se apenas o auxiliar, pois o verbo principal vem sempre numa das formas nominais: no **particípio**, no **gerúndio** ou no **infinitivo impessoal**.

2. Os **auxiliares** de uso mais frequente são *ter, haver, ser* e *estar.*

Ter e *haver* empregam-se:

a) com o **particípio** do verbo principal, para formar os tempos compostos da voz ativa, denotadores de um fato acabado, repetido ou contínuo:

tenho estudado
havia estudado

b) com o **infinitivo** do verbo principal antecedido da preposição *de*, para exprimir, respectivamente, a obrigatoriedade ou o firme propósito de realizar o fato:

tenho de estudar
hei de estudar

Ser emprega-se com o **particípio** do verbo principal, para formar os tempos da voz passiva de ação:

A casa *foi vendida.*
O inquérito *foi arquivado* pelo delegado.

Estar emprega-se:

a) com o **particípio** do verbo principal, para formar tempos da voz passiva de estado:

Estou arrependido do meu gesto.
Estamos impressionados com o fato.

b) com o **gerúndio** do verbo principal, para indicar uma ação durativa:

Estou procurando emprego.
Estamos esperando o resultado do concurso.

c) com o infinitivo do verbo principal antecedido da preposição *para*, para exprimir a iminência de um acontecimento ou o intuito de realizar a ação expressa pelo verbo principal:

O avião *está para chegar.*
Há dias *estou para visitá-lo.*

d) com o infinitivo do verbo principal antecedido da preposição *por*, para indicar que uma ação que já deveria ter sido realizada ainda não o foi:

O trabalho *está por terminar*.

3. Além dos quatro verbos estudados, outros há que podem funcionar como auxiliares. Estão neste caso os verbos *ir, vir, andar* e mais alguns que se ligam ao infinitivo ou ao gerúndio do verbo principal para expressar matizes de tempo ou para marcar certos aspectos do desenvolvimento da ação. Assim:

Ir emprega-se:

a) com o **gerúndio** do verbo principal, para indicar que a ação se realiza progressivamente ou por etapas sucessivas:

O navio *ia encostando* ao cais (pouco a pouco).

Os convidados *iam chegando* de automóvel (sucessivamente).

b) com o **infinitivo** do verbo principal, para exprimir o firme propósito de executar a ação, ou a certeza de que ela será realizada em futuro próximo:

Vou procurar um médico.

O navio *vai partir*.

Vir emprega-se:

a) com o **gerúndio** do verbo principal, para indicar que a ação se desenvolve gradualmente (compare-se a construção similar com *ir*):

Vinha rompendo a madrugada.

Venho tratando desse assunto.

b) com o **infinitivo** do verbo principal, para indicar movimento em direção a determinado fim na intenção de realizar um ato:

Veio fazer compras.
Vieste interromper-me o trabalho.

c) com o **infinitivo** do verbo principal antecedido da preposição *a*, para expressar o resultado final da ação:

Vim a saber dessas coisas muito tarde.
Veio a dar com os burros n'água.

d) com o **infinitivo** do verbo principal antecedido da preposição *de*, para indicar o término recente da ação:

Viemos de tratar desse assunto.
Vinha de chegar de Brasília.

Andar emprega-se com o **gerúndio** do verbo principal, para indicar uma ação durativa (construção semelhante à de *estar* + **gerúndio**):

Ando lendo os clássicos.
Andava procurando um livro raro.

Conjugação dos Verbos *Ter*, *Haver*, *Ser* e *Estar*

MODO INDICATIVO			
PRESENTE			
tenho	hei	sou	estou
tens	hás	és	estás
tem	há	é	está
temos	havemos	somos	estamos
tendes	haveis	sois	estais
têm	hão	são	estão
PRETÉRITO IMPERFEITO			
tinha	havia	era	estava
tinhas	havias	eras	estavas
tinha	havia	era	estava
tínhamos	havíamos	éramos	estávamos
tínheis	havíeis	éreis	estáveis
tinham	haviam	eram	estavam

MODO INDICATIVO			
PRETÉRITO PERFEITO			
tive	houve	fui	estive
tiveste	houveste	foste	estiveste
teve	houve	foi	esteve
tivemos	houvemos	fomos	estivemos
tivestes	houvestes	fostes	estivestes
tiveram	houveram	foram	estiveram
PRETÉRITO MAIS-QUE-PERFEITO			
tivera	houvera	fora	estivera
tiveras	houveras	foras	estiveras
tivera	houvera	fora	estivera
tivéramos	houvéramos	fôramos	estivéramos
tivéreis	houvéreis	fôreis	estivéreis
tiveram	houveram	foram	estiveram
FUTURO DO PRESENTE			
terei	haverei	serei	estarei
terás	haverás	serás	estarás
terá	haverá	será	estará
teremos	haveremos	seremos	estaremos
tereis	havereis	sereis	estareis
terão	haverão	serão	estarão
FUTURO DO PRETÉRITO			
teria	haveria	seria	estaria
terias	haverias	serias	estarias
teria	haveria	seria	estaria
teríamos	haveríamos	seríamos	estaríamos
teríeis	haveríeis	seríeis	estaríeis
teriam	haveriam	seriam	estariam

MODO SUBJUNTIVO			
PRESENTE			
tenha	haja	seja	esteja
tenhas	hajas	sejas	estejas
tenha	haja	seja	esteja
tenhamos	hajamos	sejamos	estejamos
tenhais	hajais	sejais	estejais
tenham	hajam	sejam	estejam

MODO SUBJUNTIVO			
PRETÉRITO IMPERFEITO			
tivesse	houvesse	fosse	estivesse
tivesses	houvesses	fosses	estivesses
tivesse	houvesse	fosse	estivesse
tivéssemos	houvéssemos	fôssemos	estivéssemos
tivésseis	houvésseis	fôsseis	estivésseis
tivessem	houvessem	fossem	estivessem
FUTURO			
tiver	houver	for	estiver
tiveres	houveres	fores	estiveres
tiver	houver	for	estiver
tivermos	houvermos	formos	estivermos
tiverdes	houverdes	fordes	estiverdes
tiverem	houverem	forem	estiverem

MODO IMPERATIVO			
AFIRMATIVO			
tem	(desusado)	sê	está
tenha	haja	seja	esteja
tenhamos	hajamos	sejamos	estejamos
tende	havei	sede	estai
tenham	hajam	sejam	estejam

NEGATIVO	
não tenhas	não sejas
não tenha	não seja
não tenhamos	não sejamos
não tenhais	não sejais
não tenham	não sejam
não hajas	não estejas
não haja	não esteja
não hajamos	não estejamos
não hajais	não estejais
não hajam	não estejam

FORMAS NOMINAIS			
INFINITIVO IMPESSOAL			
ter	haver	ser	estar
INFINITIVO PESSOAL			
ter	haver	ser	estar
teres	haveres	seres	estares
ter	haver	ser	estar
termos	havermos	sermos	estarmos
terdes	haverdes	serdes	estardes
terem	haverem	serem	estarem
GERÚNDIO			
tendo	havendo	sendo	estando
PARTICÍPIO			
tido	havido	sido	estado

Formação dos Tempos Compostos

Entre os **tempos compostos** da voz ativa merecem realce particular aqueles que são constituídos de formas do verbo *ter* (ou, mais raramente, *haver*) com o **particípio** do verbo que se quer conjugar, porque é costume incluí-los nos próprios paradigmas de conjugação.

Eis os tempos em causa:

MODO INDICATIVO

1º) **Pretérito perfeito composto**. Formado do **presente do indicativo** do verbo *ter* com o **particípio** do verbo principal:

tenho cantado	tenho vendido	tenho partido
tens cantado	tens vendido	tens partido
tem cantado	tem vendido	tem partido
temos cantado	temos vendido	temos partido
tendes cantado	tendes vendido	tendes partido
têm cantado	têm vendido	têm partido

2º) **Pretérito mais-que-perfeito composto**. Formado do **imperfeito do indicativo** do verbo *ter* (ou *haver)* com o **particípio** do verbo principal:

tinha cantado	tinha vendido	tinha partido
tinhas cantado	tinhas vendido	tinhas partido
tinha cantado	tinha vendido	tinha partido
tínhamos cantado	tínhamos vendido	tínhamos partido
tínheis cantado	tínheis vendido	tínheis partido
tinham cantado	tinham vendido	tinham partido

3º) **Futuro do presente composto**. Formado do **futuro do presente simples** do verbo *ter* (ou *haver*) com o **particípio** do verbo principal:

terei cantado	terei vendido	terei partido
terás cantado	terás vendido	terás partido
terá cantado	terá vendido	terá partido
teremos cantado	teremos vendido	teremos partido
tereis cantado	tereis vendido	tereis partido
terão cantado	terão vendido	terão partido

4º) **Futuro do pretérito composto**. Formado do **futuro do pretérito simples** do verbo *ter* (ou *haver*) com o **particípio** do verbo principal:

teria cantado	teria vendido	teria partido
terias cantado	terias vendido	terias partido
teria cantado	teria vendido	teria partido
teríamos cantado	teríamos vendido	teríamos partido
teríeis cantado	teríeis vendido	teríeis partido
teriam cantado	teriam vendido	teriam partido

MODO SUBJUNTIVO

1º) **Pretérito perfeito**. Formado do **presente** do **subjuntivo** do verbo *ter* (ou *haver*) com o **particípio** do verbo principal.

tenha cantado	tenha vendido	tenha partido
tenhas cantado	tenhas vendido	tenhas partido
tenha cantado	tenha vendido	tenha partido
tenhamos cantado	tenhamos vendido	tenhamos partido
tenhais cantado	tenhais vendido	tenhais partido
tenham cantado	tenham vendido	tenham partido

2º) **Pretérito mais-que-perfeito**. Formado do **imperfeito do subjuntivo** do verbo *ter* (ou *haver*) com o **particípio** do verbo principal:

tivesse cantado	tivesse vendido	tivesse partido
tivesses cantado	tivesses vendido	tivesses partido
tivesse cantado	tivesse vendido	tivesse partido
tivéssemos cantado	tivéssemos vendido	tivéssemos partido
tivésseis cantado	tivésseis vendido	tivésseis partido
tivessem cantado	tivessem vendido	tivessem partido

3º) **Futuro composto**. Formado do **futuro simples do subjuntivo** do verbo *ter* (ou *haver*) com o **particípio** do verbo principal:

tiver cantado	tiver vendido	tiver partido
tiveres cantado	tiveres vendido	tiveres partido
tiver cantado	tiver vendido	tiver partido
tivermos cantado	tivermos vendido	tivermos partido
tiverdes cantado	tiverdes vendido	tiverdes partido
tiverem cantado	tiverem vendido	tiverem partido

FORMAS NOMINAIS

1º) **Infinitivo impessoal composto (pretérito impessoal).** Formado do **infinitivo impessoal** do verbo *ter* (ou *haver*) com o **particípio** do verbo principal:

ter cantado	ter vendido	ter partido

2º) **Infinitivo pessoal composto** (ou **pretérito pessoal**). Formado do **infinitivo pessoal** do verbo *ter* (ou *haver*) com o **particípio** do verbo principal:

ter cantado	ter vendido	ter partido
teres cantado	teres vendido	teres partido
ter cantado	ter vendido	ter partido
termos cantado	termos vendido	termos partido
terdes cantado	terdes vendido	terdes partido
terem cantado	terem vendido	terem partido

3º) **Gerúndio composto (pretérito).** Formado do **gerúndio** do verbo *ter* (ou *haver*) com o **particípio** do verbo principal.

tendo cantado	tendo vendido	tendo partido

Conjugação da voz passiva

Modelo: *ser louvado*

MODO INDICATIVO	
PRESENTE	PRETÉRITO IMPERFEITO
sou louvado (-a)	era louvado (-a)
és louvado (-a)	eras louvado (-a)
é louvado (-a)	era louvado (-a)
somos louvados (-as)	éramos louvados (-as)
sois louvados (-as)	éreis louvados (-as)
são louvados (-as)	eram louvados (-as)
PRETÉRITO PERFEITO (SIMPLES)	PRETÉRITO PERFEITO (COMPOSTO)
fui louvado (-a)	tenho sido louvado (-a)
foste louvado (-a)	tens sido louvado (-a)
foi louvado (-a)	tem sido louvado (-a)
fomos louvados (-as)	temos sido louvados (-as)
fostes louvados (-as)	tendes sido louvados (-as)
foram louvados (-as)	têm sido louvados (-as)
PRETÉRITO MAIS-QUE-PERFEITO (SIMPLES)	PRETÉRITO MAIS-QUE-PERFEITO (COMPOSTO)
fora louvado (-a)	tinha sido louvado (-a)
foras louvado (-a)	tinhas sido louvado (-a)
fora louvado (-a)	tinha sido louvado (-a)
fôramos louvados (-as)	tínhamos sido louvados (-as)
fôreis louvados (-as)	tínheis sido louvados (-as)
foram louvados (-as)	tinham sido louvados (-as)
FUTURO DO PRESENTE (SIMPLES)	FUTURO DO PRESENTE (COMPOSTO)
serei louvado (-a)	terei sido louvado (-a)
serás louvado (-a)	terás sido louvado (-a)
será louvado (-a)	terá sido louvado (-a)
seremos louvados (-as)	teremos sido louvados (-as)
sereis louvados (-as)	tereis sido louvados (-as)
serão louvados (-as)	terão sido louvados (-as)
FUTURO DO PRETÉRITO (SIMPLES)	FUTURO DO PRETÉRITO (COMPOSTO)
seria louvado (-a)	teria sido louvado (-a)
serias louvado (-a)	terias sido louvado (-a)
seria louvado (-a)	teria sido louvado (-a)
seríamos louvados (-as)	teríamos sido louvados (-as)
seríeis louvados (-as)	teríeis sido louvados (-as)
seriam louvados (-as)	teriam sido louvados (-as)

MODO SUBJUNTIVO	
PRESENTE	**PRETÉRITO IMPERFEITO**
seja louvado (-a)	fosse louvado (-a)
sejas louvado (-a)	fosses louvado (-a)
seja louvado (-a)	fosse louvado (-a)
sejamos louvados (-as)	fôssemos louvados (-as)
sejais louvados (-as)	fôsseis louvados (-as)
sejam louvados (-as)	fossem louvados (-as)
PRETÉRITO PERFEITO	**PRETÉRITO MAIS-QUE-PERFEITO**
tenha sido louvado (-a)	tivesse sido louvado (-a)
tenhas sido louvado (-a)	tivesses sido louvado (-a)
tenha sido louvado (-a)	tivesse sido louvado (-a)
tenhamos sido louvados (-as)	tivéssemos sido louvados (-as)
tenhais sido louvados (-as)	tivésseis sido louvados (-as)
tenham sido louvados (-as)	tivessem sido louvados (-as)
FUTURO (SIMPLES)	**FUTURO** (COMPOSTO)
for louvado (-a)	tiver sido louvado (-a)
fores louvado (-a)	tiveres sido louvado (-a)
for louvado (-a)	tiver sido louvado (-a)
formos louvados (-as)	tivermos sido louvados (-as)
fordes louvados (-as)	tiverdes sido louvados (-as)
forem louvados (-as)	tiverem sido louvados (-as)
FORMAS NOMINAIS	
INFINITIVO IMPESSOAL PRESENTE	**INFINITIVO IMPESSOAL PRETÉRITO**
ser louvado (-a)	ter sido louvado (-a)
INFINITIVO PESSOAL PRESENTE	**INFINITIVO PESSOAL PRETÉRITO**
ser louvado (-a)	ter sido louvado (-a)
seres louvado (-a)	teres sido louvado (-a)
ser louvado (-a)	ter sido louvado (-a)
sermos louvados (-as)	termos sido louvados (-as)
serdes louvados (-as)	terdes sido louvados (-as)
serem louvados (-as)	terem sido louvados (-as)
GERÚNDIO PRESENTE	**GERÚNDIO PRETÉRITO**
sendo louvado (-a, -os, -as)	tendo sido louvado (-a, -os, -as)
PARTICÍPIO	
louvado (-a, -os, -as)	

Observações:

1ª) Só há uma forma simples na voz passiva, que é o **particípio**. Colocamos, no entanto, entre parênteses, as designações **simples** e **composto** para lembrar a correspondência das formas assim nomeadas com as da voz ativa que apresentam semelhante oposição.

2ª) Na voz passiva não se usa o **imperativo**.

Verbo reflexivo e verbo pronominal

1. Muitos verbos são conjugados com pronomes átonos, à semelhança dos reflexivos, sem que tenham exatamente o seu sentido. São os chamados **verbos pronominais**, de que podemos distinguir dois tipos:

a) os que só se usam na forma pronominal, como:

apiedar-se	condoer-se	queixar-se
arrepender-se	dignar-se	suicidar-se

b) os que se usam também na forma simples, mas esta difere ou pelo sentido ou pela construção da forma pronominal, como por exemplo:

debater [= discutir]	enganar alguém
debater-se [= agitar-se]	enganar-se com alguém

2. Distingue-se, na prática, o verbo reflexivo do verbo pronominal porque ao primeiro se podem acrescentar, conforme a pessoa, as expressões *a mim mesmo, a ti mesmo, a si mesmo*, etc. Quando o reflexivo tem valor recíproco, as expressões reforçativas passam a ser *um ao outro, reciprocamente, mutuamente*, etc.

CONJUGAÇÃO DOS VERBOS IRREGULARES

Irregularidade verbal

1. A irregularidade de um verbo pode estar na flexão ou no radical.

Se examinarmos, por exemplo, a 1ª pessoa do **presente do indicativo** dos verbos *dar* e *medir*, verificamos que:

a) a forma *dou* não recebe a desinência normal *-o* da referida pessoa;

b) a forma *meço* apresenta o radical *meç-*, distinto do radical *med-*, que aparece no **infinitivo** e em outras formas do verbo: *med-ir, med-es, med-i, med-ira*, etc.

2. Num verbo irregular pode haver determinadas formas perfeitamente regulares: *dava, davas, dava, dávamos, dáveis, davam; media, medias, media, medíamos, medíeis, mediam.*

3. Para mais fácil conhecimento dos verbos irregulares, convém ter em mente o que dissemos sobre a formação dos tempos simples. Excetuando-se a anomalia que apontamos na conjugação dos verbos *dar, estar, haver, querer, saber, ser* e *ir*, a irregularidade dos demais é sempre constante na forma de cada um dos grupos:

1º GRUPO	2º GRUPO	3º GRUPO
Pres. do indicativo	Pret. perf. do ind.	Fut. do presente
Pres. do subjuntivo	Pret. mais-que-perf. do ind.	Fut. do pretérito
Imperativo	Pret. imperf. do sub.	
	Fut. do sub.	

Atentando-se, pois, nas formas do **presente**, do **pretérito perfeito** e do **futuro do presente** do **modo indicativo**, sabemos se um verbo é ou não irregular e, também, como conjugá-lo nos tempos de cada um dos três grupos.

Irregularidade verbal e discordância gráfica

É necessário não confundir irregularidade verbal com certas discordâncias gráficas que aparecem em formas do mesmo verbo e que visam apenas a indicar-lhes a uniformidade de pronúncia dentro das convenções do nosso sistema de escrita. Assim:

a) os verbos da 1ª conjugação cujos radicais terminem em *-c, -ç* e *-g* mudam estas letras, respectivamente, em *-qu, -c* e *-gu* sempre que se lhes seguem um *-e*:

ficar — fiquei
justiçar — justicei
chegar — cheguei

b) os verbos da 2ª e da 3ª conjugação cujos radicais terminem em *-c, -g* e *-gu* mudam tais letras, respectivamente, em *-ç, -j* e *-g* sempre que se lhes segue um *-o* ou um *-a*:

vencer — venço — vença
tanger — tanjo — tanja
erguer — ergo — erga
restringir — restrinjo — restrinja
extinguir — extingo — extinga

São, como vemos, simples acomodações gráficas, que não implicam irregularidade do verbo.

Verbos com alternância vocálica

Muitos verbos da língua portuguesa apresentam diferenças de timbre na vogal do radical conforme nele recaia ou não o acento tônico. Assim, às formas *levamos* e *levais*, com *e* semifechado [*ê*], se contrapõem *levo, levas, leva* e *levam*, com *e* semiaberto [*é*]; às formas *rogamos* e *rogais*, com *o* semifechado [*ô*], se opõem *rogo, rogas, roga* e *rogam*, com *o* semiaberto [*ó*]. Às vezes a alternância vocálica se observa nas próprias formas rizotônicas. Por exemplo: *subo*, em contraste com *sobes, sobe* e *sobem*; *firo*, em oposição a *feres, fere* e *ferem*.

Por sofrerem tais mutações vocálicas no radical, esses verbos, ou melhor, os pertencentes à 3ª conjugação, vêm de regra incluídos no elenco dos **verbos irregulares**. Cumpre ponderar, no entanto, que essas alternâncias são características do idioma; os verbos que as apresentam não formam exceções, mas a norma dentro da nossa complexa morfologia. Saliente-se, ademais, que não é lógico que se considerem regulares verbos como *beber* e *mover*, que sofrem, respectivamente, as mutações de *e* semifechado [*ê*] em *e* semiaberto [*é*] e de *o* semifechado [*ô*] em *o* semiaberto [*ó*]; e, de outro lado, se tenham por irregulares verbos como *frigir* e *acudir*, que alternam [*i*] com *e* semiaberto [*é*] e [*u*] com *o* semiaberto [*ó*]. Há flagrante semelhança nos casos citados. Apenas em *beber* e em *mover* não se distinguem na escrita (fato meramente gráfico) aquelas oposições vocálicas a que nos referimos.

Outros tipos de irregularidade

1ª Conjugação

Embora seja a mais rica em número de verbos, a 1ª conjugação é a mais pobre em número de verbos irregulares. Além de *estar*, cuja conjugação estudamos, há apenas os seguintes:

1. Dar

Apresenta irregularidades nestes tempos:

MODO INDICATIVO		
PRESENTE	PRETÉRITO PERFEITO	PRETÉRITO MAIS-QUE-PERFEITO
dou	dei	dera
dás	deste	deras
dá	deu	dera
damos	demos	déramos
dais	destes	déreis
dão	deram	deram

MODO SUBJUNTIVO		
PRESENTE	PRETÉRITO IMPERFEITO	PRETÉRITO MAIS-QUE-PERFEITO
dê	desse	der
dês	desses	deres
dê	desse	der
demos	déssemos	dermos
deis	désseis	derdes
deem	déssem	derem

MODO IMPERATIVO	
AFIRMATIVO	NEGATIVO
dá	não dês
dê	não dê
demos	não demos
dai	não deis
deem	não deem

No mais, conjuga-se como um verbo regular da 1ª conjugação.

Note-se que o derivado *circundar* não apresenta nenhuma destas irregularidades. Segue em tudo o paradigma dos verbos regulares da 1ª conjugação.

2. Verbos terminados em *-ear* e *-iar*

1. Os verbos terminados em *-ear* recebem *i* depois do *e* nas formas rizotônicas.

Sirva de exemplo o verbo *passear*, que assim se conjuga no **presente do indicativo**, no **presente do subjuntivo** e nos **imperativos afirmativo** e **negativo**:

INDICATIVO	SUBJUNTIVO	IMPERATIVO	
PRESENTE	PRESENTE	AFIRMATIVO	NEGATIVO
passeio	passeie		
passeias	passeies	passeia	não passeies
passeia	passeie	passeie	não passeie
passeamos	passeemos	passeemos	não passeemos
passeais	passeeis	passeai	não passeeis
passeiam	passeiem	passeiem	não passeiem

2. Por analogia com os verbos em *-ear* (já que na pronúncia se confundem o *e* e o *i*), cinco verbos de infinitivo em *-iar* mudam o [*i*] em [*ey*] nas formas rizotônicas. São eles: *ansiar, incendiar, mediar, odiar* e *remediar*. Assim também se conjuga o verbo *intermediar*, derivado de *mediar*.

Os demais verbos em *-iar* são regulares.

Observações:

1ª) *Criar*, em qualquer acepção, conjuga-se como verbo regular em *-iar*: *crio, crias, cria, criamos,* etc.

2ª) O verbo *mobiliar* apresenta, nas formas rizotônicas, o acento na sílaba *bi*; **presente do indicativo**: *mobílio, mobílias, mobília, mobíliam*; **presente do subjuntivo**: *mobílie, mobílies, mobílie, mobíliem*; etc. Mas, em verdade, tal anomalia é mais gráfica do que fonética. Este verbo também se escreve *mobilhar*, variante gráfica admitida pelo Vocabulário Oficial e que melhor reproduz a sua pronúncia corrente.

3ª) Convém distinguir, cuidadosamente, certos verbos terminados em *-ear* e *-iar*, de forma muito parecida, mas de sentido diverso. Entre outros: *afear* (relacionado com *feio*) e *afiar* (relacionado com *fio*), *enfrear* (relacionado com *freio*) e *enfriar* (com *frio*), *estear* (relacionado com *esteio*) e *estiar* (com *estio*), *estrear* (relacionado com *estreia*) e *estriar* (com *estria*), *mear* (relacionado com *meio*) e *miar* (com *mio, miado*), *pear* (relacionado com *peia*) e *piar* (com *pio*), *vadear* (relacionado com *vau*) e *vadiar* (com *vadio*).

2ª Conjugação

Além dos verbos *haver, ser* e *ter*, já conhecidos, mencionem-se:

1. Caber

Apresenta irregularidades no **presente** e no **pretérito perfeito do indicativo**, que se transmitem às formas deles derivadas.

MODO INDICATIVO		
PRESENTE	PRETÉRITO PERFEITO	PRETÉRITO MAIS-QUE-PERFEITO
caibo	coube	coubera
cabes	coubeste	couberas
cabe	coube	coubera
cabemos	coubemos	coubéramos
cabeis	coubeste	coubéreis
cabem	couberam	couberam

MODO SUBJUNTIVO		
PRESENTE	PRETÉRITO IMPERFEITO	PRETÉRITO MAIS-QUE-PERFEITO
caiba	coubesse	couber
caibas	coubesses	couberes
caiba	coubesse	couber
caibamos	coubéssemos	coubermos
caibais	coubésseis	couberdes
caibam	coubessem	couberem

No sentido próprio este verbo não admite **imperativo**.

2. Crer e ler

São irregulares no **presente do indicativo** e, em decorrência, no **presente do subjuntivo** e nos **imperativos afirmativo** e **negativo**.

INDICATIVO	SUBJUNTIVO	IMPERATIVO	
PRESENTE	PRESENTE	AFIRMATIVO	NEGATIVO
creio	creia		
crês	creias	crê	não creias
crê	creia	creia	não creia
cremos	creiamos	creiamos	não creiamos
credes	creiais	crede	não creiais
creem	creiam	creiam	não creiam
leio	leia		
lês	leias	lê	não leias
lê	leia	leia	não leia
lemos	leiamos	leiamos	não leiamos
ledes	leiais	lede	não leiais
leem	leiam	leiam	não leiam

Assim também se conjugam os derivados: *descrer*, *reler*, etc.

3. Dizer

Apenas o **pretérito imperfeito do indicativo** e o **gerúndio** são regulares neste verbo.

Estas as formas simples:

MODO INDICATIVO		
PRESENTE	PRETÉRITO IMPERFEITO	PRETÉRITO PERFEITO
digo	dizia	disse
dizes	dizias	disseste
diz	dizia	disse
dizemos	dizíamos	dissemos
dizeis	dizíeis	dissestes
dizem	diziam	disseram
PRETÉRITO MAIS-QUE-PERFEITO	FUTURO DO PRESENTE	FUTURO DO PRETÉRITO
dissera	direi	diria
disseras	dirás	dirias
dissera	dirá	diria
disséramos	diremos	diríamos
disséreis	direis	diríeis
disseram	dirão	diriam

MODO SUBJUNTIVO		
PRESENTE	PRETÉRITO IMPERFEITO	FUTURO
diga	dissesse	disser
digas	dissesses	disseres
diga	dissesse	disser
digamos	disséssemos	dissermos
digais	dissésseis	disserdes
digam	dissessem	disserem

MODO IMPERATIVO	
AFIRMATIVO	NEGATIVO
dize (diz)	não digas
diga	não diga
digamos	não digamos
dizei	não digais
digam	não digam

FORMAS NOMINAIS			
INFINITIVO IMPESSOAL	INFINITIVO PESSOAL	GERÚNDIO	PARTICÍPIO
dizer	dizer dizeres, etc.	dizendo	dito

Segundo o modelo de *dizer*, conjugam-se os verbos dele formados: *bendizer, maldizer, desdizer, contradizer, predizer,* etc.

4. Fazer

Também neste verbo só o **pretérito imperfeito do indicativo** e o **gerúndio** são regulares. Assim vejamos:

MODO INDICATIVO		
PRESENTE	PRETÉRITO IMPERFEITO	PRETÉRITO PERFEITO
faço	fazia	fiz
fazes	fazias	fizeste
faz	fazia	fez
fazemos	fazíamos	fizemos
fazeis	fazíeis	fizestes
fazem	faziam	fizeram

MODO INDICATIVO		
PRETÉRITO MAIS-QUE-PERFEITO	FUTURO DO PRESENTE	FUTURO DO PRETÉRITO
fizera	farei	faria
fizeras	farás	farias
fizera	fará	faria
fizéramos	faremos	faríamos
fizéreis	fareis	faríeis
fizeram	farão	fariam

MODO SUBJUNTIVO		
PRESENTE	PRETÉRITO IMPERFEITO	FUTURO
faça	fizesse	fizer
faças	fizesses	fizeres
faça	fizesse	fizer
façamos	fizéssemos	fizermos
façais	fizésseis	fizerdes
façam	fizessem	fizerem

MODO IMPERATIVO	
AFIRMATIVO	NEGATIVO
faze (faz)	não faças
faça	não faça
façamos	não façamos
fazei	não façais
façam	não façam

FORMAS NOMINAIS			
INFINITIVO IMPESSOAL	INFINITIVO PESSOAL	GERÚNDIO	PARTICÍPIO
fazer	fazer, fazeres, etc.	fazendo	feito

Por *fazer* se conjugam os seus compostos e derivados: *afazer, contrafazer, desfazer, perfazer, refazer, satisfazer,* etc.

5. Perder

Oferece irregularidade no **presente do indicativo** e esta se transmite às formas derivadas do **presente do subjuntivo** e dos **imperativos afirmativo** e **negativo**.

Eis as suas formas irregulares:

INDICATIVO	SUBJUNTIVO	IMPERATIVO	
PRESENTE	PRESENTE	AFIRMATIVO	NEGATIVO
perco	perca		
perdes	percas	perde	não percas
perde	perca	perca	não perca
perdemos	percamos	percamos	não percamos
perdeis	percais	perdei	não percais
perdem	percam	percam	não percam

6. Poder

Apresenta irregularidades no **presente** e no **pretérito perfeito do indicativo** e, em consequência, nas formas derivadas destes dois tempos:

MODO INDICATIVO		
PRESENTE	PRETÉRITO PERFEITO	PRETÉRITO MAIS-QUE-PERFEITO
posso	pude	pudera
podes	pudeste	puderas
pode	pôde	pudera
podemos	pudemos	pudéramos
podeis	pudestes	pudéreis
podem	puderam	puderam

MODO SUBJUNTIVO		
PRESENTE	PRETÉRITO IMPERFEITO	FUTURO
possa	pudesse	puder
possas	pudesses	puderes
possa	pudesse	puder
possamos	pudéssemos	pudermos
possais	pudésseis	puderdes
possam	pudessem	puderem

É desusado o *imperativo* deste verbo.

7. Pôr

Pôr, forma contrata do antigo *poer* (ou *põer*, derivado do latim *ponere*), é o único verbo da língua que tem o **infinitivo** irregular.

MODO INDICATIVO		
PRESENTE	PRETÉRITO IMPERFEITO	PRETÉRITO PERFEITO
ponho	punha	pus
pões	punhas	puseste
põe	punha	pôs
pomos	púnhamos	pusemos
pondes	púnheis	pusestes
põem	punham	puseram
PRETÉRITO MAIS-QUE-PERFEITO	FUTURO DO PRESENTE	FUTURO DO PRETÉRITO
pusera	porei	poria
puseras	porás	porias
pusera	porá	poria
puséramos	poremos	poríamos
puséreis	poreis	poríeis
puseram	porão	poriam

MODO SUBJUNTIVO		
PRESENTE	PRETÉRITO IMPERFEITO	FUTURO
ponha	pusesse	puser
ponhas	pusesses	puseres
ponha	pusesse	puser
ponhamos	puséssemos	pusermos
ponhais	pusésseis	puserdes
ponham	pusessem	puserem

MODO IMPERATIVO	
AFIRMATIVO	NEGATIVO
põe	não ponhas
ponha	não ponha
ponhamos	não ponhamos
ponde	não ponhais
ponham	não ponham

FORMAS NOMINAIS			
INFINITIVO IMPESSOAL	INFINITIVO PESSOAL	GERÚNDIO	PARTICÍPIO
pôr	pôr pores, etc.	pondo	posto

Pelo paradigma de *pôr* se conjugam todos os seus derivados: *antepor, apor, compor, contrapor, decompor, depor, descompor, dispor, expor, impor, propor,* etc.

8. Prazer

Empregado apenas na 3ª pessoa do singular, este verbo apresenta as seguintes formas irregulares:

MODO INDICATIVO		
PRESENTE	PRETÉRITO PERFEITO	PRETÉRITO MAIS-QUE-PERFEITO
praz	prouve	prouvera

MODO SUBJUNTIVO	
PRETÉRITO IMPERFEITO	FUTURO
prouvesse	prouver

Por *prazer* se conjugam *aprazer* e *desprazer*.

Observações:

1ª) As outras formas, inclusive o **presente do subjuntivo** (= *praza*), são regulares.

2ª) O derivado *comprazer*, além de não ser unipessoal, é regular no **pretérito perfeito** e nos tempos formados do seu radical. Assim, *comprazi, comprazeste, comprazeu,* etc.; *comprazera, comprazeras, comprazera,* etc.; *comprazesse, comprazesses, comprazesse,* etc.; *comprazer, comprazeres, comprazer,* etc.

9. Querer

Oferece irregularidades nos seguintes tempos:

MODO INDICATIVO		
PRESENTE	PRETÉRITO PERFEITO	PRETÉRITO MAIS-QUE-PERFEITO
quero	quis	quisera
queres	quiseste	quiseras
quer	quis	quisera
queremos	quisemos	quiséramos
quereis	quisestes	quiséreis
querem	quiseram	quiseram

MODO SUBJUNTIVO		
PRESENTE	PRETÉRITO IMPERFEITO	FUTURO
queira	quisesse	quiser
queiras	quisesses	quiseres
queira	quisesse	quiser
queiramos	quiséssemos	quisermos
queirais	quisésseis	quiserdes
queiram	quisessem	quiserem

Observações:

1ª) É desusado o **imperativo** deste verbo.

2ª) O derivado *requerer* faz *requeiro* na 1ª pessoa do **presente do indicativo** e é regular no **pretérito perfeito** e nos tempos formados do seu radical: *requeri, requereste, requereu,* etc.; *requerera, requereras, requerera,* etc.; *requeresse, requeresses, requeresse,* etc.; *requerer, requereres, requerer,* etc. Além disso, emprega-se no **imperativo**. *Bem-querer* e *malquerer* fazem no **particípio** *benquisto* e *malquisto*, respectivamente.

10. Saber

Formas irregulares:

MODO INDICATIVO		
PRESENTE	PRETÉRITO PERFEITO	PRETÉRITO MAIS-QUE-PERFEITO
sei	soube	soubera
sabes	soubeste	souberas
sabe	soube	soubera
sabemos	soubemos	soubéramos
sabeis	soubestes	soubéreis
sabem	souberam	souberam

MODO SUBJUNTIVO		
PRESENTE	PRETÉRITO IMPERFEITO	FUTURO
saiba	soubesse	souber
saibas	soubesses	souberes
saiba	soubesse	souber
saibamos	soubéssemos	soubermos
saibais	soubésseis	souberdes
saibam	soubessem	souberem

MODO IMPERATIVO	
AFIRMATIVO	NEGATIVO
sabe	não saibas
saiba	não saiba
saibamos	não saibamos
sabei	não saibais
saibam	não saibam

11. Trazer

É regular apenas no **pretérito imperfeito do indicativo** e nas **formas nominais**. Esta a sua conjugação:

MODO INDICATIVO		
PRESENTE	**PRETÉRITO IMPERFEITO**	**PRETÉRITO PERFEITO**
trago	trazia	trouxe
trazes	trazias	trouxeste
traz	trazia	trouxe
trazemos	trazíamos	trouxemos
trazeis	trazíeis	trouxestes
trazem	traziam	trouxeram
PRETÉRITO MAIS-QUE-PERFEITO	**FUTURO DO PRESENTE**	**FUTURO DO PRETÉRITO**
trouxera	trarei	traria
trouxeras	trarás	trarias
trouxera	trará	traria
trouxéramos	traremos	traríamos
trouxéreis	trareis	traríeis
trouxeram	trarão	trariam

MODO SUBJUNTIVO		
PRESENTE	**PRETÉRITO IMPERFEITO**	**FUTURO**
traga	trouxesse	trouxer
tragas	trouxesses	trouxeres
traga	trouxesse	trouxer
tragamos	trouxéssemos	trouxermos
tragais	trouxésseis	trouxerdes
tragam	trouxessem	trouxerem

MODO IMPERATIVO	
AFIRMATIVO	**NEGATIVO**
traze	não tragas
traga	não traga
tragamos	não tragamos
trazei	não tragais
tragam	não tragam

12. Valer

Apresenta irregularidade na 1ª pessoa do singular do **presente do indicativo**, irregularidade que se transmite ao **presente do subjuntivo** e às formas do **imperativo** dele derivadas. Assim:

INDICATIVO	SUBJUNTIVO	IMPERATIVO	
PRESENTE	PRESENTE	AFIRMATIVO	NEGATIVO
valho	valha		
vales	valhas	vale	não valhas
vale	valha	valha	não valha
valemos	valhamos	valhamos	não valhamos
valeis	valhais	valei	não valhais
valem	valham	valham	não valham

Por *valer* se conjugam *desvaler* e *equivaler*.

13. Ver

É irregular no **presente** e no **pretérito perfeito do indicativo**, nas formas deles derivadas, assim como no **particípio**, que é *visto*.

MODO INDICATIVO		
PRESENTE	PRETÉRITO PERFEITO	PRETÉRITO MAIS-QUE-PERFEITO
vejo	vi	vira
vês	viste	viras
vê	viu	vira
vemos	vimos	víramos
vedes	vistes	víreis
veem	viram	viram

MODO SUBJUNTIVO		
PRESENTE	PRETÉRITO IMPERFEITO	FUTURO
veja	visse	vir
vejas	visses	vires
veja	visse	vir
vejamos	víssemos	virmos
vejais	vísseis	virdes
vejam	vissem	virem

MODO IMPERATIVO	
AFIRMATIVO	NEGATIVO
vê	não vejas
veja	não veja
vejamos	não vejamos
vede	não vejais
vejam	não vejam

Assim se conjugam *antever, entrever, prever* e *rever.*

Observação:

Prover, embora formado de *ver*, é regular no **pretérito perfeito do indicativo** e nas formas dele derivadas: *provi, proveste, proveu,* etc.; *provera, proveras, provera,* etc.; *provesse, provesses, provesse,* etc.; *prover, proveres, prover,* etc. O **particípio** é *provido*, também regular. Por *prover* conjuga-se o seu derivado *desprover.*

3ª Conjugação

1. Ir

É verbo anômalo, somente regular no **pretérito imperfeito** e nos **futuros do presente** e do **pretérito do modo indicativo**: *ia, irei, iria*, nas **formas nominais** — **infinitivo**: *ir*; **gerúndio**: *indo*; **particípio**: *ido.*

Suas formas do **pretérito perfeito do indicativo** e dos tempos dele derivados identificam-se com as correspondentes do verbo *ser*: *fui, fora, fosse* e *for*.

Nos demais tempos simples é assim conjugado:

INDICATIVO	SUBJUNTIVO	IMPERATIVO	
PRESENTE	PRESENTE	AFIRMATIVO	NEGATIVO
vou	vá		
vais	vás	vai	não vás
vai	vá	vá	não vá
vamos	vamos	vamos	não vamos
ides	vades	ide	não vades
vão	vão	vão	não vão

2. Medir e pedir

Além da alternância vocálica entre as formas rizotônicas e arrizotônicas, estes verbos apresentam modificação do radical *med-* e *ped-* na 1ª pessoa do **presente do indicativo** e, consequentemente, no **presente do subjuntivo** e nas pessoas do **imperativo** dele derivadas.

INDICATIVO	SUBJUNTIVO	IMPERATIVO	
PRESENTE	PRESENTE	AFIRMATIVO	NEGATIVO
meço	meça		
medes	meças	mede	não meças
mede	meça	meça	não meça
medimos	meçamos	meçamos	não meçamos
medis	meçais	medi	não meçais
medem	meçam	meçam	não meçam
peço	peça		
pedes	peças	pede	não peças
pede	peça	peça	não peça
pedimos	peçamos	peçamos	não peçamos
pedis	peçais	pedi	não peçais
pedem	peçam	peçam	não peçam

Por *medir* conjuga-se *desmedir*.

Conjugam-se por *pedir*, embora dele não sejam derivados, os verbos *despedir, expedir* e *impedir*, bem como os que destes se formam: *desimpedir, reexpedir*, etc.

3. Ouvir

Irregularidade semelhante à anterior. O radical *ouv-* muda-se em *ouç-* na 1ª pessoa do **presente do indicativo** e, em decorrência, em todo o **presente do subjuntivo** e nas pessoas do **imperativo** dele derivadas. Assim:

INDICATIVO	SUBJUNTIVO	IMPERATIVO	
PRESENTE	PRESENTE	AFIRMATIVO	NEGATIVO
ouço	ouça		
ouves	ouças	ouve	não ouças
ouve	ouça	ouça	não ouça
ouvimos	ouçamos	ouçamos	não ouçamos
ouvis	ouçais	ouvi	não ouçais
ouvem	ouçam	ouçam	não ouçam

4. Rir

Apresenta irregularidades nos seguintes tempos:

INDICATIVO	SUBJUNTIVO	IMPERATIVO	
PRESENTE	PRESENTE	AFIRMATIVO	NEGATIVO
rio	ria		
ris	rias	ri	não rias
ri	ria	ria	não ria
rimos	riamos	riamos	não riamos
rides	riais	ride	não riais
riem	riam	riam	não riam

Pelo modelo de *rir* conjuga-se *sorrir*.

5. Vir

É verbo anômalo, assim conjugado nos tempos simples:

MODO INDICATIVO		
PRESENTE	**PRETÉRITO IMPERFEITO**	**PRETÉRITO PERFEITO**
venho	vinha	vim
vens	vinhas	vieste
vem	vinha	veio
vimos	vínhamos	viemos
vindes	vínheis	viestes
vêm	vinham	vieram
PRETÉRITO MAIS-QUE-PERFEITO	**FUTURO DO PRESENTE**	**FUTURO DO PRETÉRITO**
viera	virei	viria
vieras	virás	virias
viera	virá	viria
viéramos	viremos	viríamos
viéreis	vireis	viríeis
vieram	virão	viriam

MODO SUBJUNTIVO		
PRESENTE	**PRETÉRITO IMPERFEITO**	**FUTURO**
venha	viesse	vier
venhas	viesses	vieres
venha	viesse	vier
venhamos	viéssemos	viermos
venhais	viésseis	vierdes
venham	viessem	vierem

MODO IMPERATIVO	
AFIRMATIVO	**NEGATIVO**
vem	não venhas
venha	não venha
venhamos	não venhamos
vinde	não venhais
venham	não venham

FORMAS NOMINAIS			
INFINITIVO IMPESSOAL	INFINITIVO PESSOAL	GERÚNDIO	PARTICÍPIO
vir	vir vires vir virmos virdes virem	vindo	vindo

Por este verbo se conjugam todos os seus derivados: *advir, avir, convir, desavir, intervir, provir, sobrevir*, etc.

6. Verbos terminados em *-uzir*

Os verbos assim terminados, como *aduzir, conduzir, deduzir, induzir, introduzir, luzir, produzir, reduzir, reluzir, traduzir,* etc., não apresentam a vogal *-e* na 3ª pessoa do singular do **presente do indicativo** (ele) *aduz, conduz, deduz, induz, introduz, luz,* etc.

Verbos de Particípio Irregular

Há alguns verbos da 2ª e da 3ª conjugação que possuem apenas particípio irregular, não tendo conhecido jamais a forma regular em *-ido.*

São os seguintes:

INFINITIVO	PARTICÍPIO	INFINITIVO	PARTICÍPIO
dizer	dito	pôr	posto
escrever	escrito	abrir	aberto
fazer	feito	cobrir	coberto
ver	visto	vir	vindo

Observações:

1ª) Também os derivados destes verbos apresentam somente o particípio irregular. Assim, *desdito*, de *desdizer, reescrito,* de *rees-*

crever; *contrafeito*, de *contrafazer*; *previsto*, de *prever*; *imposto*, de *impor*; *entreaberto*, de *entreabrir*; *descoberto*, de *descobrir*; *convindo*, de *convir*; etc.

2ª) Neste grupo devemos incluir três verbos da 1ª conjugação: *ganhar, gastar* e *pagar*-, de que outrora se usavam normalmente os dois particípios. Na linguagem atual preferem-se, tanto nas construções com o auxiliar *ser* como naquelas em que entra o auxiliar *ter*, as formas irregulares *ganho, gasto* e *pago*, sendo que a última substituiu completamente o antigo *pagado.*

Verbos Abundantes

Vimos que são chamados **abundantes** os verbos que possuem duas ou mais formas equivalentes. Vimos também que, na quase totalidade dos casos, essa abundância ocorre apenas no **particípio**, o qual, em certos verbos, se apresenta com uma forma reduzida ou irregular ao lado da forma regular em *-ado* ou *-ido.*

De regra, a forma regular emprega-se na constituição dos tempos compostos da **voz ativa**, isto é, acompanhada dos auxiliares *ter* ou *haver*; a irregular usa-se, de preferência, na formação dos tempos da **voz passiva**, ou seja, acompanhada de auxiliar *ser.*

Eis os principais verbos **abundantes** no particípio:

PRIMEIRA CONJUGAÇÃO		
INFINITIVO	PARTICÍPIO REGULAR	PARTICÍPIO IRREGULAR
aceitar	aceitado	aceito
entregar	entregado	entregue
enxugar	enxugado	enxuto
expressar	expressado	expresso
expulsar	expulsado	expulso
isentar	isentado	isento
matar	matado	morto
salvar	salvado	salvo
soltar	soltado	solto

PRIMEIRA CONJUGAÇÃO		
vagar	vagado	vago

SEGUNDA CONJUGAÇÃO		
INFINITIVO	PARTICÍPIO REGULAR	PARTICÍPIO IRREGULAR
acender	acendido	aceso
benzer	benzido	bento
eleger	elegido	eleito
incorrer	incorrido	incurso
morrer	morrido	morto
prender	prendido	preso
romper	rompido	roto
suspender	suspendido	suspenso

TERCEIRA CONJUGAÇÃO		
INFINITIVO	PARTICÍPIO REGULAR	PARTICÍPIO IRREGULAR
emergir	emergido	emerso
exprimir	exprimido	expresso
extinguir	extinguido	extinto
frigir	frigido	frito
imergir	imergido	imerso
imprimir	imprimido	impresso
inserir	inserido	inserto
omitir	omitido	omisso
submergir	submergido	submerso

Observações:

1ª) Somente as formas irregulares se usam como adjetivos e são elas as únicas que se combinam com os verbos *estar, ficar, andar, ir* e *vir.*

2ª) *Morto* é particípio de *morrer* e estendeu-se também a *matar.*

3ª) O particípio *rompido* usa-se também com o auxiliar *ser*. Ex.: *Foram rompidas* nossas relações. *Roto* emprega-se mais como adjetivo.

4ª) *Imprimir* possui duplo particípio quando significa "estampar", "gravar". Na acepção de "produzir movimento", "infundir", usa-se apenas o particípio em *-ido*. Dir-se-á, por exemplo: Este livro *foi impresso* no Brasil. Mas, por outro lado: *Foi imprimida* enorme velocidade ao carro.

Verbos Impessoais, Unipessoais e Defectivos

Há verbos que são usados apenas em alguns tempos, modos ou pessoas.

As razões que provocam a falta de certas formas verbais são múltiplas e nem sempre apreensíveis.

Muitas vezes é a própria ideia expressa pelo verbo que não pode aplicar-se a determinadas pessoas. Assim, no seu significado próprio, os verbos que exprimem fenômenos da natureza, como *chover, trovejar, ventar,* só aparecem na 3ª pessoa do singular; os que indicam vozes de animais, como *ganir, ladrar, zurrar*, normalmente só se empregam na 3ª pessoa do singular e do plural.

Aos primeiros chamamos **impessoais**; aos últimos, **unipessoais**.

Aos verbos que não têm a conjugação completa consagrada pelo uso damos o nome de **defectivos**.

Verbos impessoais

Não tendo sujeito, os **verbos impessoais** são invariavelmente usados na 3ª pessoa do singular. Assim:

a) os verbos que exprimem fenômenos da natureza, como: *alvorecer, amanhecer, chover, nevar, trovejar,* etc.:

> *Choveu* a noite toda.
> *Nevou* na Serra Gaúcha.

b) o verbo *haver* na acepção de “existir” e o verbo *fazer* quando indica tempo decorrido:

> *Houve* momentos de pânico.
> *Faz* cinco anos que não o vejo.

c) certos verbos que indicam necessidade, conveniência ou sensações quando regidos de preposição em frases do tipo:

> *Basta* de provocações!
> *Chega* de lamúrias!

Verbos unipessoais

São **unipessoais** os verbos que, pelo sentido, só admitem um sujeito da 3ª pessoa do singular ou do plural. Assim:

a) os verbos que exprimem uma ação ou um estado peculiar a determinado animal, como *ladrar, rosnar, galopar, trotar, coaxar,* etc.

Os sapos *coaxam* nas águas mortas.

b) os verbos que indicam necessidade, conveniência, sensações, quando têm por sujeito um substantivo, ou uma oração substantiva, seja reduzida de infinitivo, seja iniciada pela integrante *que*:

Urgem as providências prometidas.
Convém sair mais cedo.
Pareceu-me que ele chorava.

c) os verbos *acontecer, concernir, grassar* e outros, como *constar* (= ser constituído), *assentar* (= ajustar uma vestimenta), etc.:

Aconteceu o que eu esperava.
Os vestidos *assentaram*-lhe bem.

Verbos defectivos

Defectivos são os verbos que não têm a conjugação completa consagrada pelo uso. Em sua maioria pertencem à 3ª conjugação, e podem ser distribuídos por dois grupos principais:

1º grupo. Verbos que não possuem a 1ª pessoa do **presente do indicativo** e, consequentemente, nenhuma das pessoas do **presente do subjuntivo** nem as formas do **imperativo** que delas se derivam, isto é, todas as do **imperativo negativo** e três do **imperativo afirmativo**: a 3ª pessoa do singular e a 1ª e 3ª do plural.

Sirva de exemplo o verbo *banir*:

INDICATIVO	SUBJUNTIVO	IMPERATIVO	
PRESENTE	PRESENTE	AFIRMATIVO	NEGATIVO
—	—		
banes	—	bane	—
bane	—	—	—
banimos	—	—	—
banis	—	bani	—
banem	—	—	—

Pelo modelo de *banir* conjugam-se, entre outros, os seguintes verbos:

abolir	carpir	exaurir	imergir
aturdir	colorir	fremir	jungir
brandir	demolir	fulgir	retorquir
brunir	emergir	haurir	ungir

2º grupo. Verbos que, no **presente do indicativo**, só se conjugam nas formas arrizotônicas e não possuem, portanto, nenhuma das pessoas do **presente do subjuntivo** nem do **imperativo negativo**; e, no **imperativo afirmativo**, apresentam apenas a 2ª pessoa do plural.

Sirva de exemplo o verbo *falir*:

INDICATIVO	SUBJUNTIVO	IMPERATIVO	
PRESENTE	PRESENTE	AFIRMATIVO	NEGATIVO
—	—		
—	—	—	—
—	—	—	—
falimos	—	—	—
falis	—	fali	—
—	—	—	—

Pelo modelo de *falir* conjugam-se, entre outros, os seguintes verbos da 3ª conjugação:

aguerrir	delinquir	empedernir	puir
combalir	descomedir-se	foragir-se	remir
comedir-se	embair	fornir	renhir

Também neste grupo se enquadram os verbos *adequar*, da 1ª conjugação, e *precaver-se* e *reaver*, da 2ª.

Outros casos de defectividade

1. Os verbos *adequar* e *antiquar* usam-se quase que exclusivamente no **infinitivo pessoal** e no **particípio**. *Transir* só aparece no **particípio** *transido*:

Estava *transido* de frio.

2. *Soer* praticamente só se emprega nas seguintes formas: *sói, soem* (do **presente do indicativo**) e *soía, soías, soía, soíamos, soíeis, soíam* (do **imperfeito do indicativo**).

3. *Precaver-se*, como dissemos, só possui as formas arrizotônicas (*precavemo-nos, precaveis-vos*) do **presente do indicativo**; a 2ª pessoa do plural (*precavei-vos*) do **imperativo afirmativo**; e nenhuma do **subjuntivo presente** e do **imperativo negativo**. É um verbo regular, não dependendo nem de *ver*, nem de *vir*. Faz, por conseguinte, *precavi, precaveste, precaveu*, etc., no **pretérito perfeito do indicativo**; *precavesse, precavesses, precavesse,* etc., no **imperfeito do subjuntivo**, de acordo com o paradigma dos verbos da 2ª conjugação.

4. *Haver*, mesmo quando pessoal, não se usa na 2ª pessoa do singular do **imperativo afirmativo**.

5. Há certos verbos que são desusados no **particípio** e, consequentemente, nos tempos compostos. É o caso de *concernir, discernir, esplender* e alguns mais.

Substitutos dos defectivos

As carências de um **verbo defectivo** podem ser supridas pelo emprego de formas verbais ou de perífrases sinônimas. Diremos, por exemplo, *redimo* e *abro falência*, em lugar da lacunosa primeira pessoa do **presente do indicativo** dos verbos *remir* e *falir*; *acautelo-me*, ou *precato-me*, *previno-me*, pela equivalente pessoa de *precaver-se*; e assim por diante.

Sintaxe dos Modos e dos Tempos

Modo indicativo

Com o **modo indicativo** exprime-se, em geral, uma ação ou um estado considerados na sua realidade ou na sua certeza, quer em referência ao presente, quer ao passado ou ao futuro. É, fundamentalmente, o modo da oração principal.

Emprego dos tempos do indicativo

Presente

O **presente do indicativo** emprega-se:

1º) para enunciar um fato atual, isto é, que ocorre no momento em que se fala (**presente momentâneo**):

> *Cai* o crepúsculo. *Chove*.
> *Sobe* a névoa... A sombra *desce*... (DA COSTA E SILVA)

2º) para indicar ações e estados permanentes ou assim considerados, como seja uma verdade científica, um dogma, um artigo de lei (**presente durativo**):

> Os corpos *caem* no vácuo com igual velocidade.
> A Santíssima Trindade *é* o mesmo Deus. Nela *há* três pessoas distintas e um só Deus verdadeiro.
> O direito de propriedade *abrange* todos os direitos que formam o nosso patrimônio.

3º) para expressar uma ação habitual (**presente habitual** ou **frequentativo**):

> Não *gosto* de trabalhar, não *fumo*, não *durmo* com muitos sonos... (J. L. DO REGO)

4º) para dar vivacidade a fatos ocorridos no passado (**presente histórico** ou **narrativo**):

> A Avenida *é* o mar dos foliões. Serpentinas *cortam* o ar carregado de éter, *rolam* das sacadas, *pendem* das árvores e dos fios, *unem* com os seus matizes os automóveis do corso. (M. REBELO)

5º) para marcar um fato futuro, mas próximo; caso em que, para impedir qualquer ambiguidade, se faz acompanhar geralmente de um adjunto adverbial:

> Amanhã mesmo *vou* para Belo Horizonte e lá *pego* o avião do Rio. (A. CALLADO)

Pretérito imperfeito

O **pretérito imperfeito** designa, fundamentalmente, um fato passado, mas não concluído (*imperfeito* = não perfeito, inacabado). Encerra, pois, uma ideia de continuidade, de duração do processo verbal mais acentuada do que os outros tempos pretéritos, razão por que se presta especialmente para descrições e narrações de acontecimentos passados.

> Quando eu não a *esperava*, e ela *aparecia*, o coração *vinha*-me à boca dando pancadas emotivas. (L. JARDIM)

Pretérito perfeito

O **pretérito perfeito simples** exprime um fato já concluído anteriormente ao momento em que se fala:

> El-rei, quando o mancebo o *cumprimentou* pela última vez, *sorriu-se*. (R. DA SILVA)

A **forma composta** exprime geralmente a repetição de um fato ou a sua continuidade até o presente em que falamos:

> — Eu *tenho cruzado* o nosso Estado em caprichoso ziguezague. (S. LOPES NETO)

Distinções entre o pretérito imperfeito e o perfeito

Convém ter presentes as seguintes distinções de emprego do pretérito imperfeito e do pretérito perfeito simples do indicativo:

a) o pretérito imperfeito exprime o fato passado habitual; o pretérito perfeito, o não habitual:

> Quando o via, cumprimentava-o.
> Quando o vi, cumprimentei-o.

b) o pretérito imperfeito exprime a ação durativa, e não a limita no tempo; o pretérito perfeito, ao contrário, indica a ação momentânea, definida no tempo. Comparem-se estes dois exemplos:

> A docilidade da menina *encantava* a alma do pai. (M. DE ASSIS)
> A docilidade da menina *encantou* a alma do pai.

Pretérito mais-que-perfeito

O **pretérito mais-que-perfeito** indica uma ação que ocorreu antes de outra ação já passada:

> Casamos daí a uns meses. Eu *hesitara*, sempre *tivera* medo de dar padrasto aos meus filhos, e além disso *fora* tão infeliz no primeiro casamento. (R. DE QUEIRÓS)

Observação:

Na linguagem literária do Modernismo brasileiro, assim como na linguagem coloquial, é nítida a preferência pela forma composta.

> Os poucos dias passados na serra, *tinham*-lhe *feito* bem. (J. MONTELLO)

Futuro do presente

1. O **futuro do presente simples** emprega-se:

1º) para indicar fatos certos ou prováveis, posteriores ao momento em que se fala:

> As aulas *começarão* depois de amanhã. (C. DOS ANJOS)

2º) para exprimir a incerteza (probabilidade, dúvida, suposição) sobre fatos atuais:

> — Quem está aqui? *Será* um ladrão? (G. RAMOS)

Substitutos do futuro do presente simples

Na língua falada o **futuro simples** é de emprego relativamente raro. Preferimos, na conversação, substituí-lo por locuções constituídas:

a) do **presente do indicativo** do verbo *haver* + **preposição** *de* + **infinitivo** do verbo principal:

> Deixe; amanhã *hei de acordá*-lo a pau de vassoura! (M. DE ASSIS)

b) do **presente do indicativo** do verbo *ter* + **preposição** *de* + **infinitivo** do verbo principal:

> *Temos de recriar* de novo o mundo... (T. DA SILVEIRA)

c) do **presente do indicativo** do verbo *ir* + **infinitivo** do verbo principal:

> *Vamos entrar* no mar. (ADONIAS FILHO)

2. O **futuro do presente composto** emprega-se:

1º) para indicar que uma ação futura será consumada antes de outra:

> Quando ele chegar, *terei tomado* todas as providências.

2º) para exprimir a certeza de uma ação futura:

> Amanhã procure o Dr. Alcebíades, disse o Dr. Viriato. Já *terei conversado* com ele. (A. DOURADO)

Futuro do pretérito

1. O **futuro do pretérito simples** emprega-se:

1º) para designar ações posteriores a uma época do passado, da qual se fala:

> E você não vai? perguntei.
> Não. Ainda *ficaria*. *Esperaria* a noite. (M. REBELO)

2º) para exprimir a incerteza (probabilidade, dúvida, suposição) sobre fatos passados:

> *Seriam* mais ou menos dez horas quando Paulo e Aurélio chegaram à boca do mato. (M. PALMÉRIO)

3º) como forma polida de presente, em geral denotadora de desejo:

> *Desejaríamos* ouvi-lo sobre o crime. (C. D. DE ANDRADE)

2. O **futuro do pretérito composto** emprega-se:

1º) para indicar que um fato teria acontecido no passado, mediante certa condição:

> *Teria sido* diferente, se eu o amasse. (C. DOS ANJOS)

2º) para exprimir a possibilidade de um fato passado:

> *Teria sido* melhor não escrever nada. (R. BRAGA)

3º) para indicar a incerteza sobre fatos passados em certas frases interrogativas que dispensam a resposta do interlocutor:

> Aquele malandro os *teria engolido*? (C. D. DE ANDRADE)

Modo subjuntivo

Indicativo e subjuntivo

Quando nos servimos do **modo indicativo**, consideramos o fato expresso pelo verbo como *certo, real,* seja no presente, seja no passado, seja no futuro.

Ao empregarmos o **modo subjuntivo**, é completamente diversa a nossa atitude. Encaramos, então, a existência ou não existência do fato como uma coisa *incerta, duvidosa, eventual* ou, mesmo, *irreal*.

Comparem-se, por exemplo, estas frases:

TEMPO	MODO INDICATIVO	MODO SUBJUNTIVO
PRESENTE	Afirmo que ele *estuda*	Duvido que ele *estude*
IMPERFEITO	Afirmei que ele *estudava*	Duvidei que ele *estudasse*
PERFEITO	Afirmo que ele *estudou* (ou *tem estudado*)	Duvido que ele *tenha estudado*
MAIS-QUE-PERFEITO	Afirmava que ele *tinha estudado* (ou *estudara*)	Duvidava que ele *tivesse estudado*

Emprego do subjuntivo

Como o próprio nome indica, o **subjuntivo** denota que uma ação, ainda não realizada, é concebida como dependente de outra, expressa ou subentendida. Daí o seu emprego normal na oração subordinada.

Emprego dos tempos do subjuntivo

As noções temporais que encerram as formas do **subjuntivo** não são precisas como as expressas pelas do **indicativo**, denotadoras de ações concebidas em sua realidade. Assim:

1. O **presente do subjuntivo** pode indicar um fato:

a) presente:

> Pena é que os meninos *estejam* tão mal providos de roupa. (O. L. RESENDE)

b) futuro:

> Meus olhos *apodreçam* se abençoar você. (ADONIAS FILHO)

2. O **imperfeito do subjuntivo** pode ter o valor:

a) de passado:

> Todos os domingos, *chovesse* ou *fizesse* sol, estava eu lá. (H. SALES)

b) de futuro:

> Aos domingos, treinava o discurso destinado ao pretendente que *chegasse* primeiro. (N. PIÑON)

c) de presente:

> *Tivesses* coração, terias tudo. (G. PASSOS)

3. O **pretérito perfeito do subjuntivo** pode exprimir um fato:

a) passado (supostamente concluído):

> Espero que você *tenha encontrado* esse alguém na rua, depois daquela cena patética do carro. (F. SABINO)

b) futuro (terminado em relação a outro fato futuro):

> Espero que João *tenha feito* o exame quando eu voltar.

4. O **pretérito mais-que-perfeito do subjuntivo** pode indicar:

a) uma ação anterior a outra ação passada (dentro do sentido eventual do modo subjuntivo):

> Esperei-a um pouco, até que *tivesse terminado* sua *toilette* e pudéssemos sair juntos. (C. DOS ANJOS)

b) uma ação irreal no passado:

> Se a vitória os *houvesse coroado* com os seus favores, não lhes faltaria o aplauso do mundo e a solicitude dos grandes advogados. (R. BARBOSA)

5. O **futuro do subjuntivo simples** marca a eventualidade no futuro e emprega-se em orações **subordinadas**:

> Quando me *acontecer* alguma pecúnia, passante de um milhão de cruzeiros, compro uma ilha.
> (C. D. DE ANDRADE)

6. O **futuro do subjuntivo composto** indica um fato futuro como terminado em relação a outro fato futuro:

> — D. Sancha, peço-lhe que não leia esse livro, ou, se o *houver lido* até aqui, abandone o resto.
> (M. DE ASSIS)

Modo imperativo

Emprego do modo imperativo

1. Quando empregamos o **imperativo**, em geral, temos o intuito de exortar o nosso interlocutor a cumprir a ação indicada pelo verbo. É, pois, mais o modo da exortação, do conselho, do convite, do que propriamente do comando, da ordem.

2. Tanto o **imperativo afirmativo** como o **negativo** usam-se somente em orações absolutas, em orações principais, ou em orações coordenadas:

> *Saiam* da chuva, meninos! (L. JARDIM)
> Ah, meus amigos, *não* vos *deixeis* morrer assim...
> (V. DE MORAES)

Emprego das formas nominais

Características gerais

São **formas nominais** do verbo o **infinitivo**, o **gerúndio** e o **particípio**.

Caracterizam-se todas por não poderem exprimir por si nem o tempo nem o modo. O seu valor temporal e modal depende sempre do contexto em que aparecem.

Distinguem-se, fundamentalmente, pelas seguintes peculiaridades:

a) o **infinitivo** apresenta o processo verbal em potência, exprime a ideia da ação, aproximando-se, assim, do substantivo:

> Doce é *projetar*, rude é *cumprir*. (C. D. DE ANDRADE)

b) o **gerúndio** apresenta o processo verbal em curso e desempenha funções exercidas pelo advérbio ou pelo adjetivo:

> Ouvia-se o cantar de carros de boi, *chorando*, de muito longe. (J. L. DO REGO)

c) o **particípio** apresenta o resultado do processo verbal; acumula as características de verbo com as de adjetivo, podendo, em certos casos, receber como este as desinências *-a* de feminino e *-s* de plural:

> Sobre as paredes internas que restavam, equilibravam-se pontas de vigamento, *revestidas* de um bolor claro de cinza, tições enormes, *apagados*. (R. POMPEIA)

Acrescente-se, ainda, que:

a) o **infinitivo** e o **gerúndio** possuem, ao lado da forma simples, uma forma composta, que exprime a ação concluída; apresentam, pois, internamente uma oposição de **aspecto**:

	ASPECTO NÃO-CONCLUÍDO	ASPECTO CONCLUÍDO
INFINITIVO	ler	ter lido
GERÚNDIO	lendo	tendo lido

b) o **infinitivo** apresenta, em português, duas formas: uma não flexionada; outra flexionada, como qualquer forma pessoal do verbo;

c) o **gerúndio** é invariável;

d) o **particípio** não se flexiona em pessoa.

Emprego do infinitivo

Infinitivo impessoal e infinitivo pessoal

A par do **infinitivo impessoal**, isto é, do infinitivo que não tem sujeito, porque não se refere a uma pessoa gramatical, conhece a língua portuguesa o **infinitivo pessoal**, que tem sujeito próprio e pode ou não flexionar-se. Assim, em:

> *Esperar* tantos meses foi fácil. (C. D. DE ANDRADE)

o infinitivo é **impessoal**.

Já nas frases:

> Seria capaz de me *hospedar* lá. (M. BANDEIRA)
> Ao *despertarem*, estavam derrotados.
> (C. D. DE ANDRADE)

estamos diante de uma forma do **infinitivo pessoal**, que tem, na 1ª, o sujeito *eu* (oculto) e na 2ª, o sujeito *eles* (oculto). No primeiro caso, o **infinitivo** é **pessoal**, mas **não flexionado**; no segundo, é **pessoal flexionado**.

Emprego da forma não flexionada

O **infinitivo** conserva a forma **não flexionada**:

1º) quando é **impessoal**, ou seja, quando não se refere a nenhum sujeito:

> É bom *ter* uma casa, *dormir, sonhar*. (C. MEIRELES)

2º) quando tem valor de imperativo:

> E Deus responde — *"Marchar!"* (C. ALVES)

3º) quando, precedido da preposição *de*, tem sentido passivo e serve de complemento nominal a adjetivos como *fácil, possível, bom, raro* e outros semelhantes:

> Era para mim, esta prisão, um martírio bem *difícil de vencer*. (J. L. DO REGO)

4º) quando pertence a uma locução verbal e não está distanciado do seu auxiliar:

— Amanhã *vamos passar* o dia no Oiteiro.
(J. L. DO REGO)

5º) quando depende dos auxiliares causativos (*deixar, mandar, fazer* e sinônimos) ou sensitivos (*ver, ouvir* e sinônimos) e vem imediatamente depois desses verbos ou apenas separado deles por seu sujeito, expresso por um pronome oblíquo:

Mandara os meninos *brincar* no vizinho.
(C. LISPECTOR)
Esta *viu-os ir* pouco a pouco. (M. DE ASSIS)

Emprego da forma flexionada

O **infinitivo** assume a forma **flexionada**:

1º) quando tem sujeito claramente expresso:

Quero dizer — o costume é *os feios amarem* os belos e *os belos se deixarem* amar. (R. DE QUEIRÓS)

2º) quando se refere a um sujeito oculto, que se quer dar a conhecer pela desinência verbal:

Seria bom *andarmos* nus como as feras.
(ADONIAS FILHO)

3º) quando, na 3ª pessoa do plural, indica a indeterminação do sujeito:

Foi então que ouvi *baterem* na porta. (J. L. DO REGO)

4º) quando se quer dar à frase maior ênfase ou harmonia:

Aqueles homens gotejantes de suor, bêbados de calor, desvairados de insolação, a *quebrarem*, a *espicaçarem*, a *torturarem* a pedra, pareciam um punhado de demônios revoltados em sua imponência contra o impossível gigante. (A. AZEVEDO)

Emprego do gerúndio

Forma simples e composta

Vimos que o **gerúndio** apresenta duas formas: uma **simples** (*lendo*), outra **composta** (*tendo* ou *havendo lido*).

A forma **composta** é de caráter pretérito e indica uma ação concluída anteriormente à que exprime o verbo da oração principal:

> *Tendo trabalhado* desde a infância, Constantino de Carvalho é rigorosamente um autodidata.
> (P. NAVA)

A forma **simples** expressa uma ação em curso, que pode ser imediatamente anterior ou posterior à do verbo da oração principal, ou contemporânea dela.

> Não *obtendo* resultado, indignou-se. (G. RAMOS)

O gerúndio na locução verbal

O **gerúndio** combina-se com os auxiliares *estar, andar, ir* e *vir*, para marcar diferentes aspectos da execução do processo verbal, examinados por nós ao estudarmos o emprego dos auxiliares.

Emprego do particípio

Elemento de tempos compostos

O **particípio** desempenha importantíssimo papel no sistema do verbo, pois permite a formação dos tempos compostos que exprimem o aspecto conclusivo do processo verbal. Emprega-se:

a) com os auxiliares *ter* e *haver*, para formar os tempos compostos da voz ativa:

> *tendo escrito* *havia escrito*

b) com o auxiliar *ser*, para formar os tempos na voz passiva de ação:

Samuel *foi convidado* a ir à polícia (C. D. DE ANDRADE)

c) com o auxiliar *estar*, para formar tempos da voz passiva de estado:

Os dois homens *estavam fascinados*. (C. D. DE ANDRADE)

Particípio sem auxiliar

1. Desacompanhado de auxiliar, o **particípio** exprime fundamentalmente o estado resultante de uma ação acabada:

Contado ninguém acredita. (J. MONTELLO)

2. Quando o **particípio** exprime apenas o estado, sem estabelecer nenhuma relação temporal, ele se confunde com o adjetivo:

O vento *enfurecido* açoitava a rancharia. (A. MEYER)

CONCORDÂNCIA VERBAL

A solidariedade entre o verbo e o sujeito, que ele faz viver no tempo, exterioriza-se na **concordância**, isto é, na variabilidade do verbo para conformar-se ao número e à pessoa do sujeito.

A **concordância** evita a repetição do sujeito, que pode ser indicado pela flexão verbal a ele ajustada:

Eu trabalhei no duro, *sei* o que é cortar seringa. (PEREGRINO JÚNIOR)

Regras gerais

1. COM SUJEITO SIMPLES

O verbo concorda em número e pessoa com o seu sujeito, venha ele claro ou subentendido:

Eu faço versos como quem morre. (M. BANDEIRA)
Fiz tantos versos a Teresinha... (M. BANDEIRA)

2. Com sujeito composto

O verbo que tem um **sujeito composto** vai para o plural e, quanto à pessoa, irá:

a) para a 1ª pessoa do plural, se entre os núcleos do sujeito figurar um da 1ª pessoa:

O velho e eu vivíamos no plano do absoluto. (G. AMADO)

b) para a 2ª pessoa do plural, se, não existindo sujeito da 1ª pessoa, houver um da 2ª:

Tu e Túlia estais bons. (J. RIBEIRO)

c) para a 3ª pessoa do plural, se os núcleos do sujeito forem da 3ª pessoa:

Gemiam o vento e o mar. (J. L. DO REGO)

Observação:

Na linguagem coloquial, evitam-se as formas do sujeito composto que levam o verbo à 2ª pessoa do plural em virtude do desuso do tratamento *vós* e, também, da substituição do tratamento *tu* por *você*, na maior parte do país.

Em lugar da 2ª pessoa do plural, encontramos o verbo na 3ª pessoa do plural. Assim:

Em que língua *tu* e *ele falavam*? (R. FONSECA)

Casos particulares

1. Com sujeito simples

O sujeito é uma expressão partitiva

Quando o sujeito é constituído por uma expressão partitiva (como: *parte de, uma porção de, o grosso de, o resto de, metade de* e equivalentes) e um substantivo ou pronome plural, o verbo pode ir para o singular ou para o plural:

> Para meu desapontamento, *a maioria dos nomes* adotados não *dispunha* de telefone, ou *eram* casas comerciais, que não queriam conversa. (C. D. DE ANDRADE)

O sujeito denota quantidade aproximada

Quando o sujeito, indicador de quantidade aproximada, é formado de um *número plural* precedido das expressões *cerca de, mais de, menos de, perto de* e sinônimos, o verbo vai normalmente para o plural:

> *Cerca de quinhentas pessoas visitaram* o maestro na casa do Engenho Velho. (M. BANDEIRA)

Observação:

Enquanto o sujeito de que participa a expressão *menos de dois* leva o verbo ao plural, o sujeito formado pelas expressões *mais de um* ou *mais que um*, seguidas de substantivo, deixa o verbo no singular, a menos que haja ideia de reciprocidade, ou as referidas expressões venham repetidas:

> *Menos de dois* convidados *chegaram* atrasados.
> *Mais de um* convidado *chegou* com atraso.
> *Mais de um* orador se *criticaram* mutuamente na ocasião.
> *Mais de um* velho, *mais de uma* criança não *puderam fugir* a tempo.

O SUJEITO É UM PRONOME INTERROGATIVO, DEMONSTRATIVO OU INDEFINIDO PLURAL, SEGUIDO DE *DE* (OU *DENTRE*), *NÓS* (OU *VÓS*)

1. Se o sujeito é formado por algum dos pronomes interrogativos *quais?* e *quantos?*, dos demonstrativos *estes, esses, aqueles* ou dos indefinidos no plural *alguns, muitos, poucos, quaisquer, vários*, seguido de uma das expressões *de nós, de vós, dentre nós* ou *dentre vós*, o verbo pode ficar na 3ª pessoa do plural ou concordar com o pronome pessoal que designa o todo:

> Estou falando, portanto, com *aqueles dentre vós que trabalham* na construção em frente de minha janela. (R. BRAGA)
>
> *Quantos dentre vós* que me ouvis não *tereis tomado* parte em romagens a Aparecida? (A. ARINOS)
>
> *Muitos de vós*, que hoje frequentais os cursos superiores, *fostes* meus discípulos e me *honrastes* com o título de mestre. (C. LAET)

2. Se o interrogativo ou o indefinido estiver no singular, também no singular deverá ficar o verbo:

> *Qual de nós poderia* gabar-se de conhecer espinafre? (C. D. DE ANDRADE)
>
> João da Silva — Nunca *nenhum de nós esquecerá* seu nome. (R. BRAGA)

O SUJEITO É O PRONOME RELATIVO *QUE*

1. O verbo que tem como sujeito o pronome relativo *que* concorda em número e pessoa com o antecedente deste pronome:

> Fui *eu que* te *vesti* do meu sudário... (C. ALVES)

2. Se o antecedente do relativo *que* é um demonstrativo que serve de predicativo ou aposto de um pronome pessoal sujeito, o verbo do relativo pode:

a) concordar com este pronome pessoal, principalmente quando o antecedente é expresso pelo pronome demonstrativo *o (a, os, as)*:

> Não somos *nós os que vamos chamar* esses leais companheiros de além-mundo. (R. BARBOSA)

b) ir para a 3ª pessoa, em concordância com o demonstrativo, se não há interesse em acentuar a íntima relação entre o predicativo e o sujeito:

> Eu sou *aquele que veio* do imenso rio. (M. DE ANDRADE)

3. Quando o relativo *que* vem antecedido das expressões *um dos, uma das* (+ substantivo), o verbo de que ele é sujeito vai para a 3ª pessoa do plural ou, mais raramente, para a 3ª pessoa do singular:

> A baronesa era *uma das* pessoas *que* mais *desconfiavam* de nós. (M. DE ASSIS)

4. Depois de *um dos que* (= *um daqueles que*) o verbo vai normalmente para a 3ª pessoa do plural:

> Naqueles dias a meninada do colégio interessava-se vivamente pelos concursos e eu era *um dos que* não *perdiam* o bate-boca das arguições. (M. BANDEIRA)

O SUJEITO É O PRONOME RELATIVO *QUEM*

1. O pronome relativo *quem* constrói-se, de regra, com o verbo na 3ª pessoa do singular:

> Mas não sou eu *quem está* em jogo. (E. VERISSIMO)

2. Não faltam, porém, exemplos de bons autores em que o verbo concorda com o pronome pessoal, sujeito da oração anterior:

> És *tu quem dás* frescor à mansa brisa... (G. DIAS)

O sujeito é um plural aparente

Os nomes de lugar, e também os títulos de obras, que têm forma de plural são tratados como singular, se não vierem acompanhados de artigo:

Três Caminhos é um livro ótimo. (C. D. DE ANDRADE)

Quando precedido de artigo, o verbo assume normalmente a forma plural:

As Memórias Póstumas de Brás Cubas lhe *davam* uma outra dimensão. (T. M. MOREIRA)

O sujeito é indeterminado

Nas orações de sujeito indeterminado, já o dissemos, o verbo vai para a 3ª pessoa do plural:

Anunciaram que você morreu. (M. BANDEIRA)

Se, no entanto, a indeterminação do sujeito for indicada pelo pronome *se*, o verbo fica na 3ª pessoa do singular:

Constrói-se, produz-se para o momento. (G. ARANHA)

Concordância do verbo *ser*

1. Em alguns casos o verbo *ser* concorda com o predicativo. Assim:

1º) Nas orações começadas pelos pronomes interrogativos substantivos *que?* e *quem?*:

Que *são religiões, sistemas filosóficos, escolas científicas, credos artísticos* ou *literários?* (A. PEIXOTO)

Pouco importa saber à nossa história quem *eram os convidados*. (M. DE ASSIS)

2º) Quando o sujeito do verbo *ser* é um dos pronomes *isto, isso, aquilo, tudo* ou *o* (= aquilo) e o predicativo vem expresso por um substantivo no plural:

> Tudo isso *eram pensamentos, suposições*, das quais não resultava a verdade. (L. JARDIM)
> O que tinha mais saída porém *eram os artigos religiosos*. (C. LISPECTOR)

Mas, neste caso, apesar de raro, pode aparecer o verbo no singular, em concordância com o pronome demonstrativo ou com o indefinido:

> *Tudo* é flores no presente. (G. DIAS)

3º) Quando o sujeito é uma expressão de sentido coletivo como *o resto, o mais*:

> *O resto eram bastiões* em trevas. (C. LISPECTOR)
> *O mais são casas esparsas*. (C. D. DE ANDRADE)

4º) Nas orações impessoais:

> *Eram* quase *duas horas* e a praia estava completamente deserta. (V. DE MORAES)
> *Deviam ser oito horas* e eu vim descendo a pé pela borda do cais. (L. BARRETO)

Observação:

Empregados com referência às horas do dia, os verbos *dar, bater, soar* e sinônimos concordam com o número que indica as horas:

> *Batiam oito horas* numa padaria. (M. DE ASSIS)
> *Davam seis horas*, todos à mesa. (M. DE ASSIS)

Quando há o sujeito *relógio* (ou *sino, sineta*, etc.), o verbo naturalmente concorda com ele:

> *O sino da Matriz bateu* seis horas. (A. MEYER)

2. Se o sujeito for nome de pessoa ou pronome pessoal, o verbo normalmente concorda com ele, qualquer que seja o número do predicativo:

Todo *eu era* olhos e coração. (M. DE ASSIS)

3. Quando o sujeito é constituído de uma expressão numérica que se considera em sua totalidade, o verbo *ser* fica no singular:

Oito anos sempre *é* alguma coisa. (C. D. DE ANDRADE)

4. Nas frases em que ocorre a locução invariável *é que*, o verbo concorda com o substantivo ou pronome que a precede, pois são eles efetivamente o seu sujeito:

Só *os meus mortos* é que *ouvirão* as palavras que não chego a articular. (A. F. SCHMIDT)

2. Com sujeito composto

Concordância com o sujeito mais próximo

Vimos que o adjetivo que modifica vários substantivos pode, em certos casos, concordar com o substantivo mais próximo. Também o verbo que tem um sujeito composto pode concordar com o núcleo do sujeito mais próximo:

a) quando o sujeito vem depois dele:

Em tudo *reina a desolação, a pobreza extrema, abandono.* (A. F. SCHMIDT)

b) quando os sujeitos são sinônimos ou quase sinônimos:

A música e a sonoridade da sua arte sempre nos *diz* alguma cousa daquele mistério. (J. RIBEIRO)

c) quando há uma enumeração gradativa:

A mesma coisa, o mesmo ato, a mesma palavra provocava ora risadas, ora castigos. (M. LOBATO)

SUJEITO COMPOSTO RESUMIDO POR UM PRONOME INDEFINIDO

Quando os sujeitos são resumidos por um pronome indefinido (como *tudo, nada, ninguém*), o verbo fica no singular, em concordância com esse pronome:

> O pasto, as várzeas, a caatinga, o marmeleiral esquelético, *era tudo* de um cinzento de borralho. (R. DE QUEIRÓS)

A mesma concordância se faz quando o pronome anuncia o sujeito composto:

> *Tudo* o fazia lembrar-se dela... (ALMADA NEGREIROS)

SUJEITO COMPOSTO REPRESENTANTE DA MESMA PESSOA OU COISA

Quando os sujeitos, por palavras diferentes, representam uma só pessoa ou uma só coisa, o verbo fica naturalmente no singular:

> *Esse primeiro palpitar da seiva, essa revelação da consciência a si própria*, nunca mais me *esqueceu*. (M. DE ASSIS)

SUJEITO COMPOSTO LIGADO POR *OU* E POR *NEM*

1. Quando o sujeito composto é formado de substantivos no singular ligados pelas conjunções *ou* ou *nem*, o verbo costuma ir:

a) para o *plural*, se o fato expresso pelo verbo pode ser atribuído a todos os núcleos:

> *O mal ou o bem* dali *teriam de vir*. (D. S. DE QUEIRÓS)
>
> *Nem ar nem onda corrente possuem* suspiro igual. (C. MEIRELES).

b) para o *singular*, se o fato expresso pelo verbo só pode ser atribuído a um dos núcleos do sujeito, isto é, se há ideia alternativa:

> Fui devagar, mas *o pé ou o espelho traiu*-me.
> (M. DE ASSIS)

2. Se os núcleos do sujeito ligados por *ou* ou por *nem* não são da mesma pessoa, isto é, se entre eles há algum expresso por pronomes da 1ª ou da 2ª pessoa, o verbo irá para o plural e para a pessoa que tiver precedência:

> *Ou ela ou eu havemos de abandonar* para sempre esta casa; e isto hoje mesmo. (B. GUIMARÃES)

3. As expressões *um ou outro* e *nem um nem outro*, empregadas como pronome substantivo ou como pronome adjetivo, exigem normalmente o verbo no singular:

> Só *um ou outro menino usava* sapatos; a maioria, de tamancos ou descalça. (G. AMADO)
>
> *Nem um nem outro havia idealizado* previamente este encontro. (T. DA SILVEIRA)

A EXPRESSÃO *UM E OUTRO*

A expressão *um e outro*, no entanto, pode levar o verbo ao plural ou, com menos frequência, ao singular:

> *Um e outro tinham* a sola rota. (M. DE ASSIS)
>
> *Um e outro é* sagaz e pressentido. (A. F. DE CASTILHO)

SUJEITO COMPOSTO LIGADO POR *COM*

Quando os sujeitos vêm unidos pela partícula *com*, o verbo pode usar-se no plural ou em concordância com o primeiro sujeito, segundo a valorização expressiva que dermos ao elemento regido de *com*.

Assim, o verbo irá normalmente:

a) para o *plural*, quando os sujeitos estão em pé de igualdade, e a partícula *com* os enlaça como se fosse a conjunção *e*:

> *Garcilaso com Boscán e Petrarca* são os poetas favoritos do grande épico. (J. RIBEIRO)

b) para o número do primeiro sujeito, quando pretendemos realçá-lo em detrimento do segundo, reduzido à condição de adjunto adverbial de companhia:

> *A Princesa Sereníssima,* com o augusto esposo, *chegou* pontual às duas horas, acedendo ao convite que recebeu primeiro que ninguém. (R. POMPEIA)

Sujeito composto ligado por conjunção comparativa

Quando os dois sujeitos estão unidos por uma das conjunções comparativas *como, assim como, bem como* e equivalentes, a concordância depende da interpretação que dermos ao conjunto.

Assim, o verbo concordará:

a) com o primeiro sujeito, se quisermos destacá-lo:

> *O dólar*, como a girafa, *não existe*. (C. D. DE ANDRADE)

Neste caso, a conjunção conserva pleno o seu valor comparativo; e o segundo termo vem enunciado entre pausas, que se marcam, na escrita, por vírgulas.

b) com os dois sujeitos englobadamente (isto é: o verbo irá para o plural), se os considerarmos termos que se adicionam, que se reforçam, interpretação que normalmente damos, por exemplo, a estruturas correlativas do tipo *tanto... como*:

> É um homem excelente, e *tanto Emília como Francisquinha o estimam* muito, a seu modo.
> (C. DOS ANJOS)

Entre os sujeitos não há pausa; logo, não devem ser separados, na escrita, por vírgula.

De modo semelhante se comportam os sujeitos ligados por uma série aditiva enfática (*não só... mas* [*senão* ou *como*] *também*):

> *Não só cristãos como também infiéis circulam* nas catacumbas dos "*subways*". (E. VERISSIMO)

REGÊNCIA

Em geral, as palavras de uma oração são interdependentes, isto é, relacionam-se entre si para formar um todo significativo.

A relação necessária que se estabelece entre duas palavras, uma das quais serve de complemento a outra, é o que se chama **regência**. A palavra dependente denomina-se **regida**, e o termo a que ela se subordina, **regente**.

As relações de **regência** podem ser indicadas:

a) pela ordem por que se dispõem os termos na oração;

b) pelas preposições, cuja função é justamente a de ligar palavras, estabelecendo entre elas um nexo de dependência;

c) pelas conjunções subordinativas, quando se trata de um período composto.

Regência verbal

1. Vimos que, quanto à predicação, os verbos nocionais se dividem em **intransitivos** e **transitivos**.

Os **intransitivos** expressam uma ideia completa:

> O menino *correu*. Paulo *viajou*.

Os **transitivos**, mais numerosos, exigem sempre o acompanhamento de uma palavra de valor substantivo (**objeto direto** ou **indireto**) para integrar-lhes o sentido:

> O menino *comprou um livro*.
> O velho *carecia de roupa*.
> Paulo *deu um presente ao amigo*.

2. A ligação do verbo com o seu complemento, isto é, a **regência verbal**, pode, como nos mostram os exemplos citados, fazer-se:

a) diretamente, sem uma preposição intermédia, quando o complemento é **objeto direto**;

b) indiretamente, mediante o emprego de uma preposição, quando o complemento é **objeto indireto**.

Diversidade e igualdade de regência

Há verbos que admitem mais de uma regência. Em geral, a diversidade de regência corresponde a uma variação significativa do verbo. Assim:

Aspirar [= sorver, respirar] *o ar de montanha.*

Aspirar [= desejar, pretender] *a um alto cargo.*

Alguns verbos, no entanto, usam-se na mesma acepção com mais de uma regência. Assim:

Meditar *num assunto.*

Meditar *sobre um assunto.*

Outros, finalmente, mudam de significação, sem variar de regência. Assim:

Carecer [= não ter] *de dinheiro.*

Carecer [= precisar] *de dinheiro.*

Observação:

No estudo da regência verbal, cumpre não esquecer os seguintes fatos:

1º) O **objeto indireto** só não vem preposicionado quando é expresso pelos pronomes pessoais oblíquos *me, te, se, lhe, nos, vos* e *lhes*.

2º) Somente as preposições que ligam complementos a um verbo (**objeto indireto**) ou a um nome (**complemento nominal**) estabelecem relações de regência. Por isso, convém distingui-las, com clareza, das que encabeçam **adjuntos adverbiais** ou **adjuntos adnominais**.

3º) Os **verbos intransitivos** podem, em certos casos, ser seguidos de **objeto direto**. De regra, isso se dá quando o substantivo, núcleo do objeto, é formado da mesma raiz ou contém o sentido fundamental do verbo. Exemplos:

Viver *uma vida alegre*.
Chorar *lágrimas de amargura*.

4º) Também **verbos transitivos** costumam ser usados intransitivamente:

O pior cego é o que não *quer ver*.
Ele é manhoso: não *afirma* nem *nega*.

5º) Muitas vezes, a regência de um verbo estende-se aos substantivos e aos adjetivos cognatos:

Obedecer *ao chefe*.	Contentar-se *com a sorte*.
Obediência *ao chefe*.	Contentamento *com a sorte*.
Obediente *ao chefe*.	Contente *com a sorte*.

Regência de alguns verbos

ASPIRAR

1º) É **transitivo direto** quando significa "sorver", "respirar":

Arregaçou o focinho, *aspirou o ar* lentamente, com vontade de subir a ladeira e perseguir os preás, que pulavam e corriam em liberdade. (G. RAMOS)

2º) É **transitivo indireto** na acepção de "pretender", "desejar". Neste caso, o **objeto indireto** vem introduzido pela preposição *a* (ou *por*), não admitindo a substituição pela forma pronominal *lhe* (ou *lhes*), mas somente por *a ele(s)* ou *a ela(s)*:

Aspiramos a uma terra pacífica. (C. D. DE ANDRADE)

ASSISTIR

1º) Uma longa tradição gramatical ensina que este verbo é **transitivo indireto** no sentido de "estar presente", "presenciar". Com tal significado, deve o **objeto indireto** ser encabeçado pela preposição *a*, e, se for expresso por pronome de 3ª pessoa, exigirá a forma *a ele(s)* ou *a ela(s)*, e não *lhe(s)*. Assim:

> Da janela da cozinha as mulheres *assistiam à cena*.
> (R. DE QUEIRÓS)

Observação:

Na linguagem coloquial brasileira, o verbo constrói-se, em tal acepção, de preferência com **objeto direto** (cf. *assistir o jogo, um filme*), e escritores modernos têm dado acolhida à regência gramaticalmente condenada. Sirva de exemplo este passo:

> Só a menina estava perto e *assistiu tudo* estarrecida.
> (C. LISPECTOR)

2º) É **transitivo indireto** na acepção de "favorecer", "caber (direito ou razão, a alguém)", e, neste caso, pode construir-se com a forma pronominal *lhe(s)*:

> *Ao dono da loja assiste* razão de gabar-se, como o fez, por sua iniciativa. (C. D. DE ANDRADE)

3º) Usa-se, indiferentemente, como **transitivo direto** ou **indireto** nos sentidos de "acompanhar", "ajudar", "prestar assistência", "socorrer":

> Somente minha mãe *assiste o filho enfermo*.
> (J. MONTELLO)
> O dono da casa era um padre que *lhe assistiu* com muita caridade... (C. C. BRANCO)

CHAMAR

Ressaltem-se os seguintes valores e empregos:

1º) Com o significado de "fazer vir", "convocar", usa-se com **objeto direto**:

O telefone interno tocou na copa; da portaria *chamavam o dono da casa*. (C. D. DE ANDRADE)

2º) Na acepção de "invocar", pede **objeto indireto** encabeçado pela preposição *por*:

Chamou por Mauro baixinho. (O. L. RESENDE)

3º) No sentido de "qualificar", "apelidar", "dar nome", constrói-se:

a) com **objeto direto** + **predicativo**:

Se tivesse mais dois anos, *chamá-lo-ia mentiroso*. (C. D. DE ANDRADE)

b) com **objeto direto** + **predicativo** (precedido da preposição *de*):

Chamaram-no de mentiroso, de ingrato e de vítima. (C. D. DE ANDRADE)

c) com **objeto indireto** + **predicativo**:

Não *lhe chamam Glória*? (J. DE ALENCAR)

d) com **objeto indireto** + **predicativo** (precedido da preposição *de*):

Como Sofia não confessasse nada, Rubião *chamou-lhe de bonita*. (M. DE ASSIS)

ENSINAR

1º) Na língua atual, constrói-se preferentemente com **objeto direto** de "coisa" e **indireto** de "pessoa":

Ensinamos técnicas agrícolas aos camponeses. (E. VERISSIMO)

Não deviam *ter-lhe ensinado isso.* (R. BRAGA)

2º) Quando a "coisa" ensinada vem expressa por um infinitivo precedido da preposição *a*, a língua atual oferece-nos dois tipos de construção:

a) ensinar-lhe + a + infinitivo.

b) ensiná-lo + a + infinitivo.

Comparem-se os exemplos:

Em vão *ensinara-lhe a proteger* os animais das pragas e dos vendavais. (N. PIÑON)

Tinha de o convencer, de *o ensinar a ver* claro. (U. T. RODRIGUES)

3º) Quando se silencia a "coisa" ensinada, a denominação da "pessoa" costuma funcionar como **objeto direto**:

Uma moça formada de anel no dedo *podia ensinar as meninas* até o curso secundário. (J. L. DO REGO)

4º) Nos sentidos de "castigar", "bater", "adestrar", "amestrar", "educar", usa-se normalmente com **objeto direto**:

A tarimba é que viria *ensiná-lo.* (M. DE ASSIS)

ESQUECER

1º) Na acepção própria de "olvidar", "sair da lembrança", este verbo constrói-se, tradicionalmente:

a) seja com **objeto direto**:

Nunca *esqueci esse amigo de infância.* (P. NAVA)

b) seja com **objeto indireto** introduzido pela preposição *de*, quando pronominal:

Tendo de lutar para obter melhoria de situação, *foi-se esquecendo dos deveres religiosos.* (C. D. DE ANDRADE)

2º) Do cruzamento destas duas construções resultou uma terceira, sem o pronome reflexivo, mas com o objeto introduzido por *de*:

Esqueceu os deveres religiosos
Esqueceu-se dos deveres religiosos } → *Esqueceu dos deveres religiosos*

Tal construção, considerada viciosa pelos gramáticos, mas muito frequente no colóquio diário dos brasileiros, já se vem insinuando na linguagem literária, principalmente quando o complemento de *esquecer* é um infinitivo. Sirva de exemplo este passo:

Rezou três ave-marias e um padre-nosso, pois o bom frei *esquecera de lhe dar a penitência.* (J. AMADO)

INTERESSAR

1º) Usa-se, indiferentemente, como **transitivo direto** ou **indireto**, nas acepções de "dizer respeito a", "importar", "ser proveitoso", "ser do interesse de":

Pensei que *os interessasse* estar ao corrente disto. (C. DE OLIVEIRA)

E eu calculei que talvez a transação *lhe interessasse.* (G. RAMOS)

2º) É **transitivo direto** quando significa: "captar ou prender o espírito, a atenção, a curiosidade"; "excitar a":

Ele percebeu então que falara demais, a ponto de *interessá-la*, e olhou-a rapidamente de lado. (C. LISPECTOR)

3º) Emprega-se com **objeto indireto** introduzido pela preposição *em* nos sentidos de "ter interesse", "tirar utilidade, lucro ou proveito":

> O rei *interessava em que os concelhos fossem poderosos e livres.* (A. HERCULANO)

4º) É **transitivo direto** e **indireto** quando significa "atrair", "provocar o interesse ou a curiosidade de":

> Foi fácil para ele *interessar toda a cidade na incrível figurinha de Shirley Temple.* (A. DOURADO)

5º) No sentido de "empenhar-se", "tomar interesse por", tem forma reflexa e faz-se acompanhar de **objeto indireto** encabeçado por uma das preposições *em* ou *por*:

> Zazá não *se interessava* muito *pelo futebol.* (R. COUTO)

LEMBRAR

O verbo *lembrar(-se)* apresenta os mesmos tipos de construção que o seu antônimo *esquecer(-se).* Assim:

1º) Com o sentido de "trazer à lembrança", "evocar", "sugerir", "recordar-se" é **transitivo direto**:

> *Lembro-a* hoje, com os seus cabelos brancos...
> (A. F. SCHMIDT)

2º) Na acepção de "sugerir a lembrança", "fazer recordar", "advertir", constrói-se com **objeto direto** e **indireto**:

> Para *me lembrar ao senhor*? Para *lembrá-lo a mim*? Nosso entendimento se tornou tão fácil que dispensa a operação da lembrança. (C. D. DE ANDRADE)

3º) Com o sentido de "vir à memória", que é o mais usual, admite, à semelhança de *esquecer*, três modelos de construção:

> *a) Lembro-me do acontecimento.*
> *b) Lembra-me o acontecimento.*
> *c) Lembra-me do acontecimento.*

O primeiro é o mais frequente, seja na linguagem coloquial, seja na literária:

> *Lembra-te*, Belmiro, *de que essas bodas são impossíveis*. (C. DOS ANJOS)

Quando o **objeto indireto** vem expresso por uma oração desenvolvida, como no último exemplo, a preposição *de* pode faltar:

> *Lembro-me que* certa vez *juntei uma porção de artigos médicos sobre o assunto*. (R. BRAGA)
> *Lembro-me que devo voltar à missa solene*. (A. F. SCHMIDT)

OBEDECER

1º) Na língua culta moderna, fixou-se como **transitivo indireto**:

> Por que *lhe obedeciam* as forças? (G. AMADO)

2º) Admite, no entanto, **voz passiva**:

> Sofreste tanto que até perdeste a consciência do teu império; estás pronta a obedecer, admiras-te de *seres obedecida*. (M. DE ASSIS)

3º) Não é raro o seu emprego como **intransitivo**:

> Você é o único que não obedece! (C. LISPECTOR)

Idêntica é a construção do antônimo *desobedecer*.

PERDOAR

1º) Na língua culta de hoje constrói-se preferentemente com **objeto direto** de "coisa" e **objeto indireto** de "pessoa":

> *Perdoem-lhe esse riso*. (M. DE ASSIS)

2º) A construção com **objeto direto** de "pessoa", normal no português antigo e médio, é frequente na linguagem coloquial brasileira, razão por que alguns escritores atuais não têm dúvida de acolhê-la.

> A velha tia Neném não *perdoava ninguém*.
> (J. L. DO REGO)

RESPONDER

Entre as diversas construções que admite, apontem-se as seguintes:

1ª) Na acepção de "dar resposta", "dizer ou escrever em resposta", emprega-se, geralmente:

a) com **objeto indireto** em relação à pergunta:

> Livros especializados *responderiam à pergunta*.
> (C. D. DE ANDRADE)

b) com **objeto direto** para exprimir a resposta:

> Um país em que ninguém *responde cartas*, Mário de Andrade *respondia todas*. (C. D. DE ANDRADE)

podendo, naturalmente, usar-se na passiva:

> ... um violento panfleto contra o Brasil que *foi* vitoriosamente *respondido* por De Ângelis. (E. PRADO)

c) com **objeto direto** e **indireto**:

> Quando lhe perguntei por que motivo ninguém o via há um mês, *respondeu-me que estava passando por uma transformação*. (M. DE ASSIS)

2ª) Na acepção de "replicar", "retorquir", usa-se, normalmente, com **objeto indireto**:

> *À linguagem do deputado* o jovem médico *respondeu* com igual franqueza. (M. DE ASSIS)

Não é raro, porém, o emprego **intransitivo**:

> O homem da venda não *responde*. Vira a cara.
> (R. BRAGA)

3ª) Na acepção de "repetir a voz, o som", é **intransitivo**:

Um cão latiu, outro *respondeu*. (J. MONTELLO)

4ª) Quando significa "ser ou ficar responsável", "responsabilizar-se", "fazer as vezes (de alguém)", exige **objeto indireto** introduzido pela preposição *por*:

Parecia que outro personagem *respondia por ele*, a fim de deixá-lo à vontade. (A. M. MACHADO)

VISAR

1º) É **transitivo direto** nas acepções de:

a) "mirar", "apontar (arma de fogo)":

Sem perda de tempo, Jenner disparou um terceiro tiro, e sem demora outro, *visando o alvo* de baixo para cima. (H. SALES)

b) "dar ou pôr o visto (em algum documento)":

Visar um passaporte.
Visar o diploma.

2º) No sentido de "ter em vista", "ter por objetivo", "pretender" deve construir-se com **objeto indireto** introduzido pela preposição *a*:

Seus negócios atualmente *visam ao monopólio do vidro*. (M. REBELO)

SINTAXE DO VERBO *HAVER*

O verbo *haver*, conforme o seu significado, pode empregar-se em todas as pessoas ou apenas na 3ª pessoa do singular.

1. Emprega-se em todas as pessoas:

a) quando é **auxiliar** (com sentido equivalente a *ter*) do **verbo pessoal**, quer junto a particípio, quer junto a infinitivo antecedido da preposição *de*:

Listas *hão de ser espalhadas* por todo o Brasil. (C. LAET)

b) quando é **verbo principal**, com as significações de "conseguir", "obter", "alcançar", "adquirir":

> Donde *houveste*, ó pélago revolto,
> Esse rugido teu? (G. DIAS)

c) quando é **verbo principal**, com a forma reflexa, nas acepções de "portar-se", "proceder", "comportar-se", "conduzir-se":

> A entrevista foi breve e cordial. *Houveram-se* os dois com afetuosa dignidade. (M. DE ASSIS)

d) quando é **verbo principal**, também com a forma reflexa, no sentido de "entender-se", "avir-se", "ajustar contas":

> O mestre padeiro que era do mesmo sangue do patrão, que se *houvesse com ele*. (J. L. DO REGO)

e) quando é **verbo principal**, acompanhado de infinitivo sem preposição, com o sentido equivalente a "ser possível":

> Não *havia* demovê-la: era uma convicção.
> (V. DE MORAES)

Observação:

Também neste sentido aparece, não raro, o verbo *haver* seguido de *como*:

> Não *há como* conciliá-los. (J. MONTELLO)

2. Emprega-se de forma particular em cada uma das seguintes expressões:

a) Haver por bem = "dignar-se", "resolver", "assentar", "julgar oportuno ou conveniente":

> O sino da igreja badalava freneticamente desde cedo, apinhado de macacos, ainda que o vigário *houvesse por bem* suspender a missa naquela manhã, porque havia macaco escondido até na sacristia. (F. SABINO)

b) Haver mister = "precisar", "necessitar":

> Não *há mister* mais que um módulo ou matiz para os descontar como poesia de lei. (J. RIBEIRO)

c) Bem haja = "seja feliz", "seja abençoado".

Bem haja aquele que envolveu sua poesia da luz piedosa e tímida da aurora. (V. DE MORAES)

d) Haja vista = "veja".

Haja vista um que um dia vi, depois de numerosos ataques frustrados. (V. DE MORAES)

3. Emprega-se como **impessoal**, isto é, sem sujeito, quando significa "existir", "ocorrer", "acontecer", "realizar", ou quando indica tempo decorrido. Nestes casos, em qualquer tempo, conjuga-se tão-somente na 3ª pessoa do singular:

Havia sempre uns que gritavam. (A. A. MACHADO)
Há muitos anos não chovia assim. (P. M. CAMPOS)

4. Quando o verbo *haver* exprime existência e vem acompanhado dos auxiliares *ir, dever, poder*, etc., a locução assim formada é, naturalmente, impessoal:

Doces *deve haver* para os íntimos... (C. DOS ANJOS)

Observação:

O verbo *haver*, quando sinônimo de "existir", "acontecer", "realizar", não tem sujeito e é **transitivo direto**: ao contrário destes, que são **intransitivos** e possuem sujeito.

Assim:

Outrora *havia amendoeiras* no parque.
Outrora *existiam amendoeiras* no parque.

No 1º exemplo, *amendoeiras* é **objeto direto** de *havia*; no 2º, sujeito de *existiam*.

12 ADVÉRBIO

O **advérbio** é a palavra que modifica o verbo, o adjetivo ou outro advérbio.

1. Os **advérbios** se juntam a verbos, para exprimir circunstâncias em que se desenvolve o processo verbal, e a adjetivos, para intensificar uma qualidade:

Os cavalos *pastavam calmamente*. (G. ROSA)

Procura sempre a palavra *mais cintilante*. Eu, a *mais pobre*. (C. D. DE ANDRADE)

2. Saliente-se ainda que:

a) os advérbios de intensidade podem reforçar o sentido de outro advérbio:

O Barão de Santa Pia está mal, *muito mal*.
(M. DE ASSIS)

b) certos advérbios aparecem modificando toda a oração:

Provavelmente teremos um carnaval chuvoso.
(A. M. MACHADO)

Classificação dos Advérbios

Os **advérbios** recebem a denominação da circunstância ou de outra ideia acessória que expressam. Distingam-se os seguintes:

a) **advérbios de afirmação**:

sim, certamente, efetivamente, realmente, etc.;

b) **advérbios de dúvida**:

acaso, porventura, possivelmente, provavelmente, quiçá, talvez, etc.;

c) **advérbios de intensidade**:
assaz, bastante, bem, demais, mais, menos, muito, pouco, quanto, quão, quase, tanto, tão, etc.;

d) **advérbios de lugar**:
abaixo, acima, adiante, aí, além, ali, aquém, aqui, atrás, através, cá, defronte, dentro, detrás, fora, junto, lá, longe, onde, perto, etc.;

e) **advérbios de modo**:
assim, bem, debalde, depressa, devagar, mal, melhor, pior e quase todos os terminados em *-mente: fielmente, levemente*, etc.;

f) **advérbios de negação**:
não, tampouco (= também não);

g) **advérbios de tempo**:
agora, ainda, amanhã, anteontem, antes, breve, cedo, depois, então, hoje, já, jamais, logo, nunca, ontem, outrora, sempre, tarde, etc.

Advérbios interrogativos

Por se empregarem nas interrogações diretas e indiretas, os seguintes advérbios de causa, de lugar, de modo e de tempo são chamados **interrogativos**:

a) **de causa**: *por que?*
Por que chegaste mais cedo?
Dize-me *por que* chegaste mais cedo.

b) **de lugar**: *onde?*
Onde está João?
Quero saber *onde* está João.

c) **de modo**: *como?*

Como vai o trabalho?

Ignoro *como* vai o trabalho.

d) **de tempo**: *quando?*

Quando chegará o navio?

Não sei *quando* chegará o navio.

Locução adverbial

1. Denomina-se **locução adverbial** o conjunto de duas ou mais palavras que funciona como advérbio. De regra, as **locuções adverbiais** se formam da associação de uma preposição com um substantivo, com um adjetivo ou com um advérbio:

Com dificuldade, conseguiu alcançar a nave. (J. MONTELLO)

Mas há formações mais complexas, como:

Nenhum dos dois pode ser tão emocionante, nem jamais foi disputado tão *palmo a palmo*, ou *pé a pé*, *topada a topada*, *canelada a canelada*, às vezes *tapa a tapa*. (R. BRAGA)

Vez por outra sonhava com a Aparecida. (J. MONTELLO)

2. À semelhança dos **advérbios**, as **locuções adverbiais** podem ser:

a) **de afirmação** (ou **dúvida**):

com certeza, por certo, sem dúvida.

Atente-se na distinção:

Com certeza [= *provavelmente*] ele voltará.

Ele voltará *com certeza* [= *com segurança*].

b) **de intensidade**:

de muito, de pouco, de todo, etc.;

c) **de lugar**:

à direita, à esquerda, à distância, ao lado, de dentro, de cima, de longe, de perto, em cima, para dentro, para onde, por ali, por aqui, por dentro, por fora, por onde, por perto, etc.;

d) **de modo**:

à toa, à vontade, ao contrário, ao léu, às avessas, às claras, às direitas, às pressas, com gosto, com amor, de bom grado, de cor, de má vontade, de regra, em geral, em silêncio, em vão, frente a frente, gota a gota, ombro a ombro, passo a passo, por acaso, etc.;

e) **de negação**:

de forma alguma, de modo nenhum, etc.;

f) **de tempo**:

à noite, à tarde, à tardinha, de dia, de manhã, de noite, de vez em quando, de tempos em tempos, em breve, pela manhã, etc.

Locução adverbial e locução prepositiva

1. Quando uma preposição vem *antes* do advérbio, não muda a natureza deste; forma com ele uma **locução adverbial**: *de dentro, por detrás.*

2. Se, ao contrário, a preposição vem *depois* de um advérbio ou de uma locução adverbial, o grupo inteiro se transforma numa **locução prepositiva**: *dentro de, por detrás de.*

Colocação dos Advérbios

1. Os **advérbios** que modificam um **adjetivo**, um **particípio** isolado ou um outro **advérbio** colocam-se geralmente antes destes:

Este incidente não foi *mais adiante*.
(C. D. DE ANDRADE)

Meio molhados, com frio, subimos a barranca.
(R. BRAGA)

2. Dos **advérbios** que modificam o **verbo**:

a) os de **modo** colocam-se normalmente depois dele:

Não rompeu *ostensivamente* com o velho amigo, mas afastou-se dele *discretamente*. (P. NAVA)

b) os de **tempo** e de **lugar** podem colocar-se antes ou depois do **verbo**:

Aqui outrora retumbaram hinos. (R. CORREIA)

A minha sombra há de ficar *aqui*! (A. DOS ANJOS)

c) os de **negação** antecedem sempre o **verbo**:

Não aparece vivalma. (V. DE CARVALHO)

Não dormi, *tampouco* estive acordado.
(DA COSTA E SILVA)

REPETIÇÃO DE ADVÉRBIOS EM *-MENTE*

1. Quando numa frase dois ou mais advérbios em *-mente* modificam a mesma palavra, pode-se, para tornar mais leve o enunciado, juntar o sufixo apenas ao último deles:

Parecia *física, intelectual e moralmente* com o pai, nosso mestre Henrique Marques Lisboa. (P. NAVA)

2. Se, no entanto, a intenção é realçar as circunstâncias expressas pelos advérbios, costuma-se omitir a conjunção *e* e acrescentar o sufixo a cada um dos advérbios:

Quem não podia vir *diariamente, semanalmente* ou *anualmente* para ver as freiras, fazia-o *periodicamente*. (P. NAVA)

GRADAÇÃO DOS ADVÉRBIOS

Certos advérbios, principalmente os de modo, são suscetíveis de gradação. Podem apresentar um **comparativo** e um **superlativo**, formados por processos análogos aos que observamos nos adjetivos.

Grau comparativo

Forma-se o **comparativo**:

a) **de superioridade** — antepondo *mais* e pospondo *que* ou *do que* ao advérbio:

> *Mais depressa* se conhece um mentiroso *que* (ou *do que*) um coxo.

b) **de igualdade** — antepondo *tão* e pospondo *como* ou *quanto* ao advérbio:

> *Tão depressa como* (ou *quanto*) o filho vinha o pai.

c) **de inferioridade** — antepondo *menos* e pospondo *que* ou *do que* ao advérbio:

> *Menos rapidamente* se conhece um coxo *que* (ou *do que*) um mentiroso.

Grau superlativo

Forma-se o **superlativo absoluto**:

a) **sintético** — com o acréscimo de sufixo:

muit*íssimo* pouqu*íssimo*

sendo de notar que nos advérbios em *-mente* esta terminação se pospõe à forma superlativa feminina do adjetivo de que se deriva o advérbio:

		SUPERLATIVO
ADJETIVO	lento	lentíssimo
ADVÉRBIO	lentamente	lentissimamente

b) **analítico** — com a ajuda de um advérbio indicador de excesso:

Juca Soares recebeu-me *muito bem*. (G. ROSA)

O saldo desse amor me teria sido *extremamente amargo*. (A. F. SCHMIDT)

Outras formas de comparativo e superlativo

1. *Melhor* e *pior* podem ser **comparativos** dos adjetivos *bom* e *mau* e, também, dos advérbios *bem* e *mal*. Neste caso são, naturalmente, invariáveis:

Meu sabiá das palmeiras.
Canta aqui *melhor* que lá. (R. COUTO)

No Calambau tudo ainda está *pior*... (G. ROSA)

2. A par dessas formas anômalas, existem os **comparativos** regulares *mais bem* e *mais mal*, usados, de preferência, antes de adjetivos-particípios:

Sua casa está *mais bem cuidada* que a dele.

Não é possível um projeto *mais mal executado* do que este.

Advirta-se, porém, que na posposição só se empregam as formas sintéticas:

Sua casa está *cuidada melhor* que a dele.

Não é possível um projeto *executado pior* do que este.

3. No **superlativo absoluto sintético**, *bem* apresenta a forma *otimamente*; e *mal*, a forma *pessimamente*:

A operação correu *otimamente*.

O selecionado jogou *pessimamente*.

4. *Muito* e *pouco*, quando advérbios, têm como **comparativos** *mais* e *menos*, e como **superlativos** *o mais* ou *muitíssimo* e *o menos* ou *pouquíssimo*, respectivamente:

Para mim sua amizade vale *mais* que tudo.
Trabalho *menos* do que atualmente.
Nesta escola estuda-se *muitíssimo*.
Ultimamente tenho saído *pouquíssimo*.

5. O **superlativo intensivo**, denotador dos limites da possibilidade, forma-se — tal como o do adjetivo — antepondo *o mais* ou *o menos* ao advérbio e pospondo-lhe a palavra *possível* ou uma expressão (ou oração) de sentido equivalente:

Venha *o mais depressa possível*.
Fique *o menos perto que puder.*

Diminutivo com valor superlativo

Na linguagem coloquial é comum o advérbio assumir uma forma diminutiva (com os sufixos *-inho* e *-zinho*), que tem valor de **superlativo**:

Estava solto desde *cedinho*. (P. NAVA)
A junta de bois mansos passou *devagarinho*. (R. DE QUEIRÓS)

Advérbios que não apresentam gradação

Como sucede com alguns adjetivos, há advérbios que não são suscetíveis a gradação porque o próprio significado não admite intensificação. Entre outros, apontem-se: *aqui, aí, ali, lá, hoje, amanhã, anualmente, diariamente* e formações semelhantes.

Palavras e Locuções Denotativas

1. Certas palavras ou locuções, por vezes enquadradas impropriamente entre os advérbios, passaram a ter, com a *Nomenclatura Gramatical Brasileira*, classificação à parte, mas sem nome especial.

São palavras que denotam, por exemplo:

a) **inclusão**: *até, inclusive, mesmo, também*, etc.:

Não sei *mesmo* como você aguenta. (G. CRULS)

b) **exclusão**: *apenas, menos, salvo, senão, só, somente*, etc.:

Faltou-lhe *apenas* citar o autor. (J. RIBEIRO)

c) **designação**: *eis*:

Eis-me afinal diante dela. (C. LISPECTOR)

d) **realce**: *cá, lá, é que, ora, só*, etc.:

Eu *é que* entreguei os pontos. (C. D. DE ANDRADE)

e) **retificação**: *aliás, ou antes, isto é, ou melhor*, etc.:

Boa parte de nossa poesia social fica em declaração de princípios, *isto é*, não chega a produzir-se. (C. D. DE ANDRADE)

f) **situação**: *afinal, agora, então, mas*, etc.:

— *Mas*, João, a vontade de Deus tem muitos caminhos. (J. MONTELLO)

— *Então* o Largo dos Leões é isso?... (A. M. MACHADO)

2. Como vemos, tais palavras ou locuções não podem ser incluídas entre os **advérbios**. Não modificam o verbo, nem o adjetivo, nem outro advérbio. São por vezes de classificação extremamente difícil. Por isso, na análise, convém dizer apenas: “palavra ou locução denotadora de exclusão, de realce, de retificação”, etc.

13 PREPOSIÇÃO

FUNÇÃO DAS PREPOSIÇÕES

Chamam-se **preposições** as palavras invariáveis que relacionam dois termos de uma oração, de tal modo que o sentido do primeiro (**antecedente** ou termo regente) é explicado ou completado pelo segundo (**consequente** ou termo regido).

Assim:

ANTECEDENTE	PREPOSIÇÃO	CONSEQUENTE
Vou	a	São Paulo
Chegaram	a	tempo
Todos saíram	de	casa
Chorava	de	dor
Estive	com	Pedro
Concordo	com	você

FORMA DAS PREPOSIÇÕES

Quanto à forma, as **preposições** podem ser:

a) **simples**, quando expressas por um só vocábulo;

b) **compostas** (ou **locuções prepositivas**), quando constituídas de dois ou mais vocábulos, sendo o último deles uma **preposição simples** (geralmente *de*).

Preposições simples

As **preposições simples** são:

a	com	em	por (per)
ante	contra	entre	sem
após	de	para	sob
até	desde	perante	sobre
			trás

Tais **preposições** se denominam também **essenciais**, para se distinguirem de certas palavras que, pertencendo normalmente a outras classes, funcionam, às vezes, como preposições e, por isso, se dizem **preposições acidentais**. Assim: *afora, conforme, consoante, durante, exceto, fora, mediante, não obstante, salvo, segundo, senão, tirante, visto*, etc.

Locuções prepositivas

Eis algumas **locuções prepositivas**:

abaixo de	apesar de	devido a	junto a
acerca de	a respeito de	diante de	junto de
acima de	até a	embaixo de	para baixo de
a despeito de	atrás de	em face de	para cima de
adiante de	através de	em frente a	para com
a fim de	cerca de	em frente de	perto de
além de	de acordo com	em lugar de	por baixo de
antes de	debaixo de	em redor de	por cima de
ao invés de	de cima de	em torno de	por detrás de
ao lado de	defronte de	em vez de	por diante de
ao redor de	dentro de	fora de	por entre
a par de	depois de	graças a	por trás de

SIGNIFICAÇÃO DAS PREPOSIÇÕES

1. A relação que se estabelece entre palavras ligadas por intermédio de PREPOSIÇÃO pode implicar movimento ou não-movimento; melhor dizendo: pode exprimir um movimento ou uma situação daí resultante.

Nos exemplos antes mencionados, a ideia de movimento está presente em:

> Vou *a* Roma.
> Todos saíram *de* casa.

São marcadas pela ausência de movimento as relações que as PREPOSIÇÕES *a*, *de* e *com* estabelecem nas seguintes frases:

Chegaram *a* tempo.
Chorava *de* dor.
Estive *com* Pedro.
Concordo *com* você.

2. Tanto o MOVIMENTO como a SITUAÇÃO (termo que adotaremos daqui por diante para indicar a falta de movimento na relação estabelecida) podem ser considerados com referência ao ESPAÇO, ao TEMPO e à NOÇÃO.

A PREPOSIÇÃO *de*, por exemplo, estabelece uma relação:

a) ESPACIAL em:

Todos saíram *de* casa.

b) TEMPORAL em:

Trabalha *de* 8 às 8 todos os dias.

c) NOCIONAL em:

Chorava *de* dor.
Livro *de* Pedro.

Nos três casos a PREPOSIÇÃO *de* relaciona palavras à base de uma ideia central: "movimento de afastamento de um limite", "procedência". Em outros casos, mais raros, predomina a noção daí derivada, de "situação longe de". Os matizes significativos que esta preposição pode adquirir em contextos diversos derivarão sempre desse conteúdo significativo fundamental e das suas possibilidades de aplicação aos campos espacial, temporal ou nocional, com a presença ou a ausência de movimento.

3. Na expressão de relações preposicionais com ideia de movimento considerado globalmente, importa levar em conta um ponto limite (A), em referência ao qual o movimento será de aproximação (B → A) ou de afastamento (A → C):

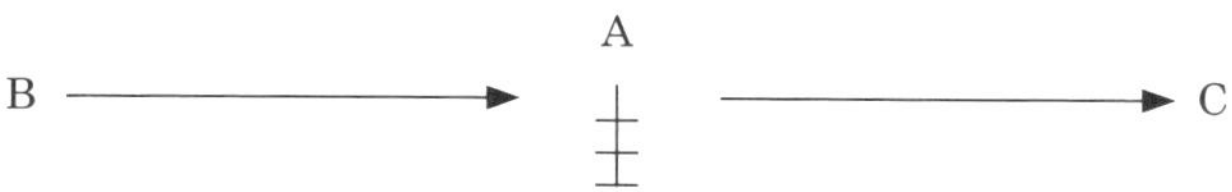

Vou *a* Roma.
Trabalharei *até* amanhã.
Foi *para* o Norte.

Venho *de* Roma.
Estou aqui *desde* ontem.
Saíram *pela* porta.

4. Recapitulando e sintetizando, podemos concluir que, embora as preposições apresentem grande variedade de usos, bastante diferenciados no discurso, é possível estabelecer para cada uma delas uma significação fundamental, marcada pela expressão de movimento ou de situação resultante (ausência de movimento) e aplicável aos campos espacial, temporal e nocional.

Esquematizando:

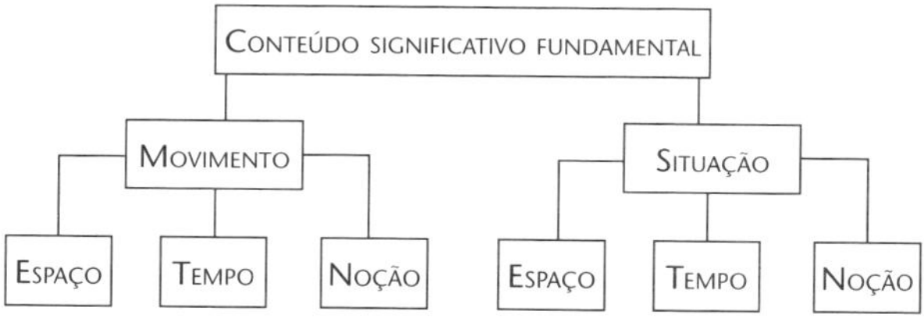

Esta subdivisão possibilita a análise do sistema funcional das preposições em português, sem que precisemos levar em conta os variados matizes significativos que podem adquirir em decorrência do contexto em que vêm inseridas.

Conteúdo significativo e função relacional

1. Comparando as frases

Viajei *com* Pedro
Concordo *com* você,

observamos que, em ambas, a preposição *com* tem como antecedente uma forma verbal (*viajei* e *concordo*), ligada por ela a um consequente, que, no primeiro caso, é um termo acessório (*com Pedro* = ADJUNTO ADVERBIAL) e, no segundo, um termo integrante (*com você* = OBJETO INDIRETO) da oração.

2. A PREPOSIÇÃO *com* exprime, fundamentalmente, a ideia de "associação", "companhia". E esta ideia básica, sentimo-la muito mais intensa no primeiro exemplo,

> Viajei *com* Pedro,

do que no segundo,

> Concordo *com* você.

Aqui o uso da partícula *com* após o verbo *concordar*, por ser construção já fixada no idioma, provoca um esvaecimento do conteúdo significativo de "associação", "companhia", em favor da função relacional pura.

3. Costuma-se nesses casos desprezar o sentido da PREPOSIÇÃO, e considerá-la um simples elo sintático, vazio de conteúdo nocional.

Cumpre, no entanto, salientar que as relações sintáticas que se fazem por intermédio de PREPOSIÇÃO OBRIGATÓRIA selecionam determinadas preposições exatamente por causa do seu significado básico.

Assim, o verbo *concordar* elege a PREPOSIÇÃO *com* em virtude das afinidades que existem entre o sentido do próprio verbo e a ideia de "associação" inerente a *com*.

O OBJETO INDIRETO, que em geral é introduzido pelas preposições *a* ou *para*, corresponde a um "movimento em direção a", coincidente com a base significativa daquelas preposições.

4. Completamente distinto é o caso do OBJETO DIRETO PREPOSICIONADO, em que o emprego de PREPOSIÇÃO não obrigatória transmite à relação um vigor novo, pois o reforço que advém do conteúdo significativo da preposição é sempre um elemento intensificador e clarificador da relação verbo-objeto:

> Conhecer da natureza quanto seja mister, para adorar com discernimento *a Deus*. (R. BARBOSA)
> — Duas blasfêmias, menina; a primeira é que não se deve amar *a ninguém* como *a Deus*. (M. DE ASSIS)

5. Em resumo: a maior ou menor intensidade significativa da PREPOSIÇÃO depende do tipo de RELAÇÃO SINTÁTICA por ela estabelecida. Essa relação, como esclareceremos a seguir, pode ser FIXA, NECESSÁRIA ou LIVRE.

Relações fixas

Examinando as relações sintáticas estabelecidas, nas frases abaixo, pelas preposições marcadas em itálico:

> O rapaz entrou no café da Rua Luís *de* Camões. (C. D. DE ANDRADE)
> Porém poesia não sai mais de mim senão de longe *em* longe. (M. DE ANDRADE)
> — Então, sigo em frente até dar *com* eles. (A. RIBEIRO)

verificamos que o uso associou de tal forma as PREPOSIÇÕES a determinadas palavras (ou grupo de palavras), que esses elementos não mais se desvinculam: passam a constituir um todo significativo, uma verdadeira palavra composta.

Nesses casos, a primitiva função relacional e o sentido mesmo da PREPOSIÇÃO se esvaziam profundamente, vindo a preponderar tanto na organização da frase como no valor significativo do conjunto léxico resultante da fixação da relação sintática preposicional.

Em *dar com* (= "topar"), por exemplo, a preposição, fixada à forma verbal, não lhe acrescenta apenas novos matizes conotativos, mas altera-lhe a própria denotação.

Relações necessárias

Nas orações:

— Foi vontade *de* Deus. (G. RAMOS)

Um magro procurava saber se a minha roupa preta tinha sido feita *por* alfaiate. (J. L. DO REGO)

as preposições relacionam ao termo principal um consequente sintaticamente necessário:

vontade *de* Deus (substantivo + complemento nominal)
feita *por* alfaiate (particípio + agente da passiva)

Em tais casos, intensifica-se a função relacional das preposições com prejuízo do seu conteúdo significativo, reduzido, então, aos traços característicos mínimos.

Daí o relevo, no plano expressivo, da relação sintática em si.

Relações livres

A comparação dos enunciados:

Encontrar *com um amigo*.
Encontrar *um amigo*.
Procurar *por alguém*.
Procurar *alguém*.

mostra-nos que a presença da PREPOSIÇÃO (possível, mas não necessária sintaticamente) acrescenta, às relações que estabelece, as ideias de "associação" (*com*) e de "movimento que tende a completar-se numa direção determinada" (*por*).

O emprego da PREPOSIÇÃO em relações livres é, normalmente, recurso de alto valor estilístico, por assumir ela na construção sintática a plenitude de seu conteúdo significativo.

CRASE

Crase é um processo fonético, resultado da fusão da preposição *a* com

a) o artigo definido *a(s)*:

> Samuel foi convidado para ir *à polícia.*
> (C. D. DE ANDRADE)

b) o pronome demonstrativo *a(s)*:

> A língua dos sermões parece levar vantagem *à* de todos os prosadores quinhentistas. (M. BANDEIRA)

c) o fonema inicial dos pronomes demonstrativos *aquele(s), aquela(s), aquilo*:

> Não resistia *àquele* pavor. (J. L. DO REGO)

A **crase** é representada na escrita por um **acento grave** sobre a vogal *a*.

São condições básicas para o uso do **acento grave** indicativo de **crase**:

a) a existência de palavra feminina;

b) a palavra **regente** exigir a preposição *a*;

c) a palavra **regida** admitir o artigo *a*.

Assim:

> Da janela da cozinha, as mulheres assistiam *à* cena. (R. DE QUEIRÓS)

No exemplo acima, a palavra **regente** (v. *assistir* = presenciar) exige a preposição *a*; a palavra **regida** *(cena)* é feminina e se emprega com o artigo definido *a*. Logo: assistiam a + a cena = *assistiam à cena.*

Principais casos de crase

Casos gerais

A **crase** ocorre:

a) na indicação de horas ou parte do dia:

À tarde, deu um pulo no foro e *às quatro horas* voltou para apanhar a mala de mão. (F. SABINO)

b) com expressões claras ou subentendidas que indicam

— moda ou maneira:

Embaixo apareciam as calças listradas de negro e cinza, largamente dobradas na bainha e vincadas *à Eduardo VII*. (P. NAVA)

— escola, universidade, empresa:

A rua torta que levava *à Faculdade de Medicina* ia dar no Sena. (J. MONTELLO)

— rua, avenida:

Em minutos se viu transportado *à Rua da Relação*, fotografado, fichado, interrogado. (C. D. DE ANDRADE)

c) antes de locuções adverbiais *(à parte, à beça, à espera, à queima-roupa, à margem, à risca, à revelia, às escondidas...)*; prepositivas *(à força de, à custa de, à vista de, à espera de...)*; e conjuntivas *(à medida que, à proporção que...)*, formadas de substantivo feminino:

Aldo permaneceu calado, *à espera*. (F. SABINO)

No Tabuleiro da Baiana dormiam jornaleiros *à espera dos* matutinos. (C. D. DE ANDRADE)

À proporção que o rapazola crescia, Paquita redobrava de dedicação para com ele. (J. MONTELLO)

Observação:

Nessas locuções, o *a* recebe o acento grave, sem que haja, a rigor, crase.

CASOS PARTICULARES

Dá-se a **crase**:

a) com a palavra *casa* quando indicar estabelecimento comercial ou estiver seguida de adjunto:

> Foi um golpe esta carta; não obstante, apenas fechou a noite, corri *à casa de Virgília*. (M. DE ASSIS)

Observação:

Entretanto não há crase com a palavra *casa* no sentido de *residência, lar*.

> Chegamos *a casa* eu e ela perto das nove horas da noite. (M. DE ASSIS)

b) com a palavra *terra* seguida de uma especificação qualquer:

> Tanto eu quanto minha mulher já estávamos ajustados *à terra* e *à gente de Portugal*. (J. MONTELLO)

Observação:

Mas não ocorre a crase antes da palavra *terra* em oposição a *mar*:

> À noite já está embarcado, e nem desce *a terra* para esperar a maré. (O. COSTA FILHO)

c) com a palavra *distância* quando significar *na distância* ou estiver determinada:

> Não ameis *à distância*. (R. BRAGA)
>
> O navio estava *à distância* de cem metros do cais.

d) com a locução prepositiva *até a* seguida de palavra feminina:

> *Até à* hora do saimento ele se deixou ficar ali. (J. MONTELLO)

e) com os pronomes relativos: *a qual, as quais*, se o antecedente for feminino:

> Ele era diferente desta pobre e imunda humanidade *à qual* todo indivíduo dotado de um mínimo de sensibilidade tem vergonha de pertencer. (P. NAVA)

f) com o pronome relativo *que* antecedido do pronome demonstrativo *a* ou *as* (= aquela, aquelas):

> Em uma nota, muito anterior *à que* saiu no jornal, meu pai pronunciou-se a respeito.

Emprego facultativo

A **crase** é facultativa:

a) antes de nomes personativos femininos:

> Chegou à cozinha, expôs à cozinheira e *a Maria Júlia* as penas verdes e amarelas que enfeitavam uma vida trêmula. (G. RAMOS)

Observação:

O autor poderia ter usado o acento indicativo da crase se optasse pelo emprego do artigo *a* anteposto ao substantivo *Maria Júlia.*

b) antes de pronomes possessivos femininos:

> Nosso filho saiu mais *à tua* família do que *à minha.* (J. MONTELLO)

Casos em que não há crase

Não ocorre a **crase**:

a) antes de nomes masculinos:

> Voltamos com a maré, *a remo.* (G. AMADO)

b) antes de nomes femininos, no plural, empregados sem artigo:

> Nunca foi chegada *a crianças.* (F. SABINO)

c) antes de verbos:

> Põem-se *a criticar*-me, *a fazer* picuinhas. (A. M. MACHADO)

d) antes de artigo indefinido:

Tive de ir *a uma* entrevista coletiva em substituição *a um* colega. (F. SABINO)

e) antes de pronomes pessoais e de tratamento (exceção feita a *senhora, senhorita, dona*):

Não basta a gente confessar-se *a si* mesma. (E. VERISSIMO)

Tenho a honra de comunicar *a Vossa Excelência* que suas ordens foram fielmente cumpridas. (J. MONTELLO)

f) antes de pronomes indefinidos e dos demonstrativos *esta* e *essa*:

Um cabo de polícia esteve lá, mas não chegou *a nenhuma* conclusão. (R. BRAGA)

Se há alguma verdade nisso, então *a esta* hora ela está morta! (F. SABINO)

g) nas locuções adverbiais constituídas de palavras repetidas: *gota a gota, frente a frente, ponta a ponta, face a face, cara a cara,* etc.:

Olha a vida, rindo ou chorando, *frente a frente.* (R. DE CARVALHO)

Numa conversa, *cara a cara*, quem sabe eu o convenço e boto abaixo essa injustiça. (J. AMADO)

h) antes de expressões ou locuções adverbiais de instrumento:

Fechou um cabaré *a faca* e quase mata um parceiro, homem de sua idade. (O. COSTA FILHO)

i) antes de nomes de cidades que se empregam sem artigo:

Daqui de Londres vou *a Paris.* (J. MONTELLO)

Observação:

Porém, se o nome da cidade for empregado com artigo ou estiver particularizado, o acento é obrigatório:

> Oh, minha infância! misturada, graças a eles, *à Roma dos Tarquínios* e à Bíblia dos patriarcas. (G. AMADO)

j) antes dos relativos *quem e cujo*:

> É o meu Salvador de outrora e de sempre, é aquele generoso espírito *a quem* nunca faltou simpatia para todo esforço sincero. (M. DE ASSIS)
>
> A baronesa sorriu e voltou os olhos para Guiomar, *a cuja* conta lançou aquela dedicação ao sobrinho. (M. DE ASSIS)

14 CONJUNÇÃO

Conjunção coordenativa e subordinativa

1. Examinemos os seguintes provérbios:

O mal *e* o bem à face vêm.

Deseja o melhor *e* espera o pior.

Só dura a mentira *enquanto* a verdade não chega.

No primeiro, encontramos a palavra *e*, que está ligando dois termos de uma oração: *o mal* e *o bem*.

No segundo, vemos a mesma palavra *e*, que está ligando duas orações de sentido completo e independente: *Deseja o melhor. Espera o pior.*

No terceiro, aparece a palavra *enquanto* unindo duas orações que não podem ser separadas sem que fique alterado o sentido que expressam, pois a segunda depende da afirmação contida na primeira.

Os vocábulos gramaticais que servem para relacionar duas orações ou dois termos semelhantes da mesma oração chamam-se **conjunções**.

As conjunções que relacionam termos ou orações de idêntica função gramatical têm o nome de **coordenativas**.

Denominam-se **subordinativas** as que ligam duas orações, uma das quais determina ou completa o sentido da outra.

2. Percebe-se facilmente a diferença entre as conjunções coordenativas e as subordinativas quando comparamos construções de orações a construções de nomes.

Assim, nestes enunciados:

Ler *e* escrever.	A leitura *e* a escrita.
Ler *ou* escrever.	A leitura *ou* a escrita.

vemos que a conjunção coordenativa não se altera com a mudança de construção, pois liga elementos independentes, estabelecendo entre eles relações de adição, no primeiro caso, e de igualdade ou de alternância, no segundo.

Já nos enunciados seguintes:

Quando tiver lido o livro, escreva a carta.
Após a leitura, a escrita.

observamos a dependência do primeiro termo ao segundo.

No último exemplo, em lugar da conjunção subordinativa (*quando*), temos uma preposição (*após*), que está indicando a dependência de um elemento a outro.

CONJUNÇÕES COORDENATIVAS

Classificam-se as **conjunções coordenativas** em **aditivas, adversativas, alternativas, conclusivas** e **explicativas**.

1. **Aditivas**, que servem para ligar simplesmente dois termos ou duas orações de idêntica função: *e, nem* [= e não]

Pulei do banco *e* gritei de alegria. (G. ROSA)
Não é gulodice *nem* interesse mesquinho. (C. D. DE ANDRADE)

2. **Adversativas**, que ligam dois termos ou duas orações de igual função, acrescentando-lhes, porém, uma ideia de contraste: *mas, porém, todavia, contudo, no entanto, entretanto.*

Seu quarto é pobre, *mas* nada lhe falta. (A. F. SCHMIDT)

3. **Alternativas**, que ligam dois termos ou orações de sentido distinto, indicando que, ao cumprir-se um fato, o outro não se cumpre: *ou...ou, ora...ora, quer...quer, seja...seja, nem...nem, já...já*:

Ou eu me retiro *ou* tu te afastas. (A. M. MACHADO)

4. **Conclusivas**, que servem para ligar à anterior uma oração que exprime conclusão, consequência: *logo, pois, portanto, por conseguinte, por isso, assim, então*:

> Na descrição, diz ser ele cor de malva, *logo* é verde. (C. PENA)

5. **Explicativas**, que ligam duas orações, a segunda das quais justifica a ideia contida na primeira: *que, porque, pois, porquanto*:

> Vamos comer, Açucena, *que* estou morrendo de fome. (ADONIAS FILHO)

Posição das conjunções coordenativas

Nem todas as **conjunções coordenativas** encabeçam a oração que delas recebe o nome. Assim:

1. Das **conjunções coordenativas** apenas *mas* aparece obrigatoriamente no começo da oração; *contudo, entretanto, no entanto, porém* e *todavia* podem vir no início da oração, ou após um de seus termos:

> Tentou subir, *mas* não conseguiu.
> Tentou subir, *porém* não conseguiu.
> Tentou subir; não conseguiu, *porém*.

2. *Pois*, quando **conjunção conclusiva**, vem sempre posposta a um termo da oração a que pertence:

> Era, *pois*, um homem de grande caráter e foi, *pois*, também um grande estilista. (J. RIBEIRO)

3. As **conclusivas** *logo, portanto* e *por conseguinte* podem variar de posição, conforme o ritmo, a entoação, a harmonia da frase.

> Queria casar a filha, bem ao gosto dela, não punha, *portanto*, nenhum obstáculo ao programa de Olga. (L. BARRETO)

Conjunções Subordinativas

As **conjunções subordinativas** classificam-se em **causais, comparativas, concessivas, condicionais, conformativas, consecutivas, finais, proporcionais, temporais,** e **integrantes.**

As causais, comparativas, concessivas, condicionais, conformativas, consecutivas, finais, proporcionais e temporais iniciam **orações adverbiais**. As integrantes introduzem **orações substantivas**.

Exemplifiquemos:

1. **Causais** (iniciam uma oração subordinada denotadora de causa): *porque, pois, porquanto, como* [= porque], *pois que, por isso que, já que, uma vez que, visto que, visto como, que,* etc.:

> Dona Luísa fora para lá *porque* estava só.
> (J. L. DO REGO)
> *Como* o calor estivesse forte, pusemo-nos a andar pelo Passeio Público. (A. F. SCHMIDT)

2. **Comparativas** (iniciam uma oração que encerra o segundo membro de uma comparação, de um confronto): *que, do que* (depois de *mais, menos, maior, menor, melhor, pior*), *qual* (depois de *tal*), *quanto* (depois de *tanto*), *como, assim como, bem como, como se, que nem*:

> Era mais alta *que* baixa. (A. F. SCHMIDT)
> Nesse instante, Pedro se levantou *como se* tivesse levado uma chicotada. (L. F. TELLES)

3. **Concessivas** (iniciam uma oração subordinada em que se admite um fato contrário à ação principal, mas incapaz de impedi-la): *embora, conquanto, ainda que, mesmo que, posto que, bem que, se bem que, apesar de que, nem que, que,* etc.:

> É todo graça, *embora* as pernas não ajudem...
> (C. D. DE ANDRADE)

4. **Condicionais** (iniciam uma oração subordinada em que se indica uma hipótese ou uma condição necessária para que seja realizado ou não o fato principal): *se, caso, contanto que, salvo se, sem que* [= *se não*], *dado que, desde que, a menos que, a não ser que*, etc.:

> Seria mais poeta, *se* fosse menos político. (M. DE ASSIS)

5. **Conformativas** (iniciam uma oração subordinada em que se exprime a conformidade de um pensamento com o da oração principal): *conforme, como* [= conforme], *segundo, consoante*, etc.:

> Tal foi a conclusão de Aires, *segundo* se lê no Memorial. (M. DE ASSIS)

6. **Consecutivas** (iniciam uma oração na qual se indica a consequência do que foi declarado na anterior): *que* (combinada com uma das palavras *tal, tanto, tão* ou *tamanho*, presentes ou latentes na oração anterior), *de forma que, de maneira que, de modo que, de sorte que*, etc.:

> Soube que tivera uma emoção tão grande *que* Deus quase a levou. (A. F. SCHMIDT)

7. **Finais** (iniciam uma oração subordinada que indica a finalidade da oração principal): *para que, a fim de que, porque* [= para que], *que*:

> Aqui vai o livro *para que* o leias. (M. DE ANDRADE)
> Fiz-lhe sinal *que* se calasse... (M. DE ASSIS)

8. **Proporcionais** (iniciam uma oração subordinada em que se menciona um fato realizado ou para realizar-se simultaneamente com o da oração principal): *à medida que, ao passo que, à proporção que, enquanto, quanto mais...* (mais), *quanto mais...* (tanto mais), *quanto mais...* (menos), *quanto mais...* (tanto menos), *quanto menos...* (menos), *quanto menos...* (tanto menos), *quanto menos...* (mais), *quanto menos...* (tanto mais):

À *medida que* se sobe o rio, a renascença se acentua. (E. DA CUNHA)

9. **Temporais** (iniciam uma oração subordinada indicadora de circunstância de tempo): *quando, antes que, depois que, até que, logo que, sempre que, assim que, desde que, todas as vezes que, cada vez que, apenas, mal, que* [= desde que], etc:

Implicou contigo *assim que* me viu. (G. AMADO)

10. **Integrantes** (servem para introduzir uma oração que funciona como sujeito, objeto direto, objeto indireto, predicativo, complemento nominal ou aposto de outra oração): *que* e *se*. Quando o verbo exprime uma certeza, usa-se *que*, quando incerteza, *se*:

Afirmo *que* sou estudante. (G. RAMOS)

Não sabia *se* avançava pela direita ou pela esquerda. (G. RAMOS)

Polissemia conjuncional

Como vimos, algumas conjunções subordinativas (*que, se, como, porque,* etc.) podem pertencer a mais de uma classe. Em verdade, o valor desses vocábulos gramaticais está condicionado ao contexto em que se inserem, nem sempre isento de ambiguidade, pois que há circunstâncias fronteiriças: a condição da concessão, o fim da consequência, etc.

Locução conjuntiva

A par das conjunções simples, há numerosas outras formadas da partícula *que* antecedida de advérbios, de preposições e de particípios.

São chamadas **locuções conjuntivas**: *antes que, desde que, já que, até que, para que, sem que, dado que, posto que, visto que, uma vez que, à medida que.*

15 INTERJEIÇÃO

Interjeição é uma espécie de grito com que traduzimos de modo vivo as nossas emoções.

A mesma reação emotiva pode ser expressa por mais de uma interjeição. Inversamente, uma só interjeição pode corresponder a sentimentos variados e, até, opostos. O valor de cada forma interjectiva depende fundamentalmente do contexto e da entoação.

Classificação das Interjeições

Classificam-se as **interjeições** segundo o sentimento que denotam. Entre as mais usadas, podemos enumerar:

a) **de alegria ou satisfação**: *ah! oh! oba! opa!*

b) **de animação**: *avante! coragem! eia! vamos!*

c) **de aplauso**: *bis! bem! bravo! viva!*

d) **de desejo**: *oh! oxalá! tomara!*

e) **de dor**: *ai! ui!*

f) **de espanto ou surpresa**: *ah! chi! ih! oh! ué! uai! puxa!*

g) **de impaciência**: *hum! hem!*

h) **de invocação**: *alô! ó! olá! psiu!*

i) **de silêncio**: *psiu! silêncio!*

j) **de suspensão**: *alto! basta!*

l) **de terror**: *ui! uh!*

Locução interjectiva

Além de interjeições expressas por um só vocábulo, há outras formadas por grupos de duas ou mais palavras. São as **locuções interjectivas**. Exemplos: *ai de mim! ora, bolas!, raios te partam!, valha-me Deus!, alto lá!*

Observações:

1ª) Não incluímos a **interjeição** entre as classes de palavras por equivaler a um vocábulo-frase. Com efeito, traduzindo sentimentos súbitos e espontâneos, são as interjeições gritos instintivos, equivalendo a frases emocionais.

2ª) Na escrita, as interjeições vêm, de regra, acompanhadas do ponto de exclamação (!).

16 O PERÍODO E SUA CONSTRUÇÃO

Composição do Período

1. Tomemos o seguinte período de GOULART DE ANDRADE:

Sopra o vento, o Sol vem, crestam-se as rosas...

Vemos que ele é **composto** de três orações:

1ª = Sopra o vento,

2ª = o Sol vem,

3ª = crestam-se as rosas...

Vemos, ainda, que as três orações são da *mesma natureza*, pois:

a) são autônomas, **independentes**, isto é, cada uma tem sentido próprio;

b) não funcionam como **termos** de outra oração, nem a eles se referem: apenas uma pode enriquecer com o seu sentido a *totalidade* da outra.

Às orações autônomas dá-se o nome de **coordenadas**, e o período por elas formado diz-se **composto por coordenação**.

---

2. Examinemos agora este período de JORGE AMADO:

Eles mesmos não sabem que no madeirame dos navios, nas velas rotas dos saveiros está a terra de Aiocá, onde Janaína é princesa.

Aqui, também, estamos diante de um período de três orações:

1ª = Eles mesmos não sabem

2ª = que no madeirame dos navios, nas velas rotas dos saveiros está a terra de Aiocá

3ª = onde Janaína é princesa.

Mas a sua estrutura é diferente da do anterior, pois:

a) a primeira oração contém a declaração *principal* do período, rege-se por si, e não desempenha nenhuma função sintática em outra oração do período; chama-se, por isso, **oração principal**;

b) a segunda oração tem sua existência dependente da primeira, de cujo verbo é **objeto direto**; funciona, assim, como **termo integrante** dela;

c) a terceira oração tem a sua existência dependente da segunda, de cujo sujeito é **adjunto adnominal**; funciona, por conseguinte, como **termo acessório** dela.

As orações sem autonomia gramatical, isto é, as orações que funcionam como termos essenciais, integrantes ou acessórios de outra oração chamam-se **subordinadas**.

O período constituído de orações **subordinadas** e uma oração **principal** denomina-se **composto por subordinação**.

---

3. Vejamos, por fim, este período de GUIMARÃES ROSA:

> Moleque Nicanor arregalou os olhos, e eu pensei que ia ouvir as pancadas do seu coração.

Ainda aqui temos um período composto de três orações:

1ª = Moleque Nicanor arregalou os olhos,
2ª = e eu pensei
3ª = que ia ouvir as pancadas do seu coração.

A sua estrutura é, porém, distinta das duas que examinamos, ou melhor, é uma espécie de combinação delas, pois:

a) as duas primeiras orações são **coordenadas** (a primeira é **coordenada assindética**; e a segunda, **coordenada sindética aditiva**);

b) a última é **subordinada**, uma vez que funciona como **objeto direto** da oração anterior.

O período que apresenta **orações coordenadas** e **subordinadas** diz-se composto por **coordenação** e **subordinação**.

Conclusão

Na análise de um **período composto**, cumpre ter em mente que:

a) a **oração principal** não exerce nenhuma função sintática em outra oração do período;

b) a **oração subordinada** desempenha sempre uma função sintática (**sujeito, objeto direto, objeto indireto, predicativo, complemento nominal, agente da passiva, adjunto adnominal, adjunto adverbial** ou **aposto**) em outra oração, pois que dela é um termo ou parte de um termo.

c) a **oração coordenada**, como a principal, nunca é termo de outra oração nem a ela se refere; pode relacionar-se com outra **coordenada**, mas em sua integridade.

COORDENAÇÃO

Orações coordenadas sindéticas e assindéticas

As **orações coordenadas** podem estar:

a) simplesmente justapostas, isto é, colocadas uma ao lado da outra, sem qualquer conectivo que as enlace, como neste passo de MACHADO DE ASSIS:

> Os anos vieram, / o menino crescia, / as esperanças maternas de d. Carmo iam morrendo.

b) ligadas por uma **conjunção coordenativa**, como neste exemplo do mesmo escritor:

> Tudo se afirmou de parte a parte, / *mas* nem tudo se cumpriu.

No primeiro caso, dizemos que a **oração coordenada** é **assindética**, ou seja, desprovida de conectivo. No segundo, dizemos que ela é **sindética**, e a esta denominação acrescentamos a da espécie da **conjunção coordenativa** que a inicia.

Orações coordenadas sindéticas

Classificam-se, pois, as **orações coordenadas sindéticas** em:

1. **coordenada sindética aditiva**, se a conjunção é **aditiva**:

   Ele descia a ladeira / *e vinha só.* / (R. DE QUEIRÓS)

2. **coordenada sindética adversativa**, se a conjunção é **adversativa**:

   Custou, / *mas acertou.* / (M. DE ASSIS)

3. **coordenada sindética alternativa**, se a conjunção é **alternativa**:

   O bode tinha descido com o senhor / *ou tinha ficado na ribanceira?* / (G. RAMOS)

4. **coordenada sindética conclusiva**, se a conjunção é **conclusiva**:

   Queria casar a filha, bem ao gosto dela, / *não punha, portanto, nenhum obstáculo ao programa de Olga.* / (L. BARRETO)

5. **coordenada sindética explicativa**, se a conjunção é **explicativa**:

   Não é excessivo o seu zelo, / *porque é de amigo.* / (A. PEIXOTO)

SUBORDINAÇÃO

A oração subordinada como termo de outra oração

Dissemos que as **orações subordinadas** funcionam sempre como **termos essenciais, integrantes** ou **acessórios** de outra oração. Esclareçamos melhor tais equivalências.

1. No seguinte exemplo:

É necessária *a tua vinda urgente.*

o sujeito da oração é *a tua vinda urgente*, **termo essencial**, cujo núcleo é o substantivo *vinda*. Mas, em lugar dessa construção com base no substantivo *vinda*, poderíamos dizer:

É necessário *que venhas urgente.*

O sujeito seria, então, *que venhas urgente*, **termo essencial** representado por uma oração.

2. Neste exemplo de JORGE AMADO:

Mas quem adivinha *a vinda de um jararacuçu-apaga-fogo?*

o objeto direto de *adivinha* é *a vinda de um jararacuçu-apaga-fogo*, **termo integrante**, cujo núcleo é o substantivo *vinda*.

Em vez dessa construção nominal, poderíamos ter dito:

Mas quem adivinha *que virá um jararacuçu-apaga-fogo?*

Com isso, o objeto direto de *adivinha* passaria a ser *que virá um jararacuçu-apaga-fogo*, **termo integrante** representado por uma oração.

3. Neste exemplo de MACHADO DE ASSIS:

Senhor, não desaprendi as lições *recebidas*.

o adjunto adnominal, **termo acessório**, está expresso pelo adjetivo *recebidas*. Mas, se quisesse, o autor poderia ter substituído o adjetivo *recebidas* por *que recebi*.

Senhor, não desaprendi as lições *que recebi*.

Teríamos, neste caso, como adjunto adnominal de *lições* a oração *que recebi*. Por outras palavras: teríamos um **termo acessório** representado por uma oração.

4. Neste período de JOSÉ DE ALENCAR:

Caubi saiu para ir à sua cabana, que ainda não tinha visto *depois da volta.*

são três os adjuntos adverbiais (**termos acessórios**) da segunda oração:

a) ainda — adjunto adverbial de tempo;

b) não — adjunto adverbial de negação;

c) depois da volta — adjunto adverbial de tempo.

Mas, em vez da expressão adverbial de tempo *depois da volta*, poderíamos ter empregado uma oração — *depois que voltara:*

Caubi saiu para ir à sua cabana, que ainda não tinha visto *depois que voltara.*

Depois que voltara, adjunto adverbial de *tinha visto*, é, pois, um **termo acessório** representado por uma oração.

5. Do que dissemos uma conclusão se impõe: o **período composto por subordinação** é, na essência, equivalente a um período simples. Distingue-os apenas o fato de os **termos (essenciais, integrantes e acessórios)** deste serem representados naquele por **orações**.

Classificação das orações subordinadas

As **orações subordinadas** classificam-se em **substantivas, adjetivas e adverbiais**, porque as funções que desempenham são comparáveis às exercidas por substantivos, adjetivos e advérbios.

Orações subordinadas substantivas

As **orações subordinadas substantivas** vêm normalmente introduzidas pela **conjunção integrante** *que* (às vezes, por *se*), podendo, no entanto, ser iniciadas por pronome indefinido, pronome ou advérbio interrogativo.

Segundo o seu valor sintático, podem ser:

1. **subjetivas**, se exercem a função de sujeito:

   É provável / *que ela case outra vez.* / (M. DE ASSIS)

2. **objetivas diretas**, se exercem a função do objeto direto:

   Perguntam-me / *se ainda me lembro de Cordeiro.* / (M. MOTA)

3. **objetivas indiretas**, se exercem a função de objeto indireto:

   Desconfiei / *de que você armava um plano qualquer...* / (M. PALMÉRIO)

4. **completivas nominais**, se exercem a função de complemento nominal:

   Dai-me a certeza / *de que eu devo ousá-lo.*/ (M. BANDEIRA)

5. **predicativas**, se exercem a função de predicativo:

   A única particularidade da biografia de Fidélia é / *que o pai e o sogro eram inimigos políticos.* / (M. DE ASSIS)

6. **apositivas**, se exercem a função de aposto:

   É preciso que o pecador reconheça ao menos isto: / *que a Moral católica está certa / e é irrepreensível.*/ (O. L. RESENDE)

7. **agentes da passiva**, quando exercem a função de agente da passiva:

   — As ordens são dadas/ *por quem pode.* / (F. NAMORA)

Observação:

As **orações subordinadas substantivas** que desempenham a função de agente da passiva iniciam-se por pronomes indefinidos (*quem, quantos, qualquer*, etc.) precedidos de uma das preposições *por* ou *de*:

O cargo foi ocupado / *por quem* realmente merecia /

Pela sua bondade ela é estimada / *de quantos* a conhecem. /

Omissão da integrante *que*

Depois de certos verbos que exprimem uma ordem, um desejo ou uma súplica, pode-se omitir a **integrante** *que*:

Queira Deus / Não voltes mais triste. (M. BANDEIRA)

ORAÇÕES SUBORDINADAS ADJETIVAS

1. As **orações subordinadas adjetivas** vêm normalmente introduzidas por um **pronome relativo**, e exercem a função de adjunto adnominal de um substantivo ou pronome antecedente:

Há nomes / *que andam,* / nomes / *que rastejam,* / nomes / *que voam.* / (R. ORTIGÃO)

Oh! Bendito o / *que semeia livros... livros a mão cheia.* / (C. ALVES)

2. A oração subordinada adjetiva pode, como todo **adjunto adnominal**, depender de qualquer termo da oração, cujo núcleo seja um substantivo ou um pronome: *sujeito, predicativo, complemento nominal, objeto direto, objeto indireto, agente da passiva, adjunto adverbial, aposto* e, até mesmo, *vocativo*.

Orações adjetivas restritivas e explicativas

As orações subordinadas adjetivas classificam-se em **restritivas** e **explicativas.**

1. As **restritivas**, como o nome indica, restringem, limitam, precisam a significação do substantivo (ou pronome) antecedente. Exercem a função de **adjunto adnominal**. São, por conseguinte, indispensáveis ao sentido da frase; e, como se ligam ao antecedente sem pausa, dele não se separam, na escrita, por vírgula:

Lá fora da barra está um navio / *que apita.* / (J. AMADO)

2. As **explicativas** acrescentam ao antecedente uma qualidade acessória, isto é, esclarecem melhor a sua signi-

ficação, à semelhança de um **aposto**. Mas, por isso mesmo, não são indispensáveis ao sentido *essencial* da frase. Na fala, separam-se do antecedente por uma pausa, indicada na escrita por vírgula:

> Tio Cosme, / *que era advogado,* / confiava-lhe a cópia de papeis de autos. (M. DE ASSIS)

Orações subordinadas adverbiais

Funcionam como **adjunto adverbial** de outras orações e vêm, normalmente, introduzidas por uma das **conjunções subordinativas** (com exclusão das **integrantes** que, vimos, iniciam **orações substantivas**). Segundo a conjunção ou locução conjuntiva que as encabece, classificam-se em:

1. **causais**, se a conjunção é subordinativa causal:

> / *Como anoitecesse,* / recolhi-me pouco depois e deitei-me. (M. LOBATO)

2. **comparativas**, se a conjunção é subordinativa comparativa:

> Juro-lhes que essa orquestra da morte foi muito menos triste / *do que podia parecer.* / (M. DE ASSIS)

Observação:

Costuma-se omitir o predicado da oração subordinada comparativa, quando repete uma forma do verbo da oração principal. Assim:

> Teus olhos são negros, negros / *como as noites sem luar...* / (C. ALVES)

Ou seja: como as noites sem luar [são negras].

3. **concessivas**, se a conjunção é subordinativa concessiva:

> / *Ainda que não dessem dinheiro,* / poderiam colaborar com um ou outro trabalho. (O. L. RESENDE)

4. **condicionais**, se a conjunção é subordinativa condicional:

/ *Se fosse antes,* / não me importaria.
(A. M. MACHADO)

5. **conformativas**, se a conjunção é subordinativa conformativa:

Houve, / *segundo me pareceu,* / cochichos e movimentos equívocos. (G. RAMOS)

6. **consecutivas**, se a conjunção é subordinativa consecutiva:

O caminho é tão comprido / *que não tem fim.* /
(J. DE LIMA)

7. **finais**, se a conjunção é subordinativa final:

Estirava o indicador e contraía o médio, / *para que ficassem do mesmo tamanho.* / (G. RAMOS)

8. **proporcionais**, se a conjunção é subordinativa proporcional:

Mais se alheava do mundo /
À proporção que crescia. / (O. MARIANO)

9. **temporais**, se a conjunção é subordinativa temporal:

Você verá / *quando estiver habituado.* / (G. RAMOS)

ORAÇÕES REDUZIDAS

Vejamos agora outro tipo de **oração subordinada — a reduzida** —, isto é, a oração dependente que não se inicia por pronome relativo nem por conjunção subordinativa, e que tem o verbo numa das **formas nominais** — o **infinitivo**, o **gerúndio**, ou o **particípio**. Assim:

1. Neste período de MACHADO DE ASSIS:

> Todos nós havemos de morrer; basta / *estarmos vivos.* /

a oração *estarmos vivos* tem valor substantivo. Não a encabeça, porém, a integrante *que*, nem o seu verbo se apresenta numa forma finita, mas na do **infinitivo pessoal**.

A oração denomina-se, por isso, **substantiva reduzida de infinitivo**, e pode ser equiparada à oração subordinada desenvolvida *que estejamos vivos.*

> Todos nós havemos de morrer; basta / *que estejamos vivos.* /

2. Neste período de RAUL POMPEIA:

> Há sombras / *vagueando...* /

a oração *vagueando* tem valor **adjetivo**. Não vem, no entanto, iniciada por pronome relativo, nem traz o verbo numa forma finita, mas na do **gerúndio**.

A oração denomina-se, neste caso, **adjetiva reduzida de gerúndio**, e corresponde à oração desenvolvida *que vagueiam:*

> Há sombras / *que vagueiam...* /

3. Neste período de MANUEL ANTÔNIO DE ALMEIDA:

> / *Terminada a procissão,* / retiraram-se os convidados.

a oração *terminada a procissão* tem valor **adverbial**. Não está, porém, encabeçada por conjunção subordinativa, nem traz o verbo numa forma finita, mas na do **particípio**.

A oração denomina-se, então, **adverbial reduzida de particípio**, e equivale à oração desenvolvida *depois que terminou a procissão:*

> / *Depois que terminou a procissão,* / retiraram-se os convidados.

Orações reduzidas de infinitivo

As **orações reduzidas de infinitivo** podem vir ou não regidas de preposição e, como as desenvolvidas, classificam-se em:

Substantivas

1. **subjetivas**:
Urge / *tomarmos uma providência.* / (H. SALES)

2. **objetivas diretas**:
Delfim sentiu / *bater-lhe o coração.* / (M. DE ASSIS)

3. **objetivas indiretas**:
Gostamos / *de nos imaginar bons e generosos.* / (E. VERISSIMO)

4. **completivas nominais**:
Tenho muita pena / *de me desfazer de minhas riquezas, doutor.* / (C. D. DE ANDRADE)

5. **predicativas**:
O remédio era / *ficar em casa.* / (M. DE ASSIS)

6. **apositivas**:
A penitência tinha sido pequena demais: / *rezar dez Ave-Marias e cinco Padre-Nossos.* / (O. L. RESENDE)

Adjetivas

Despertei com os meninos / *a se levantarem da cama...*/ (J. L. DO REGO)

Adverbiais

1. **causais**:
Afastou-se, pois, a distância conveniente, murmurando despeitado / *por ver frustrados seus esforços de conciliador.* / (M. A. DE ALMEIDA)

2. **concessivas**:

/ *Apesar de não ser diplomata,* / Paulo também viajara. (A. PEIXOTO)

3. **condicionais**:

/ *A não ser isto,* / eu preferia ficar na sombra... (J. DE ALENCAR)

4. **consecutivas**:

O mancebo desprezava o perigo e pago até da morte pelos sorrisos, que seus olhos furtavam de longe, levou o arrojo / *a arrepiar a testa do touro com a ponta da lança.* / (R. DA SILVA)

5. **finais**:

Os pertences são poucos / *para levar.* / (ADONIAS FILHO)

6. **temporais**:

/ *Ao cerrar a porta,* / respirou com alívio. (G. RAMOS)

Orações reduzidas de gerúndio

Podem ser **adjetivas** ou **adverbiais**.

Adjetivas

O emprego do **gerúndio** com valor de **oração adjetiva** tem sido considerado por certos gramáticos um galicismo intolerável. Cumpre, no entanto, acentuar que é antiga no idioma a construção quando o **gerúndio** expressa a ideia de atividade atual e passageira, como neste exemplo:

Vi um menino / *chorando.* /

Adverbiais

Como o **gerúndio** tem principalmente significado temporal, as **reduzidas** por ele formadas correspondem, na maioria dos casos, a **orações subordinadas adverbiais temporais**. Assim:

/ *Fixando-a,* / os crueis olhos rutilavam. (G. PASSOS)

Mas podem eqı ivaler também a **subordinadas adverbiais**:

1. **causais**:

Os gêmeos, / *não tendo que fazer,* / iam mamando. (M. DE ASSIS)

2. **concessivas**:

A verdade é que, / *nascendo depois,* / ela sabe muito mais. (C. D. DE ANDRADE)

3. **condicionais**:

/ *Precisando,* / disponha. (C. DOS ANJOS)

Orações reduzidas de particípio

Como as **reduzidas de gerúndio**, as de **particípio** podem ser **adjetivas** ou **adverbiais**.

Adjetivas

Era o Lorota, um papagaio amarelo, / *criado na gaiola* / e muito bem falante. (S. LOPES NETO)

Adverbiais

São mais comuns as **temporais**:

/ *Passado um instante,* / os dois amigos se olharam. (A. PEIXOTO)

Não raro, ocorrem também as:

1. **causais**:

/ *Ocupado com um caso mais importante,* / larguei a pobre. (G. RAMOS)

2. **concessivas**:

Creio, porém, que, / *ainda admitidas as exagerações do Jornal do Comércio,* / pode-se assegurar que a guerra está concluída. (J. DE ALENCAR)

3. **condicionais**:

/ *Dada essa hipótese,* / espero de nossos amigos dedicados que não sofrerão impassíveis uma oposição injusta. (J. DE ALENCAR)

17 FIGURAS DE ESTILO

Nem sempre as frases se organizam com absoluta coesão gramatical. O empenho de maior expressividade leva-nos, com frequência, a superabundâncias, a desvios, a lacunas, a substituições nas estruturas frásicas tidas por modelares. Em tais construções a coesão gramatical e semântica é substituída por uma coesão significativa, condicionada pelo contexto geral e pela situação.

Os processos expressivos que provocam essa particularidade de construção denominam-se **figuras de estilo** ou **figuras de linguagem** e fazem parte da Estilística.

Podemos classificá-las em:

a) **Figuras de palavras;**

b) **Figuras de sintaxe;**

c) **Figuras de pensamento.**

Examinemos as principais.

FIGURAS DE PALAVRAS

Comparação

A **comparação** ou **símile** consiste em estabelecer um confronto entre dois termos da oração, a fim de ressaltar a semelhança entre eles. Na comparação nota-se a presença dos conectivos: *como, tal como, tal qual, assim como, que nem.* Assim:

> Foi rápido, *como o olhar*, o gesto de Iracema.
>
> (J. DE ALENCAR)

Metáfora

A **metáfora** consiste na alteração do sentido de uma palavra ou expressão, pelo acréscimo de um segundo significado, havendo entre eles uma relação de semelhança.Assim:

> Ele era *um pássaro*, nascera para cantar.
> (V. DE MORAES)

Metonímia

A **metonímia** consiste no emprego de uma palavra por outra, com que se acha relacionada. Pode ocorrer, quando se emprega: o abstrato pelo concreto; o autor pela obra; o efeito pela causa; o instrumento pela pessoa; a parte pelo todo; o continente pelo conteúdo; o sinal pela coisa significada; a matéria pelo objeto; o indivíduo pela classe; o lugar pelos seus habitantes.

> A *Câmara Municipal* discutia o orçamento para 1920. (C. D. DE ANDRADE)
> Longe, na linha do horizonte, entre a mancha de duas ilhas, o recorte de uma *vela* branca.
> (J. MONTELLO)

Catacrese

A **catacrese** consiste em transferir a uma palavra o sentido próprio de outra, pela semelhança de significado entre elas. Por ser de uso tão corrente, muitas vezes não lhe percebemos o sentido figurado. É o caso, por exemplo, de: *pé* da cama, *barriga* da perna, *boca* do fogão, *dente* de alho, *bala* de revólver.

> Nesta *boca da noite,* cheira o tempo a alecrim.
> (C. D. DE ANDRADE)

Perífrase

A **perífrase**, denominada também **antonomásia**, consiste em substituir a designação simples de uma noção por uma sequência de palavras que lhe exprime as principais características. Assim: *o poeta dos escravos* = Castro Alves; *o rei da selva* = leão.

> Em São Paulo, viveu o *Poeta dos Escravos* os dias mais inquietos e perturbadores de sua efêmera existência. (E. GOMES)

Sinestesia

A **sinestesia** consiste em transferir percepções de um sentido para o de outro, resultando um cruzamento de sensações.

> Tem *cheiro a luz*, a manhã nasce...
> Oh *sonora audição colorida do aroma!*
> (A. DE GUIMARÃES)

FIGURAS DE SINTAXE

Elipse

Elipse é a omissão de um termo que o contexto ou a situação permitem facilmente suprir. É corrente, por exemplo, a elipse:

a) do sujeito:

> Turquinha pegou na mão do noivo e beijou-a, beijou-lhe a testa. (D. S. DE QUEIRÓS)

b) do verbo:

> Poeta sou; pai, pouco; irmão, mais. (M. BANDEIRA)

c) da conjunção integrante *que*:

> Queira Deus não voltes mais tarde... (M. BANDEIRA)

d) da preposição *de* antes da integrante que introduz as orações objetivas indiretas e as completivas nominais:

Gostaria que, além de dever, fosse um prazer. (C. D. DE ANDRADE)

Tenho certeza que fala de amor. (O. L. RESENDE)

e) da preposição que introduz certos adjuntos:

Ribas, *quinze anos*, era feio, magro, linfático. (R. POMPEIA)

Zeugma

1. **Zeugma** é uma das formas da **elipse**. Consiste em fazer participar de dois ou mais enunciados um termo expresso apenas em um deles:

João Fanhoso abriu os olhos pesados de preguiça: primeiro um, depois o outro. (M. PALMÉRIO)

Isto é: primeiro *abriu* um, depois *abriu* o outro.

2. Alguns restringem a área da **zeugma** aos casos em que se subentende um verbo anteriormente expresso, mas sob outra flexão, como neste passo de C. D. DE ANDRADE:

A igreja era grande e pobre. Os altares, humildes.

Entenda-se: Os altares *eram* humildes.

Pleonasmo

Pleonasmo é a superabundância de palavras para enunciar uma ideia:

Achei mais fácil odiar-*me a mim mesmo*. (E. VERISSIMO)

Tive vergonha de *me* confessar *a mim mesmo*. (A. PEIXOTO)

Observações:

1ª) O **pleonasmo vicioso** é uma falta grosseira quando nada acrescenta à força da expressão, quando resulta apenas da ignorância do sentido exato dos termos empregados, ou de negligência. Estão neste caso frases como:

Fazer uma *breve alocução.*
Ter o *monopólio exclusivo.*
Ser o *principal protagonista.*

Em todas elas o adjetivo representa uma demasia condenável: *alocução* é um "discurso breve"; não há *monopólio* que não seja "exclusivo"; e *protagonista* significa "principal personagem".

2ª) **Pleonasmo** é a reiteração da ideia. A repetição da mesma palavra é um recurso de ênfase, mas não é um **pleonasmo.**

Hipérbato

Hipérbato é a separação de palavras que pertencem ao mesmo sintagma, pela intercalação de um membro frásico:

Essas que ao vento vêm
Belas chuvas de junho! (J. CARDOSO)

Em sentido corrente, porém, **hipérbato** é termo genérico para designar toda inversão da ordem normal das palavras na oração, ou da ordem das orações no período, com finalidade expressiva.

Anástrofe

Anástrofe é o tipo de inversão que consiste na anteposição do determinante (preposição + substantivo) ao determinado:

Vingai a pátria ou valentes
Da pátria tombai *no chão*! (F. VARELA)

Sínquise

Sínquise é a inversão de tal modo violenta das palavras de uma frase, que torna difícil a sua interpretação.

É o que se observa, por exemplo, nesta quadra do soneto "Taça de Coral", de Alberto de Oliveira:

Lícias pastor — enquanto o sol recebe,
Mugindo, o manso armento e ao largo espraia,
Em sede abrasa qual de amor por Febe,
— Sede também, sede maior, desmaia.

Entenda-se:

"Lícias, pastor, enquanto o manso armento recebe o sol e, mugindo, espraia ao largo — abrasa em sede, qual desmaia de amor por Febe, sede também, sede maior."

Assíndeto

Dizemos que há **assíndeto** quando as orações de um período ou as palavras de uma oração se sucedem sem conjunção coordenativa que poderia enlaçá-las. É um vigoroso processo de encadeamento do enunciado, que reclama do leitor ou do ouvinte uma atenção maior no exame de cada fato, mantido em sua individualidade, em sua independência, por força das pausas rítmicas:

A barca vinha perto, chegou, atracou, entramos.
(M. DE ASSIS)

Polissíndeto

É o contrário do **assíndeto**, ou seja, o emprego reiterado de conjunções coordenativas. Com o **polissíndeto** interpenetram-se os elementos coordenados; a expressão adquire assim uma continuidade, uma fluidez que a tornam particularmente apta para sugerir movimentos ininterruptos ou vertiginosos, como no exemplo a seguir:

E olhava-me, *e* vinha *e* ia, *e* tornava a latir...
(S. LOPES NETO)

Anacoluto

Anacoluto é a mudança de construção sintática no meio do enunciado, geralmente depois de uma pausa sensível, como nestes versos de C. DE ABREU:

No berço, pendente dos ramos floridos,
Em que eu pequenino feliz dormitava:
Quem é que esse berço com todo o cuidado
Cantando cantigas *alegre embalava*?

No exemplo dado, observamos que a oração iniciada por *no berço* não teve seguimento normal no 3º verso, que devia continuá-la, e, em consequência, aquela expressão ficou solta no período.

Silepse

Silepse é a concordância que se faz não com a forma gramatical das palavras, mas com o sentido, com a ideia que elas expressam. A *silepse* é, pois, uma concordância mental.

Silepse de número

1. Pode ocorrer a **silepse de número** com todo substantivo singular concebido como plural e, particularmente, com os termos coletivos:

O *casal* não tivera filhos, mas *criaram* dois ou três meninos. (A. F. SCHMIDT)

2. Há também **silepse de número** quando o sujeito da oração é um dos pronomes *nós* e *vós*, aplicados a uma só pessoa, e permanecem no singular os adjetivos e particípios que a eles se referem:

Sois injusto comigo. (A. HERCULANO)

Silepse de gênero

Sabemos que as expressões de tratamento *Vossa Majestade, Vossa Excelência, Vossa Senhoria,* etc. têm forma gramatical feminina, mas aplicam-se com frequência a pessoas do sexo masculino. Neste caso, quando funciona como predicativo, o adjetivo que a elas se refere vai sempre para o masculino:

— *V. Ex.ª* parece *magoado...* (C. D. DE ANDRADE)

Silepse de pessoa

1. Quando a pessoa que fala ou escreve se inclui num sujeito enunciado na 3ª pessoa do plural, o verbo pode ir para a 1ª pessoa do plural:

> E *os sessenta milhões de brasileiros falamos e escrevemos* de inúmeras maneiras a língua que nos deu Portugal. (R. DE QUEIRÓS)

2. Se no sujeito expresso na 3ª pessoa do plural queremos abranger a pessoa a quem nos dirigimos, é lícito usarmos a 2ª pessoa do plural:

> *Os dois* ora *estais* reunidos... (C. D. DE ANDRADE)

Figuras de Pensamento

Antítese

A **antítese** consiste em juntar uma ideia a outra de sentido contrário:

> Há dois mundos distintos, *o claro* e *o escuro*.
> Mas dentro do *escuro* vive também um mundo *claro*, que eu vejo quando fecho os olhos...
> (C. D. DE ANDRADE)

Eufemismo

O **eufemismo** consiste em atenuar o sentido desagradável, grosseiro ou indecoroso de uma palavra ou expressão, substituindo-a por outra, capaz de suavizar seu significado:

> Na redação, o secretário fazia a cozinha do jornal, quando a senhora, *não primaveril, mas ainda não invernosa*, dele se aproximou timidamente.
> (C. D. DE ANDRADE)

Hipérbole

A **hipérbole** consiste no exagero da expressão de uma ideia:

> Temos riqueza para dar *ao mundo inteiro e ainda sobra para quatrocentos e noventa e nove mundos* possíveis. (C. D. DE ANDRADE)

Ironia

A **ironia** consiste em exprimir uma ideia contrária do que se pensa, com a finalidade de criticar:

> O casamento foi aprovado pelo Sr. Antunes, *com a mesma alma com que um réu sancionaria a própria execução.* (M. DE ASSIS)

Personificação ou prosopopeia

A **personificação** ou **prosopopeia** consiste em atribuir características humanas a seres inanimados ou irracionais:

> Havia *estrelas infantis* a *balbuciar* preces matinais no céu deliquescente. (V. DE MORAES)

Onomatopeia

A **onomatopeia** consiste no emprego de palavras imitativas, isto é, as que procuram reproduzir aproximadamente certos sons ou ruídos:

> Logo o pêndulo se movia, de um lado para outro, *tique-taque, tique-taque*, e outra vez a vida voltaria à suavidade de outrora, na paz do apartamento.
>
> (J. MONTELLO)

18 DISCURSO DIRETO, DISCURSO INDIRETO E DISCURSO INDIRETO LIVRE

Estruturas de reprodução de enunciações

Para dar-nos a conhecer os pensamentos e as palavras de seus personagens, reais ou fictícios, dispõe o narrador de três moldes linguísticos diversos, conhecidos pelos nomes de:

a) **discurso** (ou **estilo**) **direto**;
b) **discurso** (ou **estilo**) **indireto**;
c) **discurso** (ou **estilo**) **indireto livre**.

Discurso Direto

Examinando este passo do romance *Menino de Engenho*, de JOSÉ LINS DO REGO:

> E uma tarde um moleque chegou às carreiras, gritando:
> — *A cheia vem no engenho de seu Lula!*

verificamos que o narrador, após introduzir o personagem, o moleque, deixou-o expressar-se por si mesmo, limitando-se a reproduzir-lhe as palavras como ele as teria efetivamente selecionado, organizado e pronunciado. É a forma de expressão denominada **discurso direto**.

Características do discurso direto

1. No **plano formal**, um enunciado em **discurso direto** é marcado, geralmente, pela presença de verbos do tipo *dizer, afirmar, ponderar, sugerir, perguntar, indagar, responder* e sinônimos, que podem introduzi-lo, arrematá-lo, ou nele se inserir:

> Branco foi logo *indagando*: — *Que foi que aconteceu, André?* (O. DE FARIA)
>
> *Isto já foi muito melhor, dizia* consigo. (M. LOBATO)
>
> *Já não é o mesmo, queixava-se* esta; *ouviu o canto da sereia.* (C. D. DE ANDRADE)

Quando falta um desses **verbos declarativos**, cabe ao contexto e a recursos gráficos — tais como os dois pontos, as aspas, o travessão e a mudança de linha — a função de indicar a fala do personagem. É o que observamos nesta passagem.

> O amigo abraçou-o. E logo recuou com certo espanto: — O seu chapéu, Zé Maria?
>
> — Ah, não uso mais!...
>
> — Felizardo! (A. M. MACHADO)

2. No **plano expressivo**, a força da narração em **discurso direto** provém essencialmente da sua capacidade de atualizar o episódio, fazendo emergir da situação o personagem, tornando-o vivo para o ouvinte, à maneira de uma cena teatral, em que o narrador desempenha a mera função de indicador das falas.

> Daí ser esta a forma de relatar preferentemente adotada nos atos diários de comunicação e nos estilos literários narrativos em que os autores pretendem representar diante dos que leem "a comédia humana, com a maior naturalidade possível". (É. ZOLA)

DISCURSO INDIRETO

Tomemos como exemplo esta frase de MACHADO DE ASSIS:

> José Dias deixou-se estar calado, suspirou e acabou *confessando que não era médico.*

Ao contrário do que observamos nos enunciados em **discurso direto**, o narrador (MACHADO DE ASSIS) incorpora aqui, ao seu próprio falar, uma informação do personagem (JOSÉ DIAS), contentando-se em transmitir ao leitor apenas o conteúdo, sem nenhum respeito à forma linguística que teria sido realmente empregada.

Este processo de reproduzir enunciados chama-se **discurso indireto**.

Características do discurso indireto

1. No **plano formal**, verifica-se que, introduzidas também por um verbo declarativo (*dizer, afirmar, ponderar, confessar, responder,* etc.), as falas dos personagens aparecem, no entanto, numa oração subordinada substantiva, em geral desenvolvida:

> Disse-me ele *que sentiu uma verdadeira transfiguração da realidade.* (A. A. LIMA)

Nestas orações, como vimos, pode ocorrer a elipse da conjunção integrante:

> Como supunha *fôssemos ter ainda uma quinzena de atividade e pudéssemos esgotar o programa*, demorara-me alguns dias em Machado e Eça. (C. DOS ANJOS)

2. No **plano expressivo**, assinale-se, em primeiro lugar, que o emprego do **discurso indireto** pressupõe um tipo de relato de caráter predominantemente informativo e intelectivo, sem a feição teatral e atualizadora do **discurso direto**. O narrador subordina a si o personagem, visto que lhe retira a forma própria da expressão.

Transposição do discurso direto para o indireto

1. Do confronto destas duas frases:

> — Já *é* noite, *diz* Chico das Bonecas. (ADONIAS FILHO)
> Chico das Bonecas *disse que* já *era* noite.

verifica-se que, ao passar-se de um tipo de relato para outro, certos elementos do enunciado se modificam, por acomodação ao novo molde sintático.

2. As principais transposições que ocorrem são:

DISCURSO DIRETO	DISCURSO INDIRETO
a) enunciado em 1ª ou em 2ª pessoa: O motorista respondeu-lhe baixinho: — *Eu sei.* (C. D. DE ANDRADE) — *Falaste* com o Dr. Assis Brasil? — perguntou Rodrigo. (E. VERISSIMO)	*a)* enunciado em 3ª pessoa: O motorista respondeu-lhe baixinho que *ele sabia.* Rodrigo perguntou se [*ele*] *havia falado* com o Dr. Assis Brasil.
b) verbo enunciado no PRESENTE: — O major *é* um filósofo, disse ele com malícia. (L. BARRETO)	*b)* verbo enunciado no PRETÉRITO IMPERFEITO: Disse ele com malícia que o major *era* um filósofo.
c) verbo enunciado no PRETÉRITO PERFEITO: Explicou para curiosidade de todos: — *Chamou* pelo irmão. (O. DE FARIA)	*c)* verbo enunciado no PRETÉRITO MAIS-QUE-PERFEITO: Explicou para curiosidade de todos que *tinha chamado* pelo irmão.
d) verbo enunciado no FUTURO DO PRESENTE: — *Voltarei* domingo — disse. (ADONIAS FILHO)	*d)* verbo enunciado no FUTURO DO PRETÉRITO: Disse que *voltaria* domingo.
e) verbo no MODO IMPERATIVO: — *Não faças* escândalo — disse a outra (O. LINS)	*e)* verbo no MODO SUBJUNTIVO: Disse a outra que *não fizesse* escândalo.
f) enunciado em forma INTERROGATIVA DIRETA: Quaresma perguntou: — *Como vai a família?* (L. BARRETO)	*f)* enunciado em forma INTERROGATIVA INDIRETA: Quaresma perguntou *como ia a família.*
g) pronome demonstrativo de 1ª *(este, esta, isto)* ou de 2ª pessoa *(esse, essa, isso)*: — *Isso* é um número muito comprido, respondeu Cesária.	*g)* pronome demonstrativo de 3ª pessoa *(aquele, aquela, aquilo)*: Cesária respondeu que *aquilo* era um número muito comprido.
h) advérbio de lugar *aqui*: — *Aqui* amanhece muito claro — disse Sales. (C. SOROMENHO)	*h)* advérbio de lugar *ali*: Disse Sales que *ali* amanhecia muito claro.

Discurso Indireto Livre

Na moderna literatura narrativa, tem sido amplamente utilizado um terceiro processo de relatar enunciados, resultante da conciliação dos dois anteriormente descritos. É o chamado **discurso indireto livre**, forma de expressão que, em vez de apresentar o personagem em sua voz própria (**discurso direto**), ou de informar objetivamente o leitor sobre o que ele teria dito (**discurso indireto**), aproxima narrador e personagem, dando-nos a impressão de que passam a falar em uníssono.

Comparem-se estes exemplos:

> A viagem parecia-lhe sem jeito, nem acreditava nela. Preparara-a lentamente, adiara-a, tornara a prepará-la, e só se resolvera a partir quando estava definitivamente perdido. *Podia continuar a viver num cemitério?* Nada o prendia àquela terra dura, acharia um lugar menos seco para enterrar-se.
> (G. RAMOS)

> Não era a primeira vez que sucedia aquilo — o fiasco daquele engano. Amanhã, seriam os comentários na rodinha do sura antipático, sem rabo ainda, pescoço pelado, e já metido a galo. Na do sura e na do garnisé branco — *esse, então, um afeminado de marca, com aquela vozinha esganiçada e o passinho miúdo.*
> João Fanhoso fechou os olhos, mal-humorado. A sola dos pés doía, doía. *Calo miserável!* (M. PALMÉRIO)

Características do discurso indireto livre

1. No **plano formal**, verifica-se que o emprego do **discurso indireto livre** "pressupõe duas condições: a absoluta liberdade sintática do escritor (fator gramatical) e a sua completa adesão à vida do personagem (fator estético)". Saliente-se ainda que, ao contrário do que acontece no **discurso indireto**, o **indireto livre** conserva as interrogações, as ex-

clamações, as palavras e as frases do personagem na forma por que teriam sido realmente proferidas.

2. No **plano expressivo**, devem ser realçados alguns valores desta construção híbrida:

1º) Evitando, por um lado, o acúmulo de *quês*, ocorrente no **discurso indireto**, e, por outro, os cortes das aposições dialogadas, peculiares ao **discurso direto**, o **discurso indireto livre** permite uma narrativa mais fluente, de ritmo e tom mais artisticamente elaborados.

2º) O elo psíquico que se estabelece entre narrador e personagem neste molde frásico torna-o o preferido dos escritores memorialistas em suas páginas de monólogo interior.

3º) Para a apreensão da fala do personagem nos trechos em **discurso indireto livre**, cobra importância o papel do contexto, pois que a passagem do que seja relato por parte do narrador a enunciado real do locutor é muitas vezes extremamente sutil.

19 PONTUAÇÃO

Sinais pausais e sinais melódicos

A língua escrita não dispõe dos enumeráveis recursos rítmicos e melódicos da língua falada. Para suprir esta carência, ou melhor, para reconstituir aproximadamente o movimento vivo da elocução oral, serve-se da **pontuação**.

Os sinais de pontuação podem ser classificados em dois grupos:

O primeiro grupo compreende os sinais que, fundamentalmente, se destinam a marcar as **pausas**:

a) a **vírgula** (,)

b) o **ponto** (.)

c) o **ponto e vírgula** (;)

O segundo grupo abarca os sinais cuja função essencial é marcar a **melodia**, a **entoação**:

a) os **dois pontos** (:)

b) o **ponto de interrogação** (?)

c) o **ponto de exclamação** (!)

d) as **reticências** (...)

e) as **aspas** (“ ”)

f) os **parênteses** (( ))

g) os **colchetes** ([ ])

h) o **travessão** (—)

SINAIS QUE MARCAM SOBRETUDO A PAUSA

A vírgula

A **vírgula** marca uma pausa de pequena duração. Emprega-se não só para separar elementos de uma oração, mas também orações de um só período.

1. No **interior da oração** serve:

1º) Para separar elementos que exercem a mesma função sintática (sujeito composto, complementos, adjuntos), quando não vêm unidos pelas conjunções *e, ou* e *nem*:

> As nuvens, as folhas, os ventos não são deste mundo. (A. MEYER)
>
> Ela tem sua claridade, seus caminhos, suas escadas, seus andaimes. (C. MEIRELES)
>
> No céu fosco, pelo vão da janela, as estrelas ainda brilhavam. (C. D. DE ANDRADE)

2º) Para separar elementos que exercem funções sintáticas diversas, geralmente com a finalidade de realçá-los. Em particular, a **vírgula** é usada:

a) para isolar o aposto, ou qualquer elemento de valor meramente explicativo:

> Ele, o pai, é um mágico. (ADONIAS FILHO)

b) para isolar o vocativo:

> Moço, sertanejo não se doma no brejo. (J. A. DE ALMEIDA)

c) para isolar o adjunto adverbial antecipado:

> Depois de algumas horas de sono, voltei ao colégio. (R. POMPEIA)

d) para isolar os elementos repetidos:

> Ficou branquinha, branquinha.
> Com os desgostos humanos. (O. BILAC)

3º) Emprega-se ainda a vírgula no interior da oração:

a) para separar, na datação de um escrito, o nome do lugar:

Teófilo Otoni, 10 de maio de 1917.

b) para indicar a supressão de uma palavra (geralmente o verbo) ou de um grupo de palavras:

Veio a velhice; com ela, a aposentadoria. (H. SALES)

2. **Entre orações**, emprega-se a vírgula:

1º) Para separar as orações coordenadas assindéticas:

Levantava-me, passeava, tamborilava nos vidros das janelas, assobiava. (M. DE ASSIS)

2º) Para separar as orações coordenadas sindéticas, salvo as introduzidas pela conjunção *e*:

Cessaram as buzinas, mas prosseguia o alarido nas ruas. (A. M. MACHADO)

Observações:

1ª) Separam-se por **vírgula** as orações coordenadas unidas pela conjunção *e*, quando têm sujeito diferente. Exemplo:

O silêncio comeu o eco, e a escuridão abraçou o silêncio. (G. FIGUEIREDO)

Costuma-se também separar por **vírgula** as orações introduzidas por essa conjunção quando ela vem reiterada:

Trabalha, e teima, e lima, e sofre, e sua! (O. BILAC)

2ª) Das **conjunções adversativas**, *mas* emprega-se sempre no começo da oração; *porém, todavia, contudo, entretanto* e *no entanto* podem vir ora no início da oração, ora após um dos seus termos. No primeiro caso, põe-se uma **vírgula** antes da conjunção; no segundo, vem ela isolada por vírgulas:

— Vá aonde quiser, *mas* fique morando conosco.

— Vá aonde quiser, *porém* fique morando conosco.

— Vá aonde quiser, fique, *porém*, morando conosco.

Em virtude da acentuada pausa que existe entre as orações da página anterior, podem ser elas separadas, na escrita, por **ponto e vírgula**. Ao último período é mesmo a pontuação que melhor lhe convém:

— Vá aonde quiser; fique, *porém*, morando conosco.

3ª) Quando conjunção conclusiva, *pois* vem sempre posposta a um termo da oração a que pertence e, portanto, isolada por **vírgulas**:

Não pacteia com a ordem; é, *pois,* uma rebelde. (J. RIBEIRO)

As demais conjunções conclusivas (*logo, portanto, por conseguinte*, etc.) podem encabeçar a oração ou pospor-se a um dos seus termos. À semelhança das adversativas, escrevem-se, conforme o caso, com uma vírgula anteposta, ou entre vírgulas.

3º) Para isolar as orações intercaladas:

— Se o alienista tem razão, *disse eu comigo*, não haverá muito que lastimar o Quincas Borba.
(M. DE ASSIS)

4º) Para isolar as orações subordinadas adjetivas explicativas:

Pastor, *que sobes o monte*,
Que queres galgando-o assim? (O. MARIANO)

5º) Para separar as orações subordinadas adverbiais, principalmente quando antepostas à principal:

Quando tio Severino voltou da fazenda, trouxe para Luciana um periquito. (G. RAMOS)

6º) Para separar as orações reduzidas de gerúndio, de particípio e de infinitivo, quando equivalentes a orações adverbiais:

Não obtendo resultado, indignou-se. (G. RAMOS)
Acocorado a um canto, contemplava-nos impassível. (E. DA CUNHA)
Ao falar, já sabia da resposta. (J. AMADO)

Observações:

1ª) Toda oração ou todo termo de oração de valor meramente explicativo pronunciam-se entre pausas; por isso, são isolados por vírgula, na escrita.

2ª) Os termos essenciais e integrantes da oração ligam-se uns com os outros sem pausa; não podem, assim, ser separados por vírgula. Esta a razão por que não é admissível o uso da vírgula entre uma oração subordinada substantiva e a sua principal.

3ª) Há uns poucos casos em que o emprego da vírgula não corresponde a uma pausa real na fala; é o que se observa, por exemplo, em respostas rápidas do tipo: *Sim, senhor. Não, senhor.*

O ponto

1. **O ponto** assinala a pausa máxima da voz depois de um grupo fônico de final descendente. Emprega-se, pois, fundamentalmente, para indicar o término de uma oração declarativa, seja ela absoluta, seja a derradeira de um período composto:

> Nada pode contra o poeta. Nada pode contra esse incorrigível que tão bem vive e se arranja esse meio aos destroços do palácio imaginário que lhe caiu em cima. (A. M. MACHADO)

2. Quando os períodos (simples ou compostos) se encadeiam pelos pensamentos que expressam, sucedem-se uns aos outros na mesma linha. Diz-se, neste caso, que estão separados por um **ponto simples**.

Observação:

O **ponto** tem sido utilizado pelos escritores modernos onde os antigos poriam **ponto e vírgula** ou mesmo **vírgula**.

> A música toca uma valsa lenta. O desânimo aumenta. Os minutos passam. A orquestra se cala. O vento está mais forte. (E. VERISSIMO)

3. Quando se passa de um grupo a outro grupo de ideias, costuma-se marcar a transposição com um maior repouso da voz, o que, na escrita, se representa pelo **ponto parágrafo**. Deixa-se, então, em branco o resto da linha em que termina um dado grupo ideológico, e inicia-se o seguinte na linha abaixo, com o recuo de algumas letras:

> Lá embaixo era um mar que crescia.
>
> Começara a chuviscar um pouco. E o carro subia mais para o alto, com destino à casa de Amâncio, que era a melhor da redondeza. (J. L. DO REGO)

4. Ao **ponto** que encerra um enunciado escrito dá-se o nome de **ponto final**.

O ponto e vírgula

1. Como o nome indica, este sinal serve de intermediário entre o **ponto** e a **vírgula**, podendo aproximar-se ora mais daquele, ora mais desta, segundo os valores pausais e melódicos que representa no texto. No primeiro caso, equivale a uma espécie de **ponto** reduzido; no segundo, assemelha-se a uma **vírgula** alongada.

2. Esta imprecisão do **ponto e vírgula** faz que o seu emprego dependa substancialmente do contexto. Entretanto, podemos estabelecer que, em princípio, ele é usado:

1º) Para separar num período as orações da mesma natureza que tenham certa extensão:

> Não sabe mostrar-se magoada; é toda perdão e carinho. (M. DE ASSIS)

2º) Para separar partes de um período, das quais uma pelo menos esteja subdividida por **vírgula**:

> Chamo-me Inácio; ele, Bendito. (M. DE ASSIS)

3º) Para separar os diversos itens de enunciados enumerativos (em leis, decretos, portarias, regulamentos, etc.), como estes que iniciam o Artigo 1º da Lei de Diretrizes e Bases da Educação Nacional:

> Art. 1º A educação nacional, inspirada nos princípios de liberdade e nos ideais de solidariedade humana, tem por fim:
>
> *a)* a compreensão dos direitos e deveres da pessoa humana, do cidadão, do Estado, da família e dos demais grupos que compõem a comunidade;
>
> *b)* o respeito à dignidade e às liberdades fundamentais do homem;
>
> *c)* o fortalecimento da unidade nacional e da solidariedade internacional;
>
> *d)* o desenvolvimento integral da personalidade humana e a sua participação na obra do bem comum;
>
> (...)

Valor melódico dos sinais pausais

Dissemos que a **vírgula**, o **ponto** e o **ponto e vírgula** marcam *sobretudo* — e não *exclusivamente* — a pausa. No correr do nosso estudo, ressaltamos até algumas das suas características melódicas. É o momento de sintetizá-las:

---

a) o **ponto** corresponde sempre à final descendente de um grupo fônico;

b) a **vírgula** assinala que a voz fica em suspenso, à espera de que o período se complete;

c) o **ponto e vírgula** denota em geral uma débil inflexão suspensiva, suficiente, no entanto, para indicar que o período não está concluído.

SINAIS QUE MARCAM SOBRETUDO A MELODIA

Os dois pontos

Os **dois pontos** servem para marcar, na escrita, uma sensível suspensão da voz na melodia de uma frase não concluída. Empregam-se, pois, para anunciar:

1º) uma citação (geralmente depois de verbo ou expressão que signifique *dizer, responder, perguntar* e sinônimos):

Eu lhe responderia: a vida é ilusão... (A. PEIXOTO)

2º) uma enumeração explicativa:

Viajo entre todas as coisas do mundo:
homem, flores, animais, água... (C. MEIRELES)

3º) um esclarecimento, uma síntese ou uma consequência do que foi enunciado:

Ternura teve uma inspiração: atirar a corda, laçá-la. (A. M. MACHADO)

Não sou alegre nem sou triste: sou poeta. (C. MEIRELES)

Observação:

Depois do vocativo que encabeça cartas, requerimentos, ofícios, etc., costuma-se colocar **dois pontos**, **vírgula** ou **ponto**:

Prezado senhor: Prezado senhor. Prezado senhor,

Sendo o vocativo inicial emitido com entoação suspensiva, deve ser acompanhado, preferentemente, de **dois pontos** ou de **vírgula**, sinais denotadores daquele tipo de inflexão.

O ponto de interrogação

1. É o sinal que se usa no fim de qualquer interrogação direta, ainda que a pergunta não exija resposta:

Sabe você de uma novidade? (A. PEIXOTO)

2. Nos casos em que a pergunta envolve dúvida, costuma-se fazer seguir de **reticências** o **ponto de interrogação**:

— Então?... que foi isso?... a comadre?...
(ARTUR AZEVEDO)

3. Nas perguntas que denotam surpresa, ou naquelas que não têm endereço nem resposta, empregam-se por vezes combinados o **ponto de interrogação** e o **ponto de exclamação**:

Que negócio é esse: cabra falando?! (C. D. DE ANDRADE)

Observação:

O **ponto de interrogação** nunca se usa no fim de uma interrogação indireta, uma vez que esta termina com entoação descendente, exigindo, por isso, um ponto.

Comparem-se:

— Quem chegou? [= **interrogação direta**]
— Diga-me quem chegou. [= **interrogação indireta**]

O ponto de exclamação

É o sinal que se pospõe a qualquer enunciado de entoação exclamativa. Emprega-se, pois, normalmente:

a) depois de interjeições ou de termos equivalentes, como os vocativos intensivos, as apóstrofes:

Oh! dias de minha infância! (C. DE ABREU)
Deus! ó Deus! onde estás que não respondes?
(C. ALVES)

b) depois de um imperativo:

Coração, pára! ou refreia, ou morre! (A. DE OLIVEIRA)

Observação:

A interjeição *oh!* (escrita com *h*), que denota geralmente surpresa, alegria ou desejo, vem seguida de **ponto de exclamação**. Já à interjeição de apelo *ó*, quando acompanhada de vocativo, não se pospõe **ponto de exclamação**; este se coloca, no caso, depois do vocativo. Comparem-se os exemplos do item *a*.

As reticências

1. As **reticências** marcam uma interrupção da frase e, consequentemente, a suspensão da sua melodia. Empregam-se em casos muito variados. Assim:

a) para indicar que o narrador ou o personagem interrompe uma ideia que começou a exprimir e passa a considerações acessórias:

> — A tal rapariguinha... Não digam que foi a Pôncia que contou. Menos essa, que não quero enredos comigo! (J. DE ALENCAR)

b) para marcar suspensões provocadas por hesitação, surpresa, dúvida, timidez, ou para assinalar certas inflexões de natureza emocional de quem fala:

> Fiador... para o senhor?! Ora!... (G. AMADO)
> Falaram todos. Quis falar... Não pude...
> Baixei os olhos... e empalideci... (A. TAVARES)

c) para indicar que a ideia que se pretende exprimir não se completa com o término gramatical da frase, e que deve ser suprida com a imaginação do leitor:

> Agora é que entendo tudo: as atitudes do pai, o recato da filha... Eu caí numa cilada... (J. MONTELLO)

2. Empregam-se também as **reticências** para reproduzir, nos diálogos, não uma suspensão do tom da voz, mas o corte da frase de um personagem pela interferência da fala de outro. Se a fala do personagem continua normalmente depois dessa interferência, costuma-se preceder o seguimento de reticências:

> — Mas não me disse que acha...
> — Acho.
> — ...Que posso aceitar uma presidência, se me oferecerem?
> — Pode; uma presidência aceita-se. (M. DE ASSIS)

3. Usam-se ainda as **reticências** antes de uma palavra ou de uma expressão que se quer realçar:

> E teve um fim que nunca se soube... Pobrezinho... Andaria nos doze anos. Filho único. (S. LOPES NETO)

4. Não se devem confundir reticências, que tem valor estilístico apreciável, com os três pontos que se empregam, como simples sinal tipográfico, para indicar que foram suprimidas palavras no início, no meio ou no fim de uma citação.

Modernamente, para evitar qualquer dúvida, tende a generalizar-se o uso de quatro pontos para marcar tais supressões, ficando os três pontos como sinal exclusivo das **reticências**.

As aspas

1. Empregam-se principalmente:

a) no início e no fim de uma citação para distingui-la do resto do contexto:

> O poeta espera a hora da morte e só aspira a que ela "não seja vil, manchada de medo, submissão ou cálculo". (M. BANDEIRA)

b) para fazer sobressair termos ou expressões, geralmente não peculiares à linguagem normal de quem escreve (estrangeirismos, arcaísmos, neologismos, vulgarismos, etc.):

> Era melhor que fosse "*clown*". (E. VERISSIMO)

c) para acentuar o valor significativo de uma palavra ou expressão:

> A palavra "nordeste" é hoje uma palavra desfigurada pela expressão "obras do Nordeste", que quer dizer: "obras contra as secas". E quase não sugere senão as secas. (G. FREYRE)

Observação:

No emprego das **aspas**, cumpre atender a estes preceitos do *Formulário Ortográfico*: "Quando a pausa coincide com o final da expressão ou sentença que se acha entre **aspas**, coloca-se o competente sinal de pontuação depois delas, se encerram apenas uma parte da proposição; quando, porém, as aspas abrangem todo o período, sentença, frase ou expressão, a respectiva notação fica abrangida por elas:

> "Aí temos a lei", dizia o Florentino. "Mas quem as há de segurar? Ninguém." (R. BARBOSA)

Os parênteses

1. Empregam-se os **parênteses** para intercalar num texto qualquer indicação acessória. Seja, por exemplo:

a) uma explicação dada, uma reflexão, um comentário à margem do que se afirma:

> Os outros (éramos uma dúzia) andavam também por essa idade, que é o doce-amargo subúrbio da adolescência. (P. M. CAMPOS)
>
> Mais uma vez (tinha consciência disso) decidia o seu destino. (A. A. MACHADO)

b) uma nota emocional, expressa geralmente em forma exclamativa, ou interrogativa:

> Havia a escola, que era azul e tinha
> Um mestre mau, de assustador pigarro...
> (Meu Deus! que é isto? que emoção a minha
> Quando estas coisas tão singelas narro?) (B. LOPES)

Observação:

Entre as explicações e as circunstâncias acessórias que costumam ser escritas entre parênteses, incluem-se as referências a datas, a indicações bibliográficas, etc.

"Boa noite, Maria! Eu vou-me embora."

(Castro Alves. *Espumas flutuantes*. Bahia, 1870, p.71.)

2. Usam-se também os **parênteses** para isolar orações intercaladas com verbos declarativos:

> Uma vez (contavam) a polícia tinha conseguido deitar a mão nele. (A. DOURADO)

o que se faz mais frequentemente por meio de vírgulas ou de travessões.

Os colchetes

Os **colchetes** são uma variedade de **parênteses**, mas de uso restrito. Empregam-se:

a) quando numa transcrição de texto alheio, o autor intercala observações próprias, como nesta nota de SOUSA DA SILVEIRA a um passo de CASIMIRO DE ABREU:

> Entenda-se, pois: "Obrigado! obrigado [pelo teu canto em que] tu respondes [à minha pergunta sobre o porvir (versos 11-12) e me acenas para o futuro (versos 14 e 85), embora o que eu percebo no horizonte me pareça apenas uma nuvem (verso 15)]."

b) quando se deseja incluir, numa referência bibliográfica, indicação que não conste da obra citada, como neste exemplo:

> ALENCAR, José de. *O Guarani.* 2 ed. Rio de Janeiro: B. L. Garnier Editor [1864].

O travessão

Emprega-se principalmente em dois casos:

1º) para indicar, nos diálogos, a mudança de interlocutor:

> — Muito bom dia, meu compadre.
> — Por que não apeia, compadre Vitorino?
> — Estou com pressa. (J. L. DO REGO)

2º) para isolar, num contexto, palavras ou frases. Neste caso, usa-se geralmente o **travessão duplo**:

> Duas horas depois — a tempestade ainda dominava a cidade e o mar — o "Canavieiras" ia encostando no cais. (J. AMADO)

Mas não é raro o emprego de um só **travessão** para destacar, enfaticamente, a parte final de um enunciado:

> Um povo é tanto mais elevado quanto mais se interessa pelas coisas inúteis — a filosofia e a arte. (G. AMADO)

20 NOÇÕES DE VERSIFICAÇÃO

ESTRUTURA DO VERSO

Ritmo e verso

1. Examinemos estes versos do poeta Cruz e Sousa:

Vai, Pere*gri*no do caminho *san*to,
Faz da tu'*al*ma *lâm*pada do *ce*go,
Ilumi*nan*do, *pe*go sobre *pe*go,
As invi*sí*veis ampli*dões* do *Pran*to.

Verificamos que as sílabas tônicas, marcadas em itálico, se repetem depois de uma, duas ou três sílabas átonas. Esta sucessão de sílabas fortes e fracas, com intervalos regulares, ou não muito espaçados (para que a reiteração possa ser esperada e sentida pelo nosso ouvido), é uma fonte do prazer a que chamamos RITMO.

2. A contiguidade de sílabas tônicas prejudica O RITMO e, consequentemente, desagrada ao ouvido. Por isso, a sílaba anterior à última tônica é necessariamente átona. Tão forte é esta exigência rítmica que, mesmo sendo tônica no vocábulo isolado, ela se atonifica pela posição. Por exemplo, nestes dissílabos de Casimiro de Abreu,

Tu ontem
Na dança,
Que cansa,
Voavas...

o pronome *tu*, monossílabo tônico, sofre uma deflexão de pronúncia, no primeiro verso, por ser obrigatoriamente acentuado, como sílaba final do verso, o *-õ* de *ontem*, que lhe está contíguo.

3. O *ritmo* é o elemento essencial do *verso*, pois este se caracteriza, em última análise, por ser *o período rítmico que se agrupa em séries numa composição poética*. Quando tais períodos rítmicos apresentam o mesmo número de sílabas em todo o poema, a versificação diz-se *regular*. Se não há igualdade silábica entre eles, a versificação é *irregular* ou *livre*.

Os limites do verso

1. A forma do verso é determinada pela combinação das sílabas, acentos e pausas, contando-se as sílabas até a última acentuada. Assim, têm igualmente dez sílabas métricas os seguintes versos de Augusto dos Anjos:

A es	ca	la	dos	la	ti	dos	an	ces	**trais**	
No	tem	po	de	meu	Pai,	sob	es	tes	**ga**	lhos
Sob	a	for	ma	de	mí	ni	mas	ca	**mân**	dulas
1	2	3	4	5	6	7	8	9	10	

porque não se leva em conta a átona final da palavra *galhos*, tampouco as duas finais da palavra *camândulas*.

2. O número de unidades silábicas que se contêm num verso, desde o seu início até a última sílaba tônica, é indicado por compostos gregos em que entra a forma do numeral seguida do elemento *-sílabo*: *monossílabo, dissílabo, trissílabo, tetrassílabo, pentassílabo, hexassílabo, heptassílabo, octossílabo, eneassílabo, decassílabo, hendecassílabo* e *dodecassílabo.*

Vejamos agora como se contam estas unidades silábicas.

As ligações rítmicas

A melodia do verso exige que as palavras venham ligadas umas às outras mais estreitamente do que na prosa.

SINALEFA, ELISÃO E CRASE

Comparemos estes versos de Olavo Bilac, todos com dez sílabas métricas:

Che	guei.	Che	gas	te.	Vi	nhas	fa	ti	ga	(da)
E	tris	te, e	tris	te e	fa	ti	ga	do eu	vi	(nha.)
Ti	nhas	a al	ma	de	so	nhos	po	vo	a	(da,)
E a al	ma	de	so	nhos	po	vo	a	da eu	ti	(nha...)
1	2	3	4	5	6	7	8	9	10	

Verificamos que no primeiro haverá sempre, de qualquer forma que o leiamos, dez sílabas até a última tônica. Nele a fronteira das sílabas é coincidente, seja numa leitura pausada ou acelerada, seja na prosa ou no verso, seja, enfim, numa emissão isolada das palavras, se abandonarmos a última sílaba átona.

Já não sucede o mesmo com os três outros versos, que só atingem aquela medida pela leitura numa só sílaba da vogal final de uma palavra com a vogal inicial da palavra seguinte. Assim:

a) no segundo verso, temos de juntar numa só emissão de voz o *e* final de *triste* e a vogal da conjunção aditiva (duas vezes), bem como o *o* de *fatigado* e o ditongo do pronome *eu*;

b) no terceiro verso, ligamos o artigo *a* à vogal inicial de *alma*;

c) no quarto, finalmente, fundimos numa só sílaba as vogais da conjunção *e*, do artigo *a*, e *a* inicial do substantivo *alma*; e, também, a vogal final do adjetivo *povoada* e o ditongo constituído pelo pronome *eu*.

Na leitura destes versos, sentimos que há três soluções para obtermos a contração numa sílaba de duas ou mais vogais em contato:

1ª) A primeira vogal pode perder a sua autonomia silábica e tornar-se uma semivogal, que passa a formar ditongo com a vogal seguinte. É o que se observa, por exemplo, na pronúncia:

fa / ti / ga / d*wew* / [= fatigad*o eu*]

Dizemos que neste caso há *sinalefa.*

2ª) A primeira vogal pode desaparecer na pronúncia diante de uma vogal de natureza diversa. Por exemplo, na pronúncia:

fa / ti / ga / d*ew* / [= fatigad*a eu*]

A este fenômeno chamamos *elisão.*

3ª) A primeira vogal pode ser igual à seguinte e com ela fundir-se numa só. É o que se dá, por exemplo, com a emissão:

Ti / nhas / *a*l / ma / [= Tinhas *a a*lma]

Neste caso, verifica-se o que denominamos *crase.*

Ectlipse

Examinamos até aqui encontros vocálicos intervocabulares em que a primeira vogal é ORAL. Mas pode ocorrer que ela seja NASAL, e, neste caso, a regra é manter-se a autonomia silábica, isto é, o HIATO das vogais em contato.

Há, porém, certos encontros de vogal nasal com vogal (oral ou nasal) que na própria língua corrente costumam ser resolvidos em *ditongo*, ou mesmo em *crase*. É o que se observa, por exemplo, em ligações como co'a, c'a, c'o (= com a, com o), que a própria ortografia oficial admite que se escreva sem apóstrofo, com os elementos totalmente aglutinados (coa, ca, co). A esta fusão vocálica, facilitada pela perda da ressonância nasal da primeira vogal, dá-se o nome de *ectlipse.*

De acordo com as necessidades métricas, os nossos poetas têm-se servido das duas soluções que a língua lhes oferece no particular: a conservação das duas vogais em sílabas distintas, ou a fusão delas numa só sílaba. Leiam-se, a propósito, estes versos de Casimiro de Abreu, todos de sete sílabas métricas:

> Tudo muda *com os* anos:
> A dor — em doce saudade,
> Na velhice — a mocidade,
> A crença — nos desenganos!

No primeiro, temos o encontro *com os* pronunciado em duas sílabas. Já nos seguintes versos do mesmo poeta, também de sete sílabas, por duas vezes dá-se a ECTLIPSE no encontro *com as (co'as)*:

> — Jesus! Como eras bonita,
> *Co'as* tranças presas na fita,
> *Co'as* flores no samburá!

Observações:

1ª) Como nos mostram os exemplos citados, para que um encontro vocálico intervocabular possa ser pronunciado em uma só sílaba, é necessário que a sua primeira vogal seja átona, ou capaz de atonificar-se pela próclise. Sendo tônica, a solução normal é o hiato com a vogal seguinte, seja esta tônica ou átona.

2ª) Os termos SINALEFA e ELISÃO costumam ser empregados como sinônimos. É, porém, de toda a conveniência aplicá-los distintamente, como fazem os modernos estudiosos de versificação românica.

O HIATO INTERVOCABULAR

Desde os tempos antigos, os poetas têm procurado evitar o *hiato* de vogais pertencentes a palavras distintas, encontro que os compêndios de métrica, invariavelmente, consideram um defeito grave no verso, por torná-lo frouxo. Cabe, no entanto, ponderar que nesta, como em outras questões, não se devem estabelecer normas de rigor absoluto, pois nem sempre o poeta quererá ceder à forma o pensamento e, em certos casos, o *hiato intervocabular* pode ser não um defeito, mas um recurso de alta expressividade para realçar determinada palavra, ou para nos obrigar a emitir o verso num tom pausado. Em alguns poetas torna-se até condenável o excessivo escrúpulo em evitá-lo. É o que se observa, por exemplo, na obra de Hermes Fontes, de méritos inegáveis, mas por vezes artificial. Citemos, a propósito, este seu dodecassílabo:

> Luz é saúde, e treva é incertez*a*, *é ân*sia, é doença

em que, contra a realidade idiomática, temos de emitir numa só sílaba as vogais marcadas com itálico (*-a é ân-*).

Ora, quando num encontro concorrem duas vogais tônicas, elas não podem fundir-se numa sílaba nem no verso, nem na prosa. Mesmo se houver um enfraquecimento relativo da primeira vogal, como notamos no dissílabo de Casimiro de Abreu:

> Tu / on / (tem),

tal enfraquecimento não evitará, normalmente, a separação silábica das vogais.

Excluindo-se, porém, este caso em que o HIATO é inevitável, e outros excepcionais, em que ele vale como recurso de estilo, pode-se afirmar que, desde o século XVI, os poetas da língua manifestaram uma decidida e definitiva opção por solucionarem com SINALEFA ou ELISÃO os encontros vocálicos intervocabulares, a fim de conseguir para os seus versos uma estrutura mais contínua, mais fluente, mais plástica.

A medida das palavras

1. Relativamente à contagem das sílabas no interior das palavras, temos de considerar, em primeiro plano, os fatores de ordem gramatical.

Como nos ensina a gramática, também no verso os *ditongos* e os *tritongos* se contam em uma sílaba e as vogais em *hiato*, em sílabas diferentes. Assim, nestes hendecassílabos de Castro Alves:

A	tar	de	mor	ri	a!	dos	ra	mos,	das	las	(cas,)
Das	pe	dras,	do	lí	quen,	das	he	ras,	dos	car	(dos,)
As	tre	vas	ras	tei	ras	com o	ven	tre	por	ter	(ra)
Sa	í	am	quais	ne	gros,	cru	éis	le	o	par	(dos.)
1	2	3	4	5	6	7	8	9	10	11	

a palavra *rasteiras* conta-se em três sílabas, e *quais*, em uma. Esse número de sílabas elas o terão igualmente na prosa, ou, mesmo, se tomadas isoladamente. O *ditongo* [*ey*], que se contém na primeira, e o *tritongo* [*way*], que apresenta a segunda, são, pois, as pronúncias normais desses encontros vocálicos em todas as formas da língua.

Por outro lado, as palavras *morria* e *saíam*, em que há os *hiatos* /*i-a*/ e /*a-í-a*/, serão sempre emitidas em três sílabas, não importando o tipo de enunciado no qual apareçam.

2. **Sinérese**. Nas palavras que acabamos de examinar há perfeita coincidência da sílaba gramatical com a sílaba métrica. Mas esta concordância pode não existir, porque, em certas condições, o verso permite a criação de novos ditongos, ou melhor, admite que se ditonguem vogais que, na pronúncia normal, formam hiato. Esta passagem de um hiato a ditongo, por exigência métrica, chama-se *sinérese*.

Por exemplo, a palavra *magoado* é tetrassílaba na língua corrente, já que apresenta o encontro *-oá-*, pronunciado de regra com as vogais em HIATO. Também no verso costuma ser assim emitida, como nos mostra este heptassílabo de Augusto Gil:

Tão	ma	g*o*	*a*	do,	tão	lin	(do)
1	2	3	4	5	6	7	

Não é raro, porém, o emprego destas palavras no verso como trissílabos, com a transformação do HIATO /o-a/ (= /u-a/) no DITONGO [wa]. Compare-se ao que citamos anteriormente este heptassílabo do mesmo autor:

Mas	o	seu	o	lhar	ma	g*oa*	(do)
1	2	3	4	5	6	7	

3. **Diérese**. Menos frequente do que a sinérese é o fenômeno inverso, ou seja, a transformação de um ditongo normal em hiato. A esse alongamento silábico dá-se o nome de *diérese*.

Exemplifiquemos:

Na língua viva de nossos dias a palavra *saudade* é um trissílabo (sau-da-de), e como tal se emprega comumente quer na versificação erudita, quer na versificação popular. Mas, vez por outra, ainda aparece usada no verso com a antiga pronúncia tetrassilábica (*sa-u-da-de*). Assim, nesta quadrinha:

A ausência tem uma filha,
Que se chama *saüdade*:
Eu sustento mãe e filha,
Bem contra minha vontade.

CRASE, AFÉRESE, SÍNCOPE E APÓCOPE

Além dos que estudamos, outros processos têm sido utilizados por nossos poetas para reduzir ou ampliar o número de sílabas de uma palavra, segundo as necessidades métricas. Entre os processos de redução vocabular, devem ser conhecidos:

1º) A CRASE, ou seja, a fusão de duas vogais idênticas numa só, o que ocorre, por exemplo, com os dois -aa- contíguos de Saara neste decassílabo de Castro Alves:

Quan	do eu	pas	so	no	Saa	ra a	mor	ta	lha	(da)
1	2	3	4	5	6	7	8	9	10	

2º) A *aférese*, ou seja, a supressão de sons no início da palavra. É o caso do emprego da forma *'stamos* por *estamos* neste decassílabo de Castro Alves:

'Sta	mos	em	ple	no	mar...	Do	fir	ma	men	(to)
1	2	3	4	5	6	7	8	9	10	

3º) A *síncope*, ou seja, a supressão de sons no meio da palavra, o que sucede na pronúncia Esp'ranças por Esperanças neste decassílabo de Casimiro de Abreu:

Es	p'ran	ças	al	tas...	Ei-	las	já	tão	ra	(sas)
1	2	3	4	5	6	7	8	9	10	

4º) A *apócope*, ou seja, a supressão de sons no fim da palavra. Sirva de exemplo o emprego de *mármor* pela forma *mármore* neste decassílabo de Castro Alves:

Ar	tis	ta	cor	ta o	már	mor	de	Car	ra	(ra)
1	2	3	4	5	6	7	8	9	10	

A cesura e a pausa final

1. O período rítmico formado pelo verso termina sempre numa *pausa*, que o delimita. Esta *pausa* pode consistir numa interrupção mais ou menos longa da cadeia falada, conforme assinale o final de verso, de estrofe, ou do próprio poema, caso em que é absoluta. Pode ser ela brevíssima, ou, mesmo, não passar de um simples abaixamento da voz nos pontos de separação dos versos, mas não pode faltar. Omiti-la é retirar o sinal determinador da extensão e unidade dos períodos rítmicos em que se estrutura o poema.

2. A *cesura* é um descanso da voz no interior do verso. Ocorre principalmente nos versos longos, que ficam por ela divididos em *grupos fônicos*.

3. Comparem-se estes exemplos de Olavo Bilac:

> Cheguei. // Chegaste. // Vinhas fatigada...
> E um dia assim! // de um sol assim! // E assim a esfera...
> Despencando os rosais, // sacudindo o arvoredo...

Quando o verso apresenta apenas uma *cesura*, os dois *grupos fônicos* por ela formados recebem o nome de *hemistíquios* (= metades do verso), embora nem sempre contenham o mesmo número de sílabas.

Acentue-se, ainda, que, ao contrário da *pausa final* do verso, a *cesura* que recaia entre duas vogais não impede que elas se ditonguem ou, até, se fundam pela crase.

CAVALGAMENTO (ENJAMBEMENT)

1. Dissemos que o verso finaliza sempre com uma pausa ou com uma deflexão da voz que, ainda que breve, deve ser suficientemente percebida como o sinal característico do término de um período rítmico.

Geralmente a pausa final do verso coincide com uma pausa existente, ou possível, na estrutura sintática. É o que observamos nestes decassílabos do soneto *Nel mezzo del cammin*..., de Olavo Bilac:

> Cheguei. Chegaste. Vinhas fatigada /
> E triste, e triste e fatigado eu vinha. /
> Tinhas a alma de sonhos povoada, /
> E a alma de sonhos povoada eu tinha... /

2. Não raro, no entanto, os poetas servem-se de um recurso estilístico, de alto efeito quando usado comedidamente, que consiste em terminar o verso em discordância flagrante

com a sintaxe, pela separação de palavras estreitamente unidas num grupo fônico. As palavras deslocadas para o verso seguinte adquirem, com isso, um realce extraordinário, como vemos neste passo do mesmo soneto de Bilac:

E paramos de súbito *na estrada*
Da vida: longos anos, *presa à minha*
A tua mão, a vista deslumbrada
Tive da luz que teu olhar continha.

A esta bipartição do grupo fônico pela suspensão inesperada da voz em seu interior e pelo relevo do segundo elemento, ansiosamente esperado pelo ouvinte, dá-se o nome de CAVALGAMENTO ou, na designação francesa, ENJAMBEMENT.

Tipos de Verso

Os versos tradicionais

Embora não faltem exemplos de versos de treze e mais sílabas desde a poesia dos trovadores galego-portugueses, podemos considerar o DODECASSÍLABO o verso mais longo normalmente empregado pelos poetas da língua antes da eclosão dos movimentos modernistas no Brasil e em Portugal.

1. Monossílabos

Os versos de uma sílaba são de uso raro. Geralmente aparecem combinados com outros maiores para obtenção de certos efeitos sonoros. De Cassiano Ricardo são estes *monossílabos*, agrupados em dísticos:

Rua
torta.

Lua
morta.

Tua
porta.

2. Dissílabos

Como os MONOSSÍLABOS, os versos de duas sílabas não são frequentes. Também se empregam, de regra, em estrofes polimétricas para obtenção de efeitos expressivos. Com DISSÍLABOS compôs Casimiro de Abreu o seu harmonioso poema *A valsa*:

Quem dera
Que sintas
As dores
De amores
Que louco
Senti!
Quem dera
Que sintas!...
— Não negues,
Não mintas...
Eu vi!...

3. Trissílabos

Com versos de três sílabas se fizeram alguns poemas nas literaturas de língua portuguesa, mas os TRISSÍLABOS costumam ser mais usados em estrofes compostas, geralmente combinados com HEPTASSÍLABOS. Além do acento principal na 3ª sílaba, podem os TRISSÍLABOS apresentar ou não um acento secundário na 1ª sílaba:

*Sem*pre *vi*va...
Que pa*de*ce...

4. Tetrassílabos

Podem apresentar três cadências, que documentamos com versos do poema *Elegia*, de Ribeiro Couto:

a) acentuação na 2ª e na 4ª sílaba (mais comum):

Que *quer* o *ven*to?

b) acentuação na 1ª e na 4ª sílaba:

*Chei*ro de *flo*res

c) acentuação apenas na 4ª sílaba:

As invi*sí*veis

Como verso auxiliar, o TETRASSÍLABO é usado de preferência em combinação com o HEPTASSÍLABO e com o DECASSÍLABO.

5. Pentassílabos

Desde a época trovadoresca, o PENTASSÍLABO, ou verso de REDONDILHA MENOR, tem sido usado nas quatro cadências possíveis no idioma:

a) acentuação na 2ª e na 5ª sílaba (mais comum):

Não *cho*res, meu *fi*lho

b) acentuação na 1ª, na 3ª e na 5ª sílaba:

Vai sa*ir* a*go*ra

c) acentuação na 3ª e na 5ª sílaba:

Pesca*do*res, *ve*de!

d) acentuação na 1ª e na 5ª sílaba:

*Pé*rola do *mar*

6. Hexassílabos

O verso de seis sílabas pode apresentar as seguintes cadências, que documentamos com versos do poema *Perguntas*, de Carlos Drummond de Andrade:

a) acentuação na 2ª, na 4ª e na 6ª sílaba:

Ou *de*sse *mes*mo e*nig*ma

b) acentuação na 2ª e na 6ª sílaba:

Pro*pí*cios a nau*frá*gio

c) acentuação na 4ª e na 6ª sílaba:

De me incli*nar* a*fli*to

d) acentuação na 1ª, na 4ª e na 6ª sílaba:

*De*sse ca*la*do ir*real*

e) acentuação na 1ª, na 3ª e na 6ª sílaba:

*Ma*gras *re*ses, ca*mi*nhos

f) acentuação na 3ª e na 6ª sílaba:

Do pri*mei*ro re*tra*to

7. Heptassílabos

O verso de sete sílabas ou de REDONDILHA MAIOR foi sempre o verso popular, por excelência, das literaturas de língua portuguesa e espanhola. Verso básico da poesia popular, desde os trovadores medievais aos modernos cantadores do Nordeste brasileiro, O HEPTASSÍLABO nunca foi desprezado pelos poetas cultos, que dele se serviram por vezes em poemas de alta indagação filosófica. É usado em oito movimentos rítmicos, que passamos a documentar com exemplos colhidos na obra de Castro Alves:

a) ritmo alternante de sílaba forte e fraca, ou seja, acentuação na 1ª, na 3ª, na 5ª e na 7ª sílaba:

*Go*ta a *go*ta o or*va*lho *cai*.

b) variante do tipo anterior, com falta de acentuação na 1ª sílaba:

Enro*la*da em *fri*os *véus*

c) variante do primeiro tipo, sem acentuação na 5ª sílaba:

*Di*zem *re*zas ao lu*ar*

d) variante também do primeiro tipo, sem acentuação na 1ª e na 5ª sílaba:

E das *las*cas dos pa*tí*bulos

e) acentuação na 4ª e na 7ª sílaba:

Nas ava*re*zas do a*mor*

f) variante do tipo precedente, com acentuação também na 2ª sílaba:

Nos *be*los *ge*los do *po*lo

g) variante do tipo e), com acentuação também na 1ª sílaba:

*Pen*sas nos *cli*mas dis*tan*tes

h) acentuação na 2ª, na 5ª e na 7ª sílaba:

A *gló*ria no *lou*co a*fã*!

A outra cadência possível dentro das peculiaridades fonéticas do idioma — o *heptassílabo* com acentuação na 1ª, na 5ª e na 7ª sílaba —, por sua raridade, não deve agradar ao ouvido dos poetas. Veja-se este exemplo, colhido num poema de Cecília Meireles:

*So*bre o compri*men*to do *ar*

8. Octossílabos

Eis os seus movimentos rítmicos, documentados na prática de Alphonsus de Guimaraens:

a) ritmo alternante de sílaba fraca e forte, isto é, acentuação na 2ª, na 4ª, na 6ª e na 8ª sílaba:

Bai*xa*va *len*to. A *noi*te *vi*nha

b) variante do tipo anterior, sem acentuação na 6ª sílaba:

Es*pec*tros *chei*os de espe*ran*ça

c) variante do mesmo tipo, sem acentuação na 2ª sílaba, mas podendo ter ou não a 1ª sílaba acentuada:

No campa*ná*rio, ao *sol* in*cer*to
*Bas*ta, tal*vez*, a *co*va e*nor*me

d) variante também do primeiro tipo, com acentuação interna apenas na 4ª sílaba, ou na 1ª e na 4ª:

O campa*ná*rio do de*ser*to
*Chei*o de *lú*gubre mis*té*rio

e) variante ainda do primeiro tipo, sem acentuação na 4ª sílaba:

Pa*ra*mos de re*pen*te à *por*ta

f) acentuação na 1ª, na 3ª, na 5ª e na 8ª sílaba:

*E*ra *tar*de. O *sol* no po*en*te

g) variante do tipo anterior, sem acentuação na 1ª sílaba:

Com fa*di*gas, *suo*res e *pran*to

h) variante do mesmo tipo, sem acentuação na 3ª sílaba:

*Quan*do o Jubi*leu* se apro*xi*ma

i) acentuação na 2ª, na 5ª e na 8ª sílaba:

Em *on*das o *bas*to ca*be*lo

j) acentuação na 3ª, na 6ª e na 8ª, podendo ter a 1ª sílaba também forte:

Entre*va*dos de *mui*tos *a*nos
*Jun*to *des*te cai*xão* in*for*me

9. Eneassílabos

Há dois tipos de versos de nove sílabas, ambos com raízes antigas na literatura portuguesa:

1º) O *eneassílabo anapéstico*, que apresenta acentuação na 3ª, na 6ª e na 9ª sílaba e, por cadência uniforme e pausada, se tem prestado a composições de hinos patrióticos e de poemas cuja expressividade ressalta da absoluta regularidade rítmica. Comparem-se estes versos do *Hino à Bandeira* (letra de Olavo Bilac):

Contem*plan*do o teu *vul*to sa*gra*do,
Compreen*de*mos o *no*sso de*ver*;
E o Bra*sil*, por seus *fi*lhos a*ma*do,
Pode*ro*so e fe*liz* há de *ser*.

2º) O *eneassílabo* com acento interno fundamental na 4ª sílaba, que, por exigência idiomática, recebe forçosamente um outro na 6ª ou na 7ª sílaba. Seus movimentos rítmicos são, pois, os seguintes, documentados com exemplos colhidos no *Só*, de Antônio Nobre:

a) acentuação na 4ª, na 6ª e na 9ª sílaba, podendo ter a 1ª ou a 2ª sílaba também forte:

A*deus*! ó *Lu*a, *Lu*a dos *Me*ses,
*Lu*a dos *Ma*res, *o*ra por *nós*!...

b) acentuação na 4ª, na 7ª e na 9ª sílabas, com a possibilidade de ser a 1ª ou a 2ª sílaba também acentuada:

A*deus*! Que es*tra*nha Vi*são* é a*que*la
Que vem an*dan*do por *so*bre o *mar*?
*To*dos ex*cla*mam de *mãos* para *e*la.

10. Decassílabos

Desde o século XVI, por influência italiana, fixaram-se dois tipos de versos de dez sílabas, que iriam predominar até os dias de hoje nas literaturas de língua portuguesa. São eles:

a) o *decassílabo* chamado *heroico*, acentuado fundamentalmente na 6ª e na 10ª sílaba, mas com possibilidades de ter acentuações secundárias na 8ª e numa das quatro primeiras sílabas:

> *Ho*je, *se*gues de *no*vo... Na par*ti*da
> Nem o *pran*to os teus *o*lhos ume*de*ce,
> Nem te co*mo*ve a *dor* da despe*di*da.
> (O. BILAC)

b) o *decassílabo* chamado *sáfico*, que apresenta acentuação na 4ª, na 8ª e na 10ª sílaba, podendo, naturalmente, ter a 1ª ou a 2ª sílaba também fortes:

> *Quan*do eu te *fu*jo e me des*vi*o *cau*to
> Da *luz* de *fo*go que te *cer*ca, oh! *be*la,
> Con*ti*go *di*zes, suspi*ran*do a*mo*res
> "— Meu *Deus*! que *ge*lo, que fri*e*za a*que*la!"
> (C. DE ABREU)

11. Hendecassílabos

O *hendecassílabo* foi muito usado pelos nossos poetas românticos numa cadência sempre uniforme, ou seja, com acentuação na 2ª, na 5ª, na 8ª e na 11ª sílaba:

> Nas *ho*ras ca*la*das das *noi*tes d'es*ti*o
> Sen*ta*do so*zi*nho c'oa *fa*ce na *mão*,
> Eu *cho*ro e so*lu*ço por *quem* me cha*ma*va
> — "Oh *fi*lho que*ri*do do *meu* cora*ção*!" —
> (C. DE ABREU)

Este tipo de HENDECASSÍLABO nada mais é do que a simples restauração da forma por que se apresentava com mais frequência o VERSO DE ARTE-MAIOR, o verso longo, de quatro acentos, que servia aos poetas peninsulares em suas composições graves e solenes até princípios do século XVI, quando foi eclipsado pelo decassílabo de origem italiana.

12. Dodecassílabos

O *dodecassílabo* é mais conhecido por VERSO ALEXANDRINO, denominação que tem gerado numerosos equívocos, principalmente pelo fato de existirem, ainda hoje, dois tipos de ALEXANDRINO: O ALEXANDRINO FRANCÊS (de doze sílabas) e O ALEXANDRINO ESPANHOL (de treze sílabas), este último muito pouco cultivado pelos poetas de nossa língua.

O *alexandrino francês* apresenta dois tipos ritmicamente bem distintos: o *clássico* e o *romântico*.

O *alexandrino* chamado *clássico* tem a *cesura* no meio do verso, que fica assim dividido em dois *hemistíquios* de partes iguais (6 + 6). Daí resulta ser acentuado na 6ª e na 12ª sílaba, como se vê destes exemplos de Augusto de Lima:

> Nessas noites de *luz* // mais belas do que a au*ro*ra,
> As errantes vi*sões* // das almas pere*gri*nas
> Vão voando a can*tar* // pela amplidão a*fo*ra...

Os românticos franceses não desdenharam do clássico ritmo binário (6 + 6), nem do seu submúltiplo, o *tetrâmetro* (3 + 3 + 3 + 3), mas deram ênfase a uma forma pouco usada pelos clássicos, o *alexandrino* de ritmo ternário (4 + 4 + 4), em que a *cesura* deixa de coincidir com o *hemistíquio*. A este tipo de dodecassílabo dá-se o nome de *trímetro*, ou de *alexandrino romântico*. Leia-se, por exemplo, este verso de Camilo Pessanha:

> Adorme*cei*. Não suspi*reis*. Não respi*reis*.

Saliente-se por fim que os poetas da nossa língua têm obedecido com certo rigor a duas normas na juntura dos hemistíquios dos ALEXANDRINOS:

a) só empregavam palavra grave no final do primeiro *hemistíquio* se o segundo *hemistíquio* começasse por vogal, a fim de garantir a integridade do verso pela sinérese das duas vogais em contato, como nos mostra este verso de Amadeu Amaral:

> Ora, crespa, refer*ve*; // ora é um cristal sem ruga!

b) nunca usavam palavra esdrúxula no final do primeiro *hemistíquio*.

O verso livre

O verso livre, que foi posto em prática pelo grande poeta norte-americano Walt Whitman na obra *Folhas de relva* (*Leaves of Grass*, 1855), veio a dominar na poética dos simbolistas de língua francesa: Gustave Kahn, Jules Laforgue, Emile Verhaeren, Francis Vielé-Griffin, Henri de Régnier, Jean Moréas e tantos outros.

Gustave Kahn, poeta e principal teorizador do *verso livre*, procurou estabelecer-lhe os princípios, que podem ser assim resumidos:

a) o verso deve possuir sua existência própria e interior consubstanciada numa coerente unidade semântica e rítmica;

b) a unidade do verso será então definida como o fragmento mais curto possível em que haja uma pausa da voz e uma conclusão de sentido;

c) a estrofe não terá mais um desenho preestabelecido, mas será condicionada pelo pensamento ou pelo sentimento;

d) a inversão e o cavalgamento são recursos que devem ser banidos do verso.

Tais princípios se consubstanciam, por exemplo, no poema *Os ombros suportam o mundo*, de Carlos Drummond de Andrade, cuja primeira estrofe é a seguinte:

> Chega um tempo em que não se diz mais: meu Deus.
> Tempo de absoluta depuração.
> Tempo em que não se diz mais: meu amor.
> Porque o amor resultou inútil.
> E os olhos não choram.
> E as mãos tecem apenas o rude trabalho.
> E o coração está seco.

Mas, como bem salienta Henri Morier, não podemos dizer que exista *a priori* uma técnica uniforme do *verso livre*. Cada poeta procura forjar o seu próprio instrumento, não sendo raro o mesmo autor ensaiar várias técnicas, como documenta a obra dos principais poetas modernistas portugueses e brasileiros.

Advirta-se, por fim, que um verso só pode ser considerado *livre* dentro de certos tipos de estrutura poemática, estrutura que representa sempre uma organização interativa. "A linha só é unidade poética se há poema. É o poema que faz o verso livre, e não o verso livre que faz o poema. Exatamente como nos versos métricos."

A Rima

1. Lendo esta quadrinha popular,

Tanto limão, tanta l*ima*,
Tanta silva, tanta am*ora*,
Tanta menina bon*ita*...
Meu pai sem ter uma n*ora*!

verificamos que:

a) o 1º e o 3º verso apresentam uma identidade de vogais a partir da última vogal tônica: **i-a** (l**ima** — bon**ita**);

b) o 2º e o 4º verso apresentam uma correspondência de sons finais ainda mais perfeita, pois, a partir da última vogal tônica, se igualam todos os fonemas (vogais e consoantes): -**ora** (am**ora** — n**ora**).

2. Esta identidade ou semelhança de sons em lugares determinados dos versos é o que se chama de *rima*. Se a correspondência de sons é completa, a *rima* diz-se *soante*, *consoante* ou, simplesmente, *consonância*. Se há conformidade apenas da vogal tônica, ou das vogais a partir da tônica, a

rima denomina-se *toante, assonante* ou, simplesmente, *assonância*.

A rima e o acento

Quanto à posição do acento tônico, as RIMAS, como as palavras, podem ser:

a) agudas:

Vinhos dum vinhedo, frutos dum pom*ar*,
Que no céu os anjos regam com lu*ar*...
(GUERRA JUNQUEIRO)

b) graves:

Calçou as sandálias, tocou-se de fl*ores*,
Vestiu-se de Nossa Senhora das D*ores*.
(A. NOBRE)

c) esdrúxulas:

No ar lento fumam gomas aro*máticas*
Brilham as navetas, brilham as dal*máticas*.
(E. DE CASTRO)

As rimas agudas são também chamadas *rimas masculinas*; e as graves, *rimas femininas*.

Rima perfeita e rima imperfeita

1. A rima é uma coincidência de sons, não de letras. Por exemplo, há *rima soante perfeita* nestes versos de Alphonsus de Guimaraens:

Céu puro que o sol tr*ouxe*
Claro de norte a s*ul*,
O teu olhar é d*oce*,
Negro assim, qual se f*osse*
Inteiramente az*ul*.

tanto entre *sul* e *azul*, como entre as formas *trouxe*, *doce* e *fosse*, que apresentam a mesma terminação grafada de três maneiras diferentes.

2. Mas nem sempre há identidade absoluta entre os sons dispostos em rima, quer soante, quer toante. Algumas discordâncias têm sido mesmo largamente toleradas através dos tempos. Entre os casos de *rima imperfeita* consagrados pelo uso, cabe mencionar:

a) o das vogais acentuadas *e* e *o* semiabertas com semifechadas, prática iniciada por Gil Vicente, no século XVI, e adotada desde então pelos poetas da língua:

Pensar eu que o teu destino
Ligado ao meu outro f*ora*,
Pensar que te vejo ag*ora*,
Por culpa minha, infeliz...
(G. DIAS)

b) o de rima de vogal oral com vogal nasal:

De que ele, o sol, inunda
O mar, quando se p*õe*,
Imagem moribunda
De um coração que f*oi*...
(J. DE DEUS)

Rima pobre e rima rica

1. Consideram-se POBRES as rimas soantes feitas com terminações muito correntes no idioma, principalmente as de palavras da mesma classe gramatical. É o caso, por exemplo, dos infinitivos em *-ar*, dos particípios em *-ado*, dos gerúndios em *-ando*, dos diminutivos em *-inho*, dos advérbios em *-mente*, dos adjetivos em *-ante*, dos substantivos em *-ão* e *-eza*, das palavras primitivas com os seus derivados por prefixação: *amor-desamor*, *ver-rever*, etc.

2. São RICAS as rimas que se fazem com palavras de classe gramatical diversa ou de finais pouco frequentes, como nestes versos de Alphonsus de Guimaraens:

> O teu olhar, Senhora, é a estrela da *alva*
> Que entre alfombras de nuvens irra*dia*:
> Salmo de amor, canto de alívio, e s*alva*
> De palmas a saudar a luz do *dia*...

3. Denominam-se *raras* ou *preciosas* as rimas excepcionais, difíceis de encontrar. Foram procuradas sobretudo pelos poetas parnasianos e simbolistas. Veja-se, por exemplo, esta rima de *cálix* com *digitális*, empregada em *Horas*, de Eugênio de Castro:

> Oh os seus olhos! suas unhas em amêndoa! e em *cálix*
> O seu colo! e os seus dedos de *digitális*! —

Combinações de rimas

1. Os versos de um poema podem ser *monorrimos*, isto é, podem terminar todos pela mesma consonância ou pela mesma assonância. É o que sucede comumente com os versos dos romances tradicionais, em que uma só assonância liga um número indefinido deles.

2. Mas, em geral, as combinações rímicas processam-se dentro de unidades menores do poema — as *estrofes* —, cujos principais tipos estudaremos adiante.

Nas estrofes, as disposições mais frequentes de *rimas* são as seguintes:

a) rimas emparelhadas, quando se sucedem duas a duas:

> Ele deixava atrás tanta recorda*ção*!
> E o pesar, a saudade até no próprio ch*ão*,
> Debaixo dos seus pés, parece que gem*ia*,

Levantava-se o sol, vinha rompendo o d*ia*,
E o bosque, a selva, o campo, a pradaria em fl*or*
Vestiam-se de luz, como um preito de am*or*.
(A. DE OLIVEIRA)

b) rimas alternadas, quando, de um lado, rimam os versos ímpares (o 1º com o 3º, etc.); de outro, os versos pares (o 2º com o 4º, etc.):

Tu és um beijo mat*erno*!
Tu és um riso infant*il*,
Sol entre as nuvens de inv*erno*,
Rosa entre as flores de abr*il*!
(J. DE DEUS)

c) *rimas opostas* ou *interpoladas*, quando o 1º verso rima com o 4º e o 2º com o 3º:

Saudade! Olhar de minha mãe rez*ando*
E o pranto lento deslizando em f*io*...
Saudade! Amor da minha terra... O r*io*
Cantigas de águas claras soluç*ando*.
(DA COSTA E SILVA)

d) *rimas encadeadas*, quando o 1º verso rima com o 3º; o 2º com o 4º e com o 6º; o 5º com o 7º e o 9º; e assim por diante, como nestes versos do poema *Uma criatura*, de M. de Assis:

Sei de uma criatura antiga e formid*ável*,
Que a si mesma devora os membros e as entr*anhas*
Com a sofreguidão da fome insaci*ável*.

Habita juntamente os vales e as mont*anhas*
E no mar, que se rasga, à maneira de ab*ismo*,
Espreguiça-se toda em convulsões estr*anhas*.

Traz impresso na fronte o obscuro despot*ismo*.
Cada olhar que despede, acerbo e mavioso,
Parece uma expansão de amor e de ego*ísmo*.

Indicação esquemática das rimas

Convencionalmente, indicam-se os versos com as letras do alfabeto. Aos versos presos pela mesma rima correspondem letras iguais. Assim o esquema das *rimas emparelhadas* é *aa-bb-cc*, etc.; o das *rimas alternadas* é *ababab*, etc.; o das *rimas opostas*, *abba*; o das *rimas encadeadas*, *aba-bcb-cdc*; etc.

Versos sem rima

Elemento importantíssimo na poesia dos povos românicos, a rima serve principalmente a dois fins. É uma sonoridade, uma musicalidade que, introduzida no poema, satisfaz o ouvido. E é, por outro lado, uma forma de marcar enfaticamente o término do período rítmico formado pelo verso. Mas não constitui, como se tem dito, um elemento intrínseco, essencial do verso, tanto assim que era desusada na métrica latina de caráter culto e não faltam às literaturas modernas numerosos e admiráveis poemas compostos de versos *brancos*, o que vale dizer — sem rima.

ESTROFAÇÃO

Estrofe (do grego *strophé* "volta", "conversão") é um agrupamento rítmico formado de dois ou mais versos que, em geral, se combinam pela rima. Quanto maior o número de versos, tanto maior a possibilidade de variar a distribuição das rimas.

Eis os principais tipos de *estrofe*:

1. **O dístico.** É a menor estrofe, constituída de dois versos que rimam entre si, pelo esquema: aa-bb, etc.:

> Filho meu, de nome escr*ito*
> Da minh'alma no Infin*ito*.
>
> Escrito a estrelas e s*angue*
> No farol da lua l*angue*...
>
> (CRUZ E SOUSA)

2. **O terceto.** É a estrofe de três versos, hoje mais usada na composição do *soneto*, do qual trataremos adiante.

Os poemas estruturados em *tercetos* seguiram largo tempo o modelo célebre da *Divina comédia*, de Dante — a *terza rima* —, sequência de *tercetos* decassilábicos em rima *encadeada* (esquema: *aba-bcb-cdc*...). O segundo verso do último *terceto* devia rimar com um verso final, remate do poema ou do canto (esquema: *xzx-z*).

Posteriormente, compuseram-se *tercetos* com outras combinações rímicas (*aab-ccb, abc-abc*, etc.), ou mesmo sem rima, como estes do poema "Rosa da Montanha", de A. de Guimarães Filho:

> Um luar velho dói sobre o silêncio.
> As mãos furtivas despetalam mortes
> E o coração se perde em nostalgia.
>
> Fugir na noite inconsolável, ir
> Ao teu suplício, rosa da montanha,
> Ó delicada pétala de sangue!

3. **A quadra.** É a estrofe de quatro versos, os quais, na poesia culta, se apresentam geralmente em rima *alternada* (*abab*) ou *oposta* (*abba*), como vimos anteriormente. Na literatura popular, onde vale por um verdadeiro poema de forma fixa, a *quadra* é, via de regra, constituída de heptassílabos com uma só rima, do 2º com o 4º verso:

> O pouco que Deus nos deu
> Cabe numa mão fech*ada*:
> O pouco com Deus é muito,
> O muito sem Deus é n*ada*.

4. **A quintilha.** É a estrofe de cinco versos. Em suas formas comuns, apresenta a combinação de duas rimas dispostas nas séries *abaab*, *abbab*, *ababa*. Do primeiro, veja-se este exemplo de R. Correia:

Além dos ares, tremulam*ente*,
Que visão branca das nuvens s*ai*!
Luz entre franças, fria e sil*ente*;
Assim nos ares, tremulam*ente*,
Balão aceso subindo v*ai*...

5. **A sextilha.** É a estrofe de seis versos. Nela a disposição das rimas pode variar muito. Gregório de Matos, por exemplo, usava o esquema *aabbcc*. Nas *Sextilhas de Frei Antão*, Gonçalves Dias rimou apenas os versos pares *abcbdb*. E assim fizeram outros poetas românticos, os quais preferiam, no entanto, o esquema *aabccb*.

Poetas contemporâneos continuam a empregar a *sextilha* nas suas múltiplas combinações rímicas, algumas muito harmoniosas, como o tipo *ababab*:

Por água brava ou ser*ena*
Deixamos nosso cant*ar*,
Vendo a voz como é pequ*ena*
Sobre o comprimento do *ar*.
Se alguém ouvir temos p*ena*:
Só cantamos para o m*ar*...
(C. MEIRELES)

6. **A estrofe de sete versos.** Frequente na poesia trovadoresca de caráter culto, a estrofe de sete versos teve menor fortuna a partir do Renascimento.

Aparece em composições ligeiras de poetas do período clássico, geralmente no esquema *abbaacc*, como nesta volta de uma cantiga de Camões:

Leva na cabeça o p*ote*,
o testo nas mãos de pr*ata*,
cinta de fina escarl*ata*,
sainho de chamal*ote*:
traz a vasquinha de c*ote*,
Mais branca que neve p*ura*;
vai fermosa, e não seg*ura*.

Poetas posteriores usaram outras combinações rímicas, entre as quais podem ser citadas as seguintes: *aabcbbc* (Álvares de Azevedo); *abababa*, *aabcddc*, *abbcddc* (Casimiro de Abreu); *abacbac* (Vicente de Carvalho); *aabaaca*, *abbacbc* (Fernando Pessoa); *abcdefd*, *ababcac*, *abcdbec*, *abcabbc* (Cecília Meireles).

7. **A oitava.** Da estrofe de oito versos há um tipo tradicionalmente fixo, a *oitava heroica*, e outro métrica e rimicamente variável, a *oitava lírica*.

A *oitava heroica* é formada de oito decassílabos, os seis primeiros com rima alternada e os dois últimos com rima emparelhada (esquema: *abababcc*). Foi a estrofe empregada por Camões em *Os lusíadas*:

De Formião, filósofo eleg*ante*,
Vereis como Aníbal escarnec*ia*,
Quando das artes bélicas di*ante*
Dele com larga voz tratava e l*ia*.
A disciplina militar prest*ante*
Não se aprende, senhor, na fantas*ia*
Sonhando, imaginando ou estud*ando*,
Senão vendo, tratando e pelej*ando*.
(Lus., X, 153)

A *oitava lírica* admite grande variedade de combinações rímicas. Por vezes é uma simples justaposição de duas quadras. Assim nos esquemas *ababcdcd* e *abbacddc*. Para lhe dar estrutura mais orgânica, procuram os poetas ligar pela rima um verso da primeira metade com um verso da segunda, geralmente o 4º com o 8º. Este, por exemplo, o caso dos esquemas *abbcaddc*, *ababcccb*, *aaabcccb*.

Os poetas românticos preferiam, não raro, variantes desses tipos com falta de rima no 1º e no 3º verso, ou no 1º e no 5º, ou em todos os versos ímpares.

Não faltam também oitavas líricas em que os versos se distribuem por duas rimas, como nesta de Gomes Leal, que obedece ao esquema *abaaabab*:

Pegou no copo, com gr*aça*,
E brindou, em língua estr*anha*...
E a rainha, a vista b*aça*,
Como a um punhal que a tresp*assa*,
Encheu de prantos a t*aça*,
E o seu lenço de Bret*anha*...
Chorou baixo, ao ouvir, com gr*aça*,
Esse brinde, em língua estr*anha*!

8. **A estrofe de nove versos.** Embora tenha raízes antigas na literatura portuguesa, a estrofe de nove versos foi sempre pouco usada. Dela se serviu, por exemplo, Machado de Assis no poema *Visio* (esquema: *aabcdbcdb*):

Foi, sim, mas visão ap*enas*;
Daquelas visões am*enas*
Que à mente dos infel*izes*
Descem vivas e anim*adas*,
Cheias de luz e esper*ança*
E de celestes matr*izes*:
Mas, apenas dissip*adas*,
Fica uma leve lembr*ança*,
Não ficam outras ra*ízes*.

9. **A décima.** Em geral, a *décima* é a simples justaposição de uma *quadra* e uma *sextilha*, ou de duas *quintilhas*. No período clássico, a *décima* em heptassílabos era usada para poesias ligeiras: cantigas, glosas, vilancetes e esparsas. Sá de Miranda empregou-a nos esquemas *abbacddccd* e *abaabcddcd*; Camões, na forma *abaabcdccd*; e Gregório de Matos, que dela se serviu largamente nas sátiras, preferia o tipo *abbaaccddc*, de que nos dá mostra a seguinte, endereçada "a um livreiro que havia comido um canteiro de alfaces com vinagre":

Levou um livreiro a d*ente*
De alface todo um cant*eiro*,
E comeu, sendo livr*eiro*,
Desencadernadam*ente*.
Porém, eu digo que m*ente*
A quem disso o quer tach*ar*;
Antes é para not*ar*
Que trabalhou como um m*ouro*,
Pois meter folhas no c*ouro*
Também é encadern*ar*.

Estrofe simples e composta

Chamam-se *simples* as estrofes formadas de versos de uma só medida, e *compostas* as que combinam versos maiores com menores.

As combinações mais comuns são: a) a do decassílabo com o hexassílabo; b) a do hendecassílabo com o pentassílabo; c) a do alexandrino com os versos de oito, de seis ou de quatro sílabas; d) a do heptassílabo com os versos de três ou de quatro sílabas.

Estrofe livre

Denomina-se *livre* ou *polimétrica* a estrofe que apresenta versos de diferentes medidas e agrupados sem obediência a qualquer regra. Em verdade, a *estrofe livre* é a negação da estrofe, no sentido tradicional dessa palavra.

POEMAS DE FORMA FIXA

Há poemas que têm uma forma fixa, isto é, submetida a regras determinadas quanto à combinação dos versos, das rimas ou das estrofes. Assim o *soneto*, o *rondó*, o *rondel*, a *balada*, o *canto real*, o *vilancete*, a *vilanela*, a *sextina*, o *pantum*, o *haicai* e a *quadra* popular. Dentre eles, merece um comentário particular o *soneto* por sua longa vitalidade em várias literaturas, inclusive na portuguesa e na brasileira.

O soneto

Há duas variedades de *soneto:* o *soneto italiano* e o *soneto inglês*.

1. Compõe-se o *soneto italiano* de quatorze versos, geralmente decassílabos ou alexandrinos, agrupados em duas quadras e dois tercetos.

As rimas das quadras são as mesmas. Um par de rimas serve a ambas, segundo um dos dois esquemas: *abba-abba*, *abab-abab*.

2. Nos tercetos podem combinar-se duas ou, mais frequentemente, três rimas.

Quando há apenas duas rimas, dispõem-se elas normalmente de forma alternada: *cdc-dcd*. Se as rimas são três, distribuem-se em geral nos esquemas:

1º) *ccd-eed*, empregado preferentemente por Florbela Espanca, a exemplo destes tercetos de *Languidez*:

> Fecho as pálpebras roxas, quase pr*etas*,
> Que pousam sobre duas viol*etas*,
> Asas leves cansadas de v*oar*...
>
> E a minha boca tem uns beijos m*udos*...
> E as minhas mãos, uns pálidos vel*udos*,
> Traçam gestos de sonho pelo *ar*...

2º) *cdc-ede*, que se documenta nos tercetos de *Lar paterno*, de Belmiro Braga:

> Serras virentes, que não mais transp*onho*,
> Na retina fiel ainda eu vos t*enho*,
> E revejo, através de um brando s*onho*,
>
> A casa onde nasci, as mansas r*eses*,
> A várzea, o laranjal, a horta, o eng*enho*
> E a cruz onde rezei por tantas v*ezes*...

3º) *cde-cde*, que aparece nestes tercetos de *Zulmira*, de Raimundo Correia:

Não sei porque chorando toda a g*ente*,
Quando Zulmira se casou, est*ava*:
Belo era o noivo... que razões hav*ia*?

A mãe e a irmã choravam tristem*ente*;
Só o pai de Zulmira não chor*ava*...
E era o pai, afinal, quem mais sofr*ia*!

Estas as principais disposições rímicas do *soneto italiano*, ou seja, da forma tradicional deste breve e afortunado poema.

3. O *soneto inglês*, modernamente introduzido nas literaturas de língua portuguesa, também consta de quatorze versos, mas distribuídos em três quadras e um dístico final, que se escrevem sem espacejamento. Obedece a um dos dois esquemas: a) *abab bcbc cdcd ee*; b) *abab cdcd efef gg*.

Na literatura inglesa, o primeiro tipo é conhecido por *soneto spenseriano* (*spenserian sonnet*), por ter sido cultivado inicialmente pelo poeta Edmund Spenser (1552?-1599); o segundo denomina-se *soneto shakespeariano* (*Shakespearean sonnet*) ou, simplesmente, *soneto inglês* (*English sonnet*) por se haver tornado a forma mais usual do poema desde que dela se serviu o genial dramaturgo nos 154 espécimes do gênero que nos legou.

De Manuel Bandeira é este soneto shakespeariano:

Soneto inglês nº 2

Aceitar o castigo imerec*ido*,
Não por fraqueza, mas por altiv*ez*.
No tormento mais fundo o teu gem*ido*
Trocar num grito de ódio a quem o f*ez*.

As delícias da carne e pensam*ento*
Com que o instinto da espécie nos eng*ana*
Sobpor ao generoso sentim*ento*
De uma afeição mais simplesmente hum*ana*.

Não tremer de esperança nem de esp*anto*.
Nada pedir nem desejar, sen*ão*
A coragem de ser um novo s*anto*
Sem fé num mundo além do mundo. E ent*ão*

Morrer sem uma lágrima, que a v*ida*
Não vale a pena e a dor de ser viv*ida*.

DIRETOR EDITORIAL (LEXIKON EDITORA)
Carlos Augusto Lacerda

EDITOR
Paulo Geiger

REVISÃO
Eduardo Carneiro
Rachel Agavino

DIAGRAMAÇÃO
Selênia Serviços

PRODUÇÃO
Ilustrarte Design e Produção Editorial

CAPA
Néktar Design

Este livro foi impresso em Santa Maria, RS
em dezembro de 2012, pela Gráfica Editora Pall
As fontes usadas no miolo são Nimrod, corpo 8/12,5 e IT
corpo 10,5/12,5. O papel do miolo é offset 75g/
e o da capa é cartão 250g/m².